숨마 주니어®

구성 & 학습법

〈중학 영어 문법 연습 ❶〉 활용 공부법

학습 준비 단계

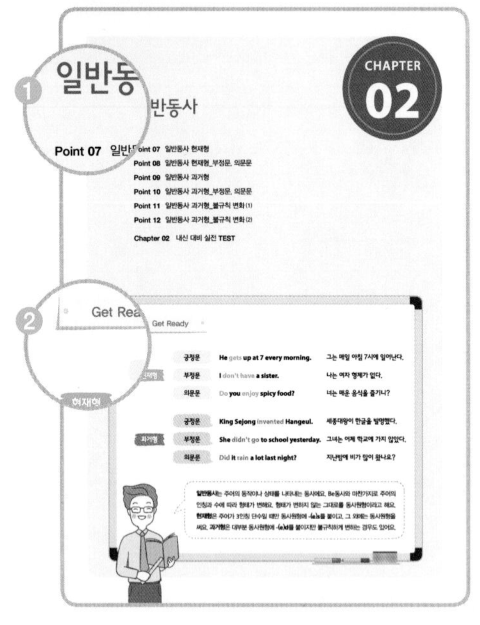

① 학습하기 편하게 나누어진 문법 Point
② 학습을 위한 기본 지식

1단계 문법 개념 학습

정리된 문법 설명을 이해한 후 예문을 읽어봅니다. 〈+〉와 〈Q&A〉의 추가 개념들로 더 완벽한 문법 지식을 쌓을 수 있습니다.

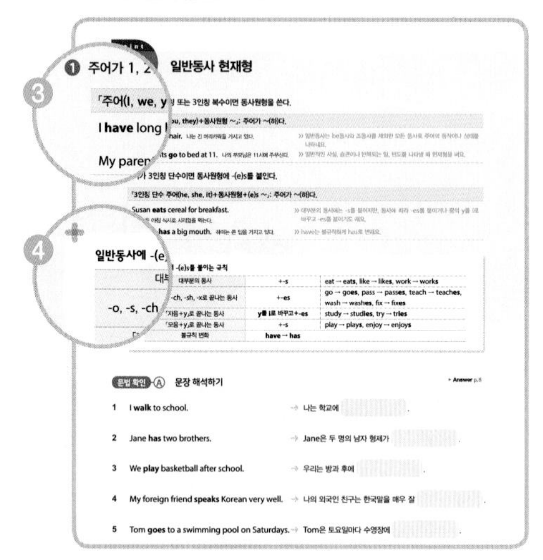

③ 명쾌한 문법 설명
④ 추가 개념 학습

2단계 문법 확인 학습

짧은 문장들을 해석해보며 학습한 문법 지식을 확인합니다.

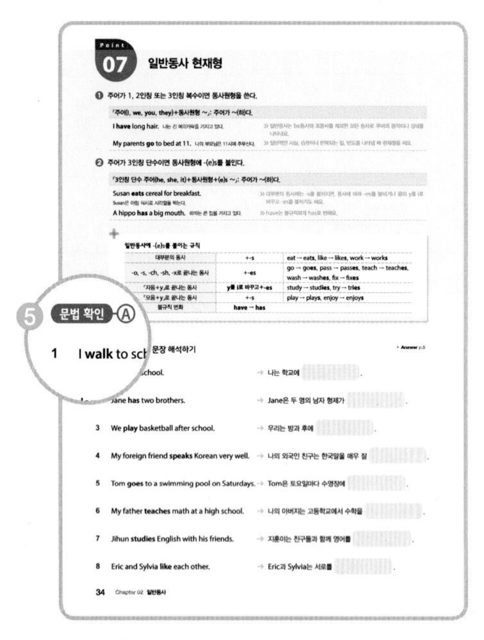

⑤ 문장 해석을 통한 문법 연습

3단계 문법 기본 연습

선택형 · 단답형 유형으로 이루어진 쉬운 문제들을 연습하며 기본기를 쌓습니다.

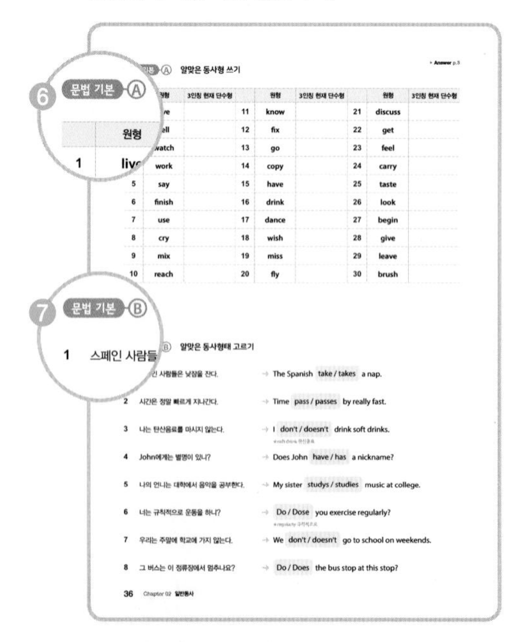

⑥ - ⑦ 기본 문제 연습

[연습유형]
알맞은 말/형태 고르기
알맞은 말/형태 쓰기
⋮

4단계 문법 쓰기 연습

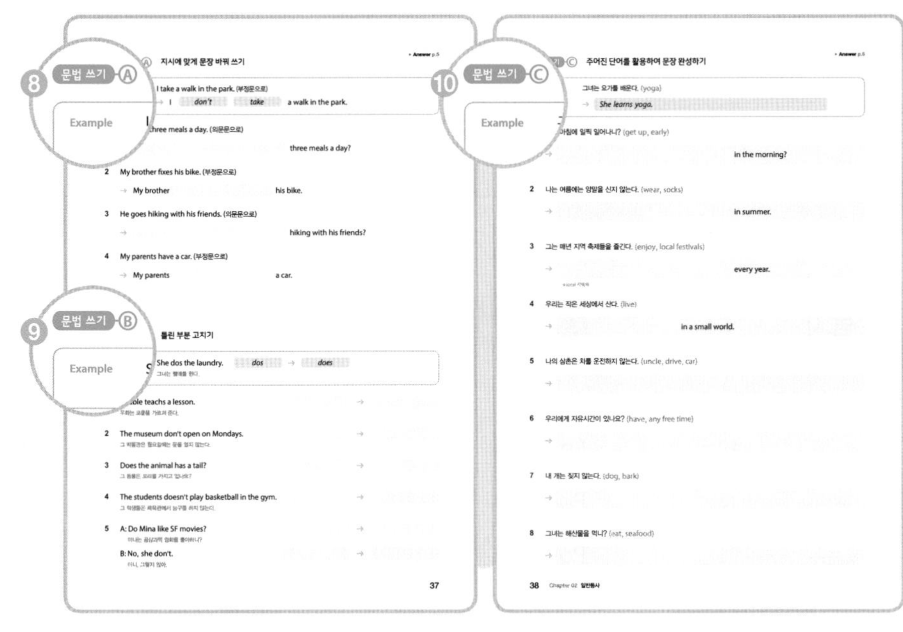

3단계보다 한 단계 높아진 유형들의 문제들을 연습하며 문장의 구조를 익히고, 문법 지식을 확실하게 내 것으로 만듭니다.

[연습유형]

문장 전환하기
어순 배열하기
틀린 어법 고치기
문장 완성하기
⋮

⑧ - ⑩ 심화 문제 연습

5단계 서술형 • 내신 실전 연습

〈서술형 예제〉와 〈실전 연습〉 문제를 풀어보며 서술형 문제가 어떻게 출제되는지를 파악하고 해결 방법도 확인합니다. 〈내신 대비 실전 TEST〉에서는 Chapter에서 학습한 내용을 종합적으로 테스트하면서 실전 감각을 익힙니다. 틀린 문제는 해설을 확인하고 연계 Point를 다시 복습하여 완벽하게 실전대비를 합니다.

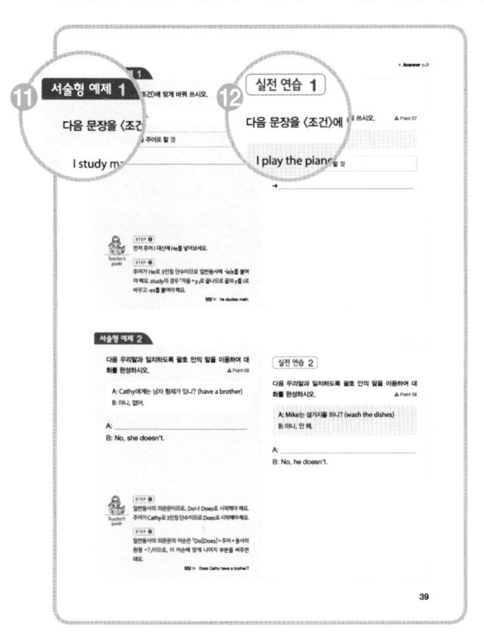

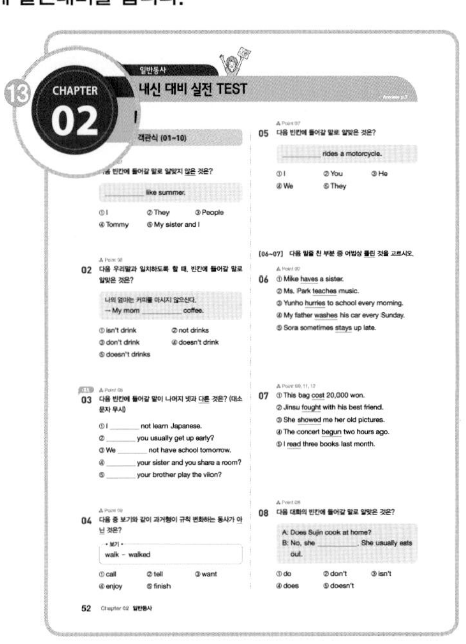

⑪ 〈서술형 예제〉와 풀이
⑫ 서술형 대비 〈실전 연습〉

⑬ 〈객관식〉 – 〈서술형 기본〉 – 〈서술형 심화〉 문제로 구성된 Chapter 마무리 실전 TEST

차례

〈중학 영어 문법 연습 ❶〉

Chapter 05 문장의 형식

Chapter 06 명사와 대명사

Chapter 07 to부정사와 동명사

Chapter 08 형용사와 부사

차례

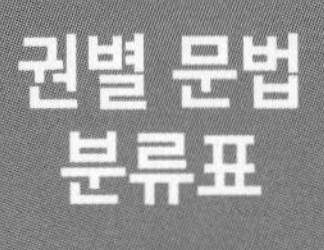

권별 문법 분류표

〈중학 영어 문법 연습 ❶, ❷, ❸〉에 실린 문법 항목

문법 항목		문법 연습 ❶	문법 연습 ❷	문법 연습 ❸
시제	단순시제	●	●	
	진행형(현재/과거)	●	●	
	현재완료		●	●
	과거완료			●
	완료진행형			●
동사/조동사	be동사/일반동사	●		
	can / may	●	●	
	must / have to / should	●	●	
	used to / would		●	●
	had better		●	●
	would rather / would like to			●
	「조동사 + have + p.p.」			●
문장의 형식	문장의 5형식	●	●	
	to부정사가 목적보어인 5형식 문장		●	●
	사역동사/지각동사(5형식)		●	●
to부정사	to부정사의 명사적 · 형용사적 · 부사적 용법	●	●	●
	「의문사 + to부정사」		●	
	It ~ to		●	●
	의미상 주어		●	●
	enough to / too ~ to		●	●
	seem to			●
동명사	동명사의 쓰임	●	●	●
	동명사와 to부정사를 목적어로 쓰는 동사	●	●	●
	동명사의 관용 표현		●	●
	의미상 주어			●
분사	현재분사 / 과거분사		●	●
	분사구문의 쓰임		●	●
	완료 · 독립 · 유사 분사구문			●
명사/대명사	셀 수 있는 명사 / 셀 수 없는 명사	●		
	인칭대명사	●		
	비인칭 주어 it	●		
	재귀대명사	●	●	
	부정대명사	●	●	
형용사/부사	형용사의 쓰임	●		
	부사의 쓰임	●		
	빈도부사	●		
	원급 · 비교급 · 최상급 비교	●	●	●
	비교급 · 최상급 표현		●	●
전치사/접속사	전치사	●		
	등위접속사	●		
	시간 · 이유 · 조건의 접속사	●	●	●
	접속사 that	●	●	●
	상관접속사		●	●
	양보 · 결과의 접속사		●	●
관계사	주격 · 목적격 · 소유격 관계대명사		●	●
	관계대명사 what		●	●
	관계부사		●	●
	복합관계사			●
가정법	가정법 과거		●	●
	가정법 과거완료			●
	혼합 가정법			●
의문문 명령문 감탄문	의문사 의문문	●		
	부가의문문	●		
	간접의문문		●	●
	감탄문	●		
	명령문	●	●	
태/일치/화법	수동태		●	●
	수 · 시제 일치			●
	화법 전환			●
특수구문	강조			●
	전체 부정 / 부분 부정			●
	도치			●

40일 완성
Study Plan

40일 문법 공부계획을 실천해 보세요.

	학습일	학습 내용	학습 날짜	문법 이해도
CHAPTER 01	Day 01	Point 01~02	월 일	☺ 😐 ☹
	Day 02	Point 03~04	월 일	☺ 😐 ☹
	Day 03	Point 05~06	월 일	☺ 😐 ☹
	Day 04	Chapter 01 내신 대비 실전 TEST	월 일	☺ 😐 ☹
CHAPTER 02	Day 05	Point 07~08	월 일	☺ 😐 ☹
	Day 06	Point 09~10	월 일	☺ 😐 ☹
	Day 07	Point 11~12	월 일	☺ 😐 ☹
	Day 08	Chapter 02 내신 대비 실전 TEST	월 일	☺ 😐 ☹
CHAPTER 03	Day 09	Point 13~14	월 일	☺ 😐 ☹
	Day 10	Point 15~16	월 일	☺ 😐 ☹
	Day 11	Chapter 03 내신 대비 실전 TEST	월 일	☺ 😐 ☹
CHAPTER 04	Day 12	Point 17~18	월 일	☺ 😐 ☹
	Day 13	Point 19~20	월 일	☺ 😐 ☹
	Day 14	Chapter 04 내신 대비 실전 TEST	월 일	☺ 😐 ☹
CHAPTER 05	Day 15	Point 21~22	월 일	☺ 😐 ☹
	Day 16	Point 23~24	월 일	☺ 😐 ☹
	Day 17	Chapter 05 내신 대비 실전 TEST	월 일	☺ 😐 ☹
CHAPTER 06	Day 18	Point 25~26	월 일	☺ 😐 ☹
	Day 19	Point 27~28	월 일	☺ 😐 ☹
	Day 20	Chapter 06 내신 대비 실전 TEST	월 일	☺ 😐 ☹

STUDY PLAN에 따라 정해진 양을 매일 꾸준히 풀면,
40일 만에 중학 핵심 문법 포인트 56개를 내 것으로 만들 수 있다!

	학습일	학습 내용	학습 날짜	문법 이해도
CHAPTER 07	Day 21	Point 29~30	월 일	
	Day 22	Point 31~32	월 일	
	Day 23	Point 33~34	월 일	
	Day 24	Chapter 07 내신 대비 실전 TEST	월 일	
CHAPTER 08	Day 25	Point 35~36	월 일	
	Day 26	Point 37~38	월 일	
	Day 27	Chapter 08 내신 대비 실전 TEST	월 일	
CHAPTER 09	Day 28	Point 39~40	월 일	
	Day 29	Point 41~42	월 일	
	Day 30	Chapter 09 내신 대비 실전 TEST	월 일	
CHAPTER 10	Day 31	Point 43~44	월 일	
	Day 32	Point 45~46	월 일	
	Day 33	Point 47~48	월 일	
	Day 34	Chapter 10 내신 대비 실전 TEST	월 일	
CHAPTER 11	Day 35	Point 49~50	월 일	
	Day 36	Point 51~52	월 일	
	Day 37	Chapter 11 내신 대비 실전 TEST	월 일	
CHAPTER 12	Day 38	Point 53~54	월 일	
	Day 39	Point 55~56	월 일	
	Day 40	Chapter 12 내신 대비 실전 TEST	월 일	

숨마 주니어® 중학 영어 문법 연습 ❶

인칭대명사와 be동사

Get Ready

단수	1인칭	I am **fourteen years old.**	나는 14살이다.
	2인칭	You are **so beautiful.**	너는 정말 아름답다.
	3인칭	He is **Tony's father.**	그는 Tony의 아버지이다.
복수	1인칭	We are **middle school students.**	우리는 중학생이다.
	2인칭	**All of** you are **very smart.**	너희들 모두 매우 똑똑하다.
	3인칭	They are **in** the **library.**	그들은 도서관에 있다.

인칭대명사는 사람이나 사물을 지칭할 때 쓰이는 말이에요. 인칭대명사는 인칭과 역할에 따라 형태가 달라져요. 주어 다음에 오는 **be동사**는 '**~이[하]다**', '**~(에) 있다**'는 뜻을 가진 동사에요. 주어에 따라 **am, are, is**로 써요.

Point 01 인칭대명사

인칭대명사는 인칭과 수, 그리고 격(역할)에 따라 형태가 달라진다.

수	인칭	주격 (~은 / ~이)	소유격 (~의)	목적격 (~을 / ~에게)	소유대명사 (~의 것)
단수	1인칭	I	my	me	mine
	2인칭	you	your	you	yours
	3인칭	he / she / it	his / her / its	him / her / it	his / hers / −
복수	1인칭	we	our	us	ours
	2인칭	you	your	you	yours
	3인칭	they	their	them	theirs

it의 경우 소유대명사 없어요.

I am from Seoul. 나는 서울 출신이다.
This is **your** backpack. 이것은 너의 배낭이다.
She is **our** English teacher. 그녀는 우리의 영어선생님이다.
It is **my father's** car. 그것은 나의 아버지의 자동차이다. ≫ 명사의 소유격은 명사+'s로 써요.
The pen is **hers(= her pen).** 그 펜은 그녀의 것이다. ≫ 소유 대명사는 「소유격+명사」의 역할을 해요.

형태는 같지만 문장에서 역할(격)이 다른 것들은 해석으로 구분할 수 있어요.

It is a puppy. (그것은 – 주격)
This is **his** shirt. (그의 – 소유격)
Emma is **her** sister. (그녀의 – 소유격)
I like **it.** (그것을 – 목적격)
This shirt is **his.** (그의 것 – 소유대명사)
I like **her.** (그녀를 – 목적격)

문법 확인 Ⓐ 문장 해석하기

▸ Answer p.2

1 **I** am busy today. → ______ 오늘 바쁘다.

2 **We** are middle school students. → ______ 중학생이다.

3 The red cap is **mine.** → 그 빨간 모자는 ______ 이다.

4 A dog wags **its** tail. → 개는 ______ 꼬리를 흔든다.
★wag (꼬리를) 흔들다

5 Look at **him**! **He**'s so cute. → ______ 봐! ______ 너무 귀엽다.

6 **They** are all from different countries. → ______ 모두 다른 나라 출신이다.

7 **Your** water bottle is on the table. → ______ 물병은 탁자 위에 있다.

8 The students are in **their** classroom. → 학생들은 ______ 교실에 있다.

Point

02 재귀대명사

❶ 재귀대명사는 -self(-selves)로 끝나고, '~ 자신'의 의미이다.

수	1인칭	2인칭	3인칭
단수	myself	yourself	himself / herself / itself
복수	ourselves	yourselves	themselves

❷ 주어와 목적어가 같은 대상을 가리킬 때 목적어 자리에 재귀대명사를 쓴다.

「주어+동사+재귀대명사」: '주어가 재귀대명사를 동사하다.'

Show **yourself**. 네 모습을 드러내라.
Don't blame **yourself**. 너 자신을 탓하지 마라.

» '~해라(하세요)', '~하지마라(하지마세요)'라고 해석되는 명령문의 경우 생략된 주어가 you이므로 재귀대명사로 yourself나 yourselves를 써요.

I looked **at myself** in the mirror. 나는 거울 속 내 모습을 봤다.

» 재귀대명사는 전치사의 목적어로 쓰이기도 해요.

Q 목적어로 인칭대명사와 재귀대명사가 올 때 의미가 어떻게 달라지나요?

A 인칭대명사가 오면 주어와 목적어가 서로 다른 사람을 의미하는 반면, 재귀대명사가 오면 같은 사람을 지칭해요.
He is so proud of **him**. 그는 그를 정말 자랑스러워한다. (He ≠ him)
He is so proud of **himself**. 그는 스스로를 정말 자랑스러워한다. (He = himself)

문법 확인 B 문장 해석하기

▸ Answer p.2

1 Let me introduce **myself**. → ________ 소개 하겠습니다.

2 Listen to **yourselves**. → 너희들 ________ 의 소리를 들어라.

3 We should protect **ourselves**. → 우리는 ________ 지켜야 한다.
★protect 보호하다

4 I can't forgive **myself**. → 나는 ________ 용서할 수 없다.

5 Don't compare **yourself** with others. → ________ 을 다른 사람들과 비교하지 마라.
★compare 비교하다

6 The writer wrote about **herself**. → 그 작가는 ________ 에 대해서 썼다.

7 The little girl hid **herself** behind the big tree. → 그 어린 소녀는 큰 나무 뒤에 ________ 을 숨겼다.
★hide 숨(기)다 (과거형은 hid)

8 My grandfather often talks to **himself**. → 나의 할아버지는 종종 ________ 에게 말씀하신다(혼잣말을 하신다).

▸ Answer p.2

문법 기본 Ⓐ 명사(구)와 알맞은 인칭대명사 연결하기

1	Mr. Brown •		
2	My sister •	• He	
3	I and my friends •	• She	
4	You and your sister •	• It	
5	Mr. and Mrs. White •	• We	
6	The bird •	• You	
7	James •	• They	
8	The cats and dogs •		

문법 기본 Ⓑ 알맞은 인칭대명사(혹은 재귀대명사) 고르기

1 우리는 우리나라를 사랑한다. → We love us / our country.

2 나는 그를 모른다. → I don't know he / him .

3 나는 우리 엄마의 파이를 좋아한다. → I like my moms / mom's pies.

4 당신을 소개해주세요. → Please introduce you / yourself .

5 그녀는 좀처럼 자신에 대해 말하지 않는다. → She seldom talks about herself / himself .

6 탁자 위의 책은 내 것이 아니다. → The book on the table is not my / mine .

7 그들은 농구선수들이다. → They / Their are basketball players.

8 그 불쌍한 아이들은 자기 자신들을 돌본다. → The poor children take care of themself / themselves .
★take care of 돌보다

▸ Answer p.2

문법 쓰기 Ⓐ 명사(구)를 대명사로 전환하기

Example 내 남동생과 나는 키가 크다. My brother and I are tall
우리는 키가 크다. → We are tall.

1 그 여배우는 인기가 많다. The actress is popular.
그녀는 인기가 많다. → ______ is popular.

2 이것은 내 이웃의 자전거이다. This is my neighbor's bike.
이것은 그의 자전거이다. → This is ______ bike.

3 그 화가는 그 화가를 그렸다. The painter painted the painter.
그 화가는 자기(그) 자신을 그렸다. → The painter painted ______.

4 저것은 너의 책이다. That is your book.
저것은 너의 것이다. → That is ______.

문법 쓰기 Ⓑ 틀린 부분 고치기

Example I have me room. me → my
나에게는 내 방이 있다.

1 I know hers address. ______ → ______
나는 그녀의 주소를 안다.

2 The red pen is my. ______ → ______
그 빨간 펜은 나의 것이다.

3 I wrote he a thank-you card. ______ → ______
나는 그에게 감사카드를 썼다.

4 Us are all special. ______ → ______
우리 모두는 특별하다.

5 I don't trust me. ______ → ______
나는 나 자신을 믿지 않는다.

6 The beautiful garden is her. ______ → ______
그 아름다운 정원은 그녀의 것이다.

문법 쓰기 Ⓒ 주어진 단어를 활용하여 문장 완성하기

▸ Answer p.2

Example 그들은 나의 반 친구들이다. (classmate)
→ *They are my classmates.*

1 그는 그의 방에 있다. (room)

→ He is in .

2 그 학생들은 그들의 숙제를 했다. (homework)

→ The students did .

3 그녀는 내 가장 친한 친구이다. (best)

→ She is .

4 나는 그 수필에서 나 자신에 대해 썼다. (about)

→ I wrote in the essay.

5 그는 나의 삼촌이다. (uncle)

→

6 너는 너 자신을 사랑해야 한다. (should love)

→

★should ~해야 한다

7 당신 자신을 잘 돌보세요. (take good care of)

→

8 그들은 그들의 나라를 위해 싸운다. (fight for)

→

▸ Answer p.2

서술형 예제 1

다음 문장을 〈조건〉에 맞게 바꿔 쓰시오. Point 01

(1) Emma is a famous actress. (2) Emma's new movie is very interesting.

조건 • 밑줄 친 부분을 인칭대명사로 바꾸어 문장을 다시 쓸 것

→ (1) ______________________

(2) ______________________

Teacher's guide

STEP 1
Emma는 여성이고, 3인칭 단수 주격이에요. 따라서 문장 (1)에 인칭대명사는 She를 써야 해요.

STEP 2
Emma's는 소유격을 나타내므로 문장 (2)에는 she의 소유격인 Her를 써야 해요.

정답 ›› (1) She is a famous actress.
(2) Her new movie is very interesting.

실전 연습 1

다음 문장을 〈조건〉에 맞게 바꿔 쓰시오. Point 01

(1) Bill and Steve are brothers. (2) These are Bill and Steve's toys.

조건 • 밑줄 친 부분을 인칭대명사로 바꾸어 문장을 다시 쓸 것

→ (1) ______________________

(2) ______________________

서술형 예제 2

다음 우리말을 〈조건〉에 맞게 영작하시오. Point 02

너 자신을 알라.

조건 • know를 사용할 것
• 총 2단어로 쓸 것

→ ______________________

Teacher's guide

STEP 1
'~해라'이므로 명령문으로 써야 해요. 명령문은 주어 없이 동사원형으로 시작해요.

STEP 2
'~자신'은 재귀대명사로 표현해요. 명령문에서 생략된 주어는 너(you)이므로 그에 맞는 재귀대명사인 yourself를 목적어로 써야 해요.

정답 ›› Know yourself.

실전 연습 2

다음 우리말을 〈조건〉에 맞게 영작하시오. Point 02

너 자신을 숨기지 마라.

조건 • hide를 사용할 것
• 총 3단어로 쓸 것

→ ______________________

Point

03 be동사 현재형

❶ be동사는 주어의 인칭과 수에 따라 am, are, is로 쓰고, 주어와 함께 줄여 쓸 수 있다.

인칭	주어(단수)	be동사	축약형	주어(복수)	be동사	축약형
1	I	am	I'm	We	are	We're
2	You	are	You're	You		You're
3	He / She / It	is	He's / She's / It's	They		They're

❷ be동사는 주어의 상태 또는 위치를 나타낸다.

be동사: ~이[하]다, (~에) 있다

He **is a smart student.** 그는 똑똑한 학생이다.

» be동사가 '~이[하]다'의 뜻으로 주어의 상태를 나타낼 때는 be동사 뒤에 명사(구)나 형용사(구)가 와요.

She **is in the kitchen.** 그녀는 부엌에 있다.

» be동사가 '(~에) 있다'는 뜻으로 주어의 위치를 나타낼 때는 be동사 뒤에 장소를 나타내는 말(전치사구)이 와요.

주격과 be동사를 축약한 It's와 소유격 Its의 구분에 주의하도록 합니다.

It's(= **It is**) not mine. 그것은 나의 것이 아니다.

Its owner is my father. 그것의 주인은 나의 아버지이다.

문법 확인 Ⓐ 문장 해석하기

▸ Answer p.2

1 **I am** Korean. → 나는 ______.

2 **My little sister is** ten years old. → 내 여동생은 ______.

3 **Jinsu is** good at sports. → 진수는 운동을 ______.
★be good at ~을 잘하는

4 **My father is** in the garage. → 나의 아버지는 차고에 ______.
★garage 차고

5 **You're** a true friend. → 너는 진정한 ______.

6 **Mina and Yuna are** twins. → 미나와 유나는 ______.

7 **Some birds are** on the branch. → 새들이 ______.
★branch 나뭇가지

8 **New smartphones are** very expensive. → 신형 스마트폰은 매우 ______.

be동사 과거형

❶ be동사의 과거형은 주어의 인칭과 수에 따라 was, were로 쓴다.

인칭	주어(단수)	be동사	주어(복수)	be동사
1	I	was	We	were
2	You	were	You	
3	He / She / It	was	They	

❷ 과거의 주어의 상태 또는 위치를 나타낸다.

be동사의 과거형: ~(이)었다, (~에) 있었다

I **was** sick **yesterday.** 나는 어제 아팠다.
They **were** in a different place. 그들은 다른 장소에 있었다.

≫ 과거를 나타내는 부사구인 yesterday, at the time, ~ ago, last ~ 등과 함께 쓰여요.

Q **be**동사의 과거형은 줄여 쓸 수 없나요?

A 네, **be**동사의 과거형은 줄여 쓰지 않아요. 줄여 쓰게 되면 현재형과 구분이 안 되겠죠?
She was not at home last night. 그녀는 어젯밤에 집에 없었다.
→ **She's** not at home last night. (×)

문법 확인 B 문장 해석하기

▸ **Answer** p.2

1 **I was** born in summer. → 나는 여름에 ______.
★be born 태어나다

2 **She was** in her room all day. → 그녀는 하루 종일 그녀의 방에 ______.

3 **The house was** old and dirty. → 그 집은 오래되고 ______.

4 **We were** young at that time. → 우리는 그때 ______.

5 **He was** absent from school yesterday. → 그는 어제 학교에 ______.
★absent from ~에 결석한

6 **My family was** in Jejudo last summer. → 작년 여름에 나의 가족은 ______.

7 **The sandwich was** in the refrigerator. → 그 샌드위치는 냉장고에 ______.

8 **They were** my classmates last year. → 그들은 작년에 나의 ______.
★classmate 반 친구, 급우

문법 기본 Ⓐ 빈칸에 들어갈 말에 V 표시하기

▸ Answer p.2

1 My school teachers __________ very kind. □ are □ is □ was

2 Arthur __________ in Japan in his childhood. □ are □ is □ was

3 My father __________ sometimes late for work. □ am □ are □ is
★sometimes(때때로)와 같은 빈도부사는 be동사 뒤에 와요.

4 We __________ in the 21st century now. □ are □ were □ was

5 Paul and Mary __________ the same age. □ am □ are □ is

6 Everybody __________ equal before the law. □ am □ are □ is
★everybody는 '모든 사람'이라는 뜻으로 의미는 복수지만 단수 취급해요.

7 Things __________ different in the past. □ are □ were □ was

8 I __________ at my grandmother's house last weekend. □ am □ were □ was

문법 기본 Ⓑ 알맞은 be동사 고르기

1 그는 지금 학교에 있다. → He is / was at school now.

2 나는 항상 시간을 지킨다. → I am / was always on time.
★always(항상)와 같은 빈도부사는 be동사 뒤에 와요.

3 우리는 모두 인생에서 승자이다. → We am / are all winners in life.

4 그녀는 어릴 때 약했다. → She is / was weak as a child.

5 수빈이는 수다스럽다. → Subin is / are talkative.
★talkative 수다스러운

6 불가능한 것은 없다. → Nothing is / was impossible.
★-thing으로 끝나는 말은 단수 취급해요.

7 그는 5년 전에 감옥에 있었다. → He's / He was in prison five years ago.

8 선수들은 모두 다른 나라 출신이었다. → The players are / were all from different countries.

▸ Answer p.2

문법 쓰기 Ⓐ 주어진 단어로 현재시제와 과거시제 만들기

Example	strong	그는 힘이 세다.	→ He *is strong*.
		그는 힘이 셌다.	→ He *was strong*.

1 cage
그 새들은 새장 속에 있다. → The birds ______________.
그 새들은 새장 속에 있었다. → The birds ______________.

2 New York
나는 지금 뉴욕에 있다. → I ______________ now.
나는 그 때 뉴욕에 있었다. → I ______________ at that time.

3 champion
그들은 올해 챔피언이다. → They ______________ this year.
그들은 작년에 챔피언이었다. → They ______________ last year.

4 attractive
Jessica는 매력적이다. → Jessica ______________.
Jessica는 젊은 시절에 매력적이었다. → Jessica ______________ in her youth.

문법 쓰기 Ⓑ 틀린 부분 고치기

Example	The movie are very scary. 그 영화는 매우 무섭다.	*are*	→	*is*

1 She and I am in the same class. ______ → ______
그녀와 나는 같은 반에 있다.

2 The key is in my pocket yesterday. ______ → ______
그 열쇠는 어제 내 주머니에 있었다.

3 Judy was in the first grade now. ______ → ______
Judy는 현재 1학년이다.

4 Its my new bag. ______ → ______
그것은 나의 새 가방이다.

5 We are at the concert last Saturday. ______ → ______
우리는 지난 주 토요일에 콘서트에 있었다.

6 He were a famous actor ten years ago. ______ → ______
그는 십년 전에 유명한 배우였다.

문법 쓰기 Ⓒ 주어진 단어를 활용하여 문장 완성하기

▸ Answer p.2

Example 그는 재미있고 잘생겼다. (funny, handsome)
→ *He is funny and handsome.*

1 내 방은 깨끗하다. (clean)

→ My room ______________ .

2 엄마는 오늘 아침에 화가 났었다. (angry)

→ My mom ______________ this morning.

3 작년에는 모든 것이 새로웠다. (new)

→ Everything ______________ last year.

4 그 가수의 노래들은 전 세계적으로 잘 알려져 있다. (well known)

→ The singer's songs ______________ all around the world.

5 그녀는 키가 크고 예쁘다. (tall, pretty)

→

6 그 우유는 상했었다. (bad)

→

7 그 나이든 남자는 유명한 시인이다. (old man, famous poet)

→

★poet 시인

8 그 학생들은 지금 미술실에 있다. (art room, now)

→

▸ Answer p.2

서술형 예제 1

다음 우리말을 〈조건〉에 맞게 영작하시오. Point 03

그는 지금 집에 있다.

조건	• at home을 사용할 것 • 총 5단어로 쓸 것

→ ____________________

Teacher's guide

STEP ❶
주어인 '그는'을 영어로 바꿔 쓰세요. 3인칭 단수의 주격 인칭대명사 He를 써야 해요.

STEP ❷
'(~에) 있다'는 뜻을 가진 동사는 be동사에요. '지금' 집에 있다고 했으므로 현재시제를 써야 해요. He에 뒤따르는 be동사의 현재형은 is이므로 is를 쓰고 장소의 전치사를 이어서 쓰면 돼요.

정답 » He is at home now.

실전 연습 1

다음 우리말을 〈조건〉에 맞게 영작하시오. Point 03

우리는 지금 시장에 있다.

조건	• at the market을 사용할 것 • 총 6단어로 쓸 것

→ ____________________

서술형 예제 2

다음 문장을 〈조건〉에 맞게 바꿔 쓰시오. Point 04

I am tired now.

조건	• now를 yesterday로 바꿀 것

→ ____________________

Teacher's guide

STEP ❶
조건대로 now(지금)를 yesterday(어제)로 바꿔 보세요.

STEP ❷
'지금'에서 '어제'로 되었으니 시제가 현재에서 과거로 바뀌어야겠죠? 따라서 동사 am을 과거형인 was로 바꿔줘야 해요.

정답 » I was tired yesterday.

실전 연습 2

다음 문장을 〈조건〉에 맞게 바꿔 쓰시오. Point 04

They are happy now.

조건	• now를 at that time으로 바꿀 것

→ ____________________

be동사 부정문

be동사의 부정문은 be동사 뒤에 not을 붙여 만들고, 축약할 수 있다.

부정문	「주어+be동사」 축약	「be동사+not」 축약
I am **not**	I**'m not**	–
You are **not**	You**'re not**	You **aren't**
He / She / It is **not**	He**'s** / She**'s** / It**'s not**	He / She / It **isn't**
We / You / They are **not**	We**'re** / You**'re** / They**'re not**	We / You / They **aren't**

am not은 축약해서 쓰지 않아요 amn't (×)

I **am** a singer. 나는 가수이다. (긍정)

I **am not** a singer. 나는 가수가 아니다. (부정)

He **was** at home. 그는 집에 있었다. (긍정)

He **wasn't** at home. 그는 집에 있지 않았다. (부정) ≫ 과거형의 부정은 was not[wasn't] 또는 were not[weren't]으로 나타내요.

강조를 할 때에는 not 대신 never를 쓰거나 not ~ at all로 쓸 수 있어요.

You **are never** alone. 당신은 절대 혼자가 아니다.

The movie **wasn't** interesting **at all**. 그 영화는 전혀 재미있지 않았다.

문법 확인 Ⓐ 문장 해석하기

▸ Answer p.3

1 I **am not** hungry. → 나는 배가 고프지 ________.

2 This red pen **is not** mine. → 이 빨간 펜은 내 것이 ________.

3 Australia **is not** in Europe. → 오스트레일리아는 유럽에 ________.

4 The pizza **was not** delicious. → 그 피자는 맛이 ________.

5 We **were not** in Seoul last year. → 우리는 작년에 서울에 ________.

6 Mike and John **aren't** at the gym. → Mike와 John은 체육관에 ________.

7 My parents **are not** the same age. → 나의 부모님은 동갑이 ________.

8 My English teacher **isn't** from Korea. → 나의 영어 선생님은 한국 출신이 ________.

Point
06 be동사 의문문

be동사의 의문문은 be동사를 주어 앞으로 보내서 만들고, 대답은 Yes나 No로 한다.

주어		의문문	긍정의 답	부정의 답
1인칭	단수	Am I ~?	Yes, you are.	No, you aren't.
	복수	Are we ~?	Yes, you[we] are.	No, you[we] aren't.
2인칭	단수	Are you ~?	Yes, I am.	No, I'm not.
	복수	Are you ~?	Yes, we are	No, we aren't.
3인칭	단수	Is he / she / it ~?	Yes, he / she / it is	No, he / she / it isn't.
	복수	Are they ~?	Yes, they are.	No, they aren't.

Are you interested in music? 너는 음악에 관심이 있니?
– **Yes, I am.** 응, 있어. / **No, I'm not.** 아니, 없어.
Was she in LA last year? 그녀는 작년에 LA에 있었니?
– **Yes, she was.** 응, 있었어. / **No, she wasn't.** 아니, 없었어.

≫ 부정의 대답은 보통 줄여 쓰지만, 긍정 대답은 줄여 쓰지 않아요.
Yes, I'm. (×)
≫ 과거형의 의문문은 was나 were를 사용해서 만들어요.

Q 1인칭 복수(we)로 물어보면 you와 we 둘 다로 대답할 수 있나요?

A 네, 상황에 따라 제3자가 대답할 때에는 you로, 화자들 중 한명이 대답할 때는 we로 대답할 수 있어요.
A: **Are we** late? 저희[우리]가 늦었나요?
B: Yes, **you** are. 네, 당신들은 늦었어요. / Yes, **we** are. 네, 우리는 늦었어요.

문법 확인 Ⓑ 문장 해석하기

▸ Answer p.3

1 A: **Am I** right? → A: 내 말이 ____?
B: **Yes, you are.** → B: ____, 맞아.

2 A: **Were you** at the mall yesterday? → A: 너는 어제 쇼핑몰에 ____?
B: **No, I wasn't.** → B: ____, 나는 거기에 없었어.

3 A: **Is hip-hop** your favorite music? → A: 힙합은 네가 가장 좋아하는 ____?
★favorite 가장 좋아하는
B: **Yes, it is.** → B: 응, ____.

4 A: **Is she** your mother? → A: 그녀는 너의 ____?
B: **No, she isn't.** She's my aunt. → B: ____, 그렇지 않아. 그녀는 나의 이모야.

5 A: **Are you and your sister** close? → A: 너와 너의 언니는 ____?
B: **Yes, we are.** → B: 응, ____.

▸ Answer p.3

문법 기본 Ⓐ 빈칸에 들어갈 말에 V 표시하기 (중복 표시 가능)

1 I'm __________ lonely. □ no □ not □ never

2 __________ you ready for the test? □ Am □ Are □ Is

3 The store __________ open yet. □ is □ are □ isn't

★yet은 '아직', '벌써'의 뜻으로 보통 의문문이나 부정문과 함께 쓰여요.

4 Nobody __________ on the street last night. □ is □ was □ wasn't

★nobody는 '아무도 ~않다'는 뜻으로 뒤에 긍정문이 오고, 단수 취급해요.

5 __________ she a college student last year? □ Is □ Was □ Were

6 A: __________ you busy now? □ Am □ Was □ Are

B: No, __________. I'm free. □ I'm not □ I amn't □ I am not

7 A: __________ today your birthday? □ Are □ Is □ Was

B: Yes, it __________. □ is □ was □ were

문법 기본 Ⓑ 알맞은 형태 고르기

1 이 놀이기구는 안전하니? → Is / Was this ride safe?

2 너는 배가 부르니? → You are / Are you full?

3 샐러드는 신선하지 않았다. → The salad isn't / wasn't fresh.

4 경치가 놀라웠니? → Were / Was the view amazing?

5 수진이는 음악실에 없다. → Sujin is / isn't in the music room.

6 나는 전혀 아프지 않다. → I amn't / am not sick at all.

7 김 선생님은 어제 결근했니? → Is / Was Mr. Kim absent from work yesterday?

8 그녀의 아이들은 그 건물 안에 없었다. → Her kids wasn't / weren't in the building.

▸ Answer p.3

문법 쓰기 Ⓐ 지시에 맞게 문장 바꿔 쓰기

Example You are okay. (의문문으로)
→ *Are* *you* okay?

1 They were in the meeting room. (부정문으로)

→ They ______ ______ in the meeting room.

2 She is from the Philippines. (의문문으로)

→ ______ ______ from the Philippines?

3 I am good at playing the guitar. (부정문으로)

→ I ______ ______ good at playing the guitar.

4 We are late for the game. (의문문으로)

→ ______ ______ late for the game?

문법 쓰기 Ⓑ 틀린 부분 고치기

Example The theater is far from here. *is* → *isn't*
극장은 여기서 멀지 않다.

1 The baby is healthy? ______ → ______
그 아기는 건강하니?

2 The chocolate cake was sweet. ______ → ______
그 초콜릿 케이크는 달지 않았다.

3 Science isn't my favorite subject. ______ → ______
과학은 내가 가장 좋아하는 과목이다.

4 I amn't sleepy at all. ______ → ______
나는 전혀 졸리지 않다.

5 Is Steve and Scott your brothers? ______ → ______
스티븐과 스캇은 너의 남자 형제들이니?

6 Are they at the amusement park yesterday? ______ → ______
그들은 어제 놀이 공원에 있었니?

▸ Answer p.3

문법 쓰기 C 주어진 단어를 활용하여 문장 완성하기

Example 그녀는 선생님이 아니다. (teacher)
→ *She is not a teacher.*

1 그 방에는 아무도 없었다. (room)

→ Nobody ______________ .

★nobody 아무도 ~않다

2 그 영화는 지루했니? (the movie)

→ ______________ boring?

3 내 가방은 무겁지 않다. (heavy)

→ My bag ______________ .

4 네 남동생은 초등학생이니? (little brother)

→ ______________ an elementary school student?

5 그들은 컴퓨터실에 있니? (computer room)

→ ______________

6 날씨가 좋지 않았다. (weather, good)

→ ______________

7 그는 치과의사니? (dentist)

→ ______________

★dentist 치과의사

8 그것은 정답이 아니다. (it, the right answer)

→ ______________

▸ Answer p.3

서술형 예제 1

다음 우리말을 〈조건〉에 맞게 영작하시오. Point 05

그녀는 어젯밤에 아프지 않았다.

조건	• last night을 사용할 것 • 총 5단어로 쓸 것

→ ____________________

Teacher's guide

STEP ❶
우선 주어인 '그녀는'을 영어로 바꿔 쓰세요. 3인칭 단수의 주격 인칭대명사 she를 써야 해요.

STEP ❷
'아프지 않았다'는 어떻게 써야 할까요? sick이 형용사이므로 be동사와 함께 써야 해요. 과거시제이므로 was가 와야 하고, 부정이니 not을 써야겠죠? 조건에 주어진 단어수를 보니 축약을 해야 해요. 따라서 was not이 아니라 wasn't가 맞아요.

정답 » She wasn't sick last night.

실전 연습 1

다음 우리말을 〈조건〉에 맞게 영작하시오. Point 05

그는 작년에 한국에 있지 않았다.

조건	• last year를 사용할 것 • 총 6단어로 쓸 것

→ ____________________

서술형 예제 2

다음 대화를 읽고, 괄호 안의 말을 이용하여 밑줄 친 우리말을 영작하시오. Point 06

A : 그는 너의 선생님이시니? (teacher)
B : No, he isn't. He's my father.

→ ____________________

Teacher's guide

STEP ❶
화자가 자기의 생각을 말하는 평서문인지 상대방에게 질문을 하는 의문문인지를 먼저 판단해요. 물어보는 상황이므로 의문문으로 써야 해요.

STEP ❷
주어가 '그'로 he이므로 이에 맞는 be동사는 is예요. 의문문의 어순은 「be동사+주어 ~?」이므로 Is he ~?로 써야 해요.

정답 » Is he your teacher?

실전 연습 2

다음 대화를 읽고, 괄호 안의 말을 이용하여 밑줄 친 우리말을 영작하시오. Point 06

A : 그것은 너의 가방이니? (your bag)
B : No, it isn't. It's Cathy's.

→ ____________________

CHAPTER 01 인칭대명사와 be동사

내신 대비 실전 TEST

▸ Answer p.3

객관식 (01~10)

Point 01

01 다음 중 명사와 대명사의 연결이 잘못된 것은?

① Kate – she ② my uncle – he
③ Tom and John – he ④ the dogs – they
⑤ my friend and I – we

Point 01

02 다음 빈칸에 들어갈 말로 알맞은 것은?

Sujin is my best friend. ________ is very kind.

① I ② You ③ He
④ She ⑤ We

대표 Point 04

03 다음 밑줄 친 부분의 의미가 나머지 넷과 다른 것은?

① I was so sad yesterday.
② They were the same age.
③ The children were polite.
④ The cotton candy was sweet.
⑤ She was at home at that time.

Point 02

04 다음 우리말과 일치하도록 할 때, 빈칸에 들어갈 말로 알맞은 것은?

칼을 조심해. 다치지 마.
= Be careful with the knife. Don't hurt ________.

① you ② your ③ yours
④ youself ⑤ yourself

Point 03, 04, 06

05 다음 빈칸에 들어갈 말이 순서대로 짝지어진 것은?

• I ________ born in 2007.
• My teacher ________ in her office now.
• ________ you at the party yesterday?

① was – is – Are ② am – is – Are
③ was – is – Were ④ am – was – Are
⑤ was – was – Were

[06~07] 다음 대화의 빈칸에 들어갈 말로 알맞은 것을 고르시오.

Point 06

06

A : Is his class interesting?
B : Yes, ________ is.

① he ② him ③ his
④ it ⑤ its

Point 06

07

A : Are you hungry now?
B : ________ Let's eat something.

① Yes, I am. ② No, I'm not.
③ Yes, you are. ④ No, you aren't.
⑤ Yes, they are.

Point 01~06

08 다음 ⓐ~ⓔ 중 어법상 옳은 문장의 개수는?

ⓐ People don't show themself easily.
ⓑ The sunglasses on the table are her.
ⓒ Are you a member of the club?
ⓓ I amn't interested in music.
ⓔ Is the soccer ball yours?

① 1개 ② 2개 ③ 3개 ④ 4개 ⑤ 5개

Point 06

09 다음 중 대화가 자연스럽지 않은 것은?

① A : Is she your sister?
B : Yes, she is.
② A : Are you thirsty?
B : No, I'm not.
③ A : Is your brother angry?
B : Yes, I am.
④ A : Were you at your grandma's house?
B : Yes, we were.
⑤ A : Was the spaghetti delicious?
B : Yes, it was very good.

Point 03, 04

10 다음 빈칸에 들어갈 be동사가 나머지 넷과 다른 것은?

① The babies ________ so cute.
② Math ________ difficult for me.
③ My friend, Jim, ________ very funny.
④ Your phone ________ in your hand.
⑤ My mom ________ a vet.

서술형 기본 (11~19)

[11~13] 다음 주어진 문장을 부정문으로 바꿔 쓰시오. (단, 시제는 유지할 것)

Point 05

11 I am good at English.
→ I ____________ good at English.

Point 05

12 The animation is interesting.
→ The animation ____________ interesting.

Point 05

13 They were baseball players.
→ They ____________ baseball players.

[14~15] 다음 문장에서 어법상 틀린 곳을 찾아 바르게 고쳐 쓰시오.

Point 01, 06

14 Are them your friends?

____________ → ____________

대표 Point 02

15 I'm so proud of me.

____________ → ____________

Point 01

16 다음 두 문장이 같은 뜻이 되도록 할 때, 빈칸에 알맞은 말을 쓰시오.

Those are not my earrings
= Those earrings are not ____________.

Point 05, 06

17 다음 대화의 빈칸에 알맞은 말을 쓰시오.

A : Were you at work yesterday?
B : No, ________ ________. I was at home.

고난도 Point 02

18 다음 우리말과 일치하도록 괄호 안의 말을 바르게 배열하시오.

책상 밑에 숨어라.
(under, hide, the desk, yourself)

→ ____________

Point 06

19 다음을 바르게 배열하여 문장을 만들 때 네 번째 오는 단어를 쓰시오.

the hospital, now, in, your father, is, ?

→ ____________

서술형 심화 (20~25)

Point 03, 04

20 다음 주어진 단어를 이용하여 우리말을 영작하시오.

uncle, pilot

(1) 나의 삼촌은 비행기 조종사이다.

____

(2) 나의 삼촌은 비행기 조종사였다.

____

Point 01, 05

21 다음 우리말을 〈조건〉에 맞게 영작하시오.

(1) 그 신발은 그의 것이 아니다.

조건 • the shoes, his를 이용할 것
• 총 5단어로 쓸 것

→ _______________

(2) 나는 오늘 한가하지 않다.

조건 • free, today를 이용할 것
• 총 4단어로 쓸 것

→ _______________

Point 06

22 다음 대화의 빈칸에 알맞은 말을 쓰시오.

A : Are you a teacher at this school?
B : (1) ________, ________ ________.
I teach English here.
A : Are you from the USA?
B : (2) ________, ________ ________.
I'm from the UK.

Point 02

23 다음 ①~⑤ 중 어법상 틀린 것을 골라 바르게 고쳐 쓰시오.

I have two cats. ① Their names are Tom and Jerry. ② They are two years old. Tom and Jerry often wash ③ themself with ④ their tongues. I love ⑤ them so much.

(   ) _______________

Point 04

24 다음은 민수의 어제 일과표이다. 일과표를 참고하여 〈조건〉에 맞게 대화를 완성하시오.

08:30 ~ 15:30	School
16:00 ~ 17:00	Gym
17:30 ~ 19:30	Library
20:00 ~	Home

A : Minsu, were you busy yesterday?
B : Yes, I was. I had some plans after school.
A : Were you at home at 6?
B : No, I wasn't. _______________

조건 5단어로 쓸 것

→ _______________

Point 03

25 다음 신상정보 카드를 보고, 〈조건〉에 맞게 문장을 쓰시오.

Name: Kim Minji
Job: nurse
Age: 25

조건 • She로 시작할 것
• (1) 이름 (2) 직업 (3) 나이 순으로 쓸 것

(1) _______________

(2) _______________

(3) _______________

CHAPTER 02

일반동사

Get Ready

현재형	긍정문	He gets up at 7 every morning.	그는 매일 아침 7시에 일어난다.
	부정문	I don't have a sister.	나는 여자 형제가 없다.
	의문문	Do you enjoy spicy food?	너는 매운 음식을 즐기니?
과거형	긍정문	King Sejong invented Hangeul.	세종대왕이 한글을 발명했다.
	부정문	She didn't go to school yesterday.	그녀는 어제 학교에 가지 않았다.
	의문문	Did it rain a lot last night?	지난밤에 비가 많이 왔나요?

일반동사는 주어의 동작이나 상태를 나타내는 동사에요. Be동사와 마찬가지로 주어의 인칭과 수에 따라 형태가 변해요. 형태가 변하지 않는 그대로를 동사원형이라고 해요. **현재형**은 주어가 3인칭 단수일 때만 동사원형에 **-(e)s**를 붙이고, 그 외에는 동사원형을 써요. **과거형**은 대부분 동사원형에 **-(e)d**를 붙이지만 불규칙하게 변하는 경우도 있어요.

일반동사 현재형

❶ 주어가 1, 2인칭 또는 3인칭 복수이면 동사원형을 쓴다.

「주어(I, we, you, they)+동사원형 ~」: 주어가 ~(하)다.

I **have** long hair. 나는 긴 머리카락을 가지고 있다.

≫ 일반동사는 be동사와 조동사를 제외한 모든 동사로 주어의 동작이나 상태를 나타내요.

My parents **go** to bed at 11. 나의 부모님은 11시에 주무신다.

≫ 일반적인 사실, 습관이나 반복되는 일, 빈도를 나타낼 때 현재형을 써요.

❷ 주어가 3인칭 단수이면 동사원형에 -(e)s를 붙인다.

「3인칭 단수 주어(he, she, it)+동사원형+(e)s ~」: 주어가 ~(하)다.

Susan **eats** cereal for breakfast.
Susan은 아침 식사로 시리얼을 먹는다.

≫ 대부분의 동사에는 -s를 붙이지만, 동사에 따라 -es를 붙이거나 끝의 y를 i로 바꾸고 -es를 붙이기도 해요.

A hippo **has** a big mouth. 하마는 큰 입을 가지고 있다.

≫ have는 불규칙하게 has로 변해요.

일반동사에 -(e)s를 붙이는 규칙

대부분의 동사	+-s	eat → eat**s**, like → like**s**, work → work**s**
-o, -s, -ch, -sh, -x로 끝나는 동사	+-es	go → go**es**, pass → pass**es**, teach → teach**es**, wash → wash**es**, fix → fix**es**
「자음+y」로 끝나는 동사	**y를 i로 바꾸고+-es**	study → stud**ies**, try → tr**ies**
「모음+y」로 끝나는 동사	+-s	play → play**s**, enjoy → enjoy**s**
불규칙 변화	**have → has**	

문법 확인 Ⓐ 문장 해석하기

▸ Answer p.5

1 I **walk** to school. → 나는 학교에 ______.

2 Jane **has** two brothers. → Jane은 두 명의 남자 형제가 ______.

3 We **play** basketball after school. → 우리는 방과 후에 ______.

4 My foreign friend **speaks** Korean very well. → 나의 외국인 친구는 한국말을 매우 잘 ______.

5 Tom **goes** to a swimming pool on Saturdays. → Tom은 토요일마다 수영장에 ______.

6 My father **teaches** math at a high school. → 나의 아버지는 고등학교에서 수학을 ______.

7 Jihun **studies** English with his friends. → 지훈이는 친구들과 함께 영어를 ______.

8 Eric and Sylvia **like** each other. → Eric과 Sylvia는 서로를 ______.

일반동사 현재형_부정문, 의문문

❶ 일반동사 현재형의 부정문은 동사원형 앞에 do not[don't]이나 does not[doesn't]을 쓴다.

주어가 I, we, you, they일 때	주어가 he, she, it일 때
「do not[don't]+동사원형」	「does not[doesn't]+동사원형」
I **like** carrots. 나는 당근을 좋아한다. I **do not[don't]** like carrots. 나는 당근을 좋아하지 않는다.	He **has** a girlfriend. 그는 여자 친구가 있다. He **doesn't have** a girlfriend. 그는 여자 친구가 없다.

부정문일 때 일반적으로는 줄임말인 don't와 doesn't를 더 많이 써요.

❷ 일반동사 현재형의 의문문 「Do[Does]+주어+동사원형 ~?」으로 쓴다.

주어가 I, we, you, they일 때	주어가 he, she, it일 때
「Do+주어+동사원형 ~?」 – 「Yes, 주어+do.」 / 「No, 주어+don't.」	「Does+주어+동사원형 ~?」 – 「Yes, 주어+does.」 / 「No, 주어+doesn't.」
Do you play the piano? 너는 피아노를 치니? - **Yes, I do.** 응, 그래.	**Does a koala eat** leaves? 코알라는 잎을 먹니? - **Yes, it does.** 응, 맞아.

Q 일반동사 현재형의 부정문과 의문문에 쓰인 **do**는 긍정문에 쓰인 **do**와 다른가요?

A 일반동사 긍정문에 쓰인 **do**는 '하다'라는 뜻을 가진 일반동사이고, 부정문과 의문문에 쓰인 **do**는 일종의 조동사에요. 이때는 따로 의미가 없어요.

I **do** my homework at night. 나는 밤에 숙제를 한다. (do: 일반동사)

I **don't** have money. 나에게는 돈이 없다. (don't: 조동사)

문법 확인 B 문장 해석하기

▸ Answer p.5

1 I **don't read** comic books. → 나는 만화책을 ______.

2 My grandfather **doesn't eat** meat. → 나의 할아버지께서는 고기를 ______.

3 **Does** Mike **ride** a bike to school? → Mike는 자전거를 타고 학교에 ______?

4 Jinsu and Chanho **don't live** in the same town. → 진수와 찬호는 같은 동네에 ______.

5 We **do not run** in the library. → 우리는 도서관에서 뛰지 ______.

6 A: **Do** you **have** an appointment tomorrow? → A: 너는 내일 약속이 ______?
★appointment 약속
B: **No, I don't.** → B: 아니, ______.

7 A: **Does** she know your phone number? → A: 그녀가 너의 전화번호를 ______?
B: **Yes, she does.** → B: 응, ______.

▸ Answer p.5

문법 기본 Ⓐ 알맞은 동사형 쓰기

	원형	3인칭 현재 단수형		원형	3인칭 현재 단수형		원형	3인칭 현재 단수형
1	live		11	know		21	discuss	
2	tell		12	fix		22	get	
3	watch		13	go		23	feel	
4	work		14	copy		24	carry	
5	say		15	have		25	taste	
6	finish		16	drink		26	look	
7	use		17	dance		27	begin	
8	cry		18	wish		28	give	
9	mix		19	miss		29	leave	
10	reach		20	fly		30	brush	

문법 기본 Ⓑ 알맞은 동사형태 고르기

1 스페인 사람들은 낮잠을 잔다. → The Spanish take / takes a nap.

2 시간은 정말 빠르게 지나간다. → Time pass / passes by really fast.

3 나는 탄산음료를 마시지 않는다. → I don't / doesn't drink soft drinks.
★soft drink 탄산음료

4 John에게는 별명이 있니? → Does John have / has a nickname?

5 나의 언니는 대학에서 음악을 공부한다. → My sister studys / studies music at college.

6 너는 규칙적으로 운동을 하니? → Do / Dose you exercise regularly?
★regularly 규칙적으로

7 우리는 주말에 학교에 가지 않는다. → We don't / doesn't go to school on weekends.

8 그 버스는 이 정류장에서 멈추나요? → Do / Does the bus stop at this stop?

▸ Answer p.5

문법 쓰기 A 지시에 맞게 문장 바꿔 쓰기

Example I take a walk in the park. (부정문으로)
→ I *don't* *take* a walk in the park.

1 They eat three meals a day. (의문문으로)

→ ________ three meals a day?

2 My brother fixes his bike. (부정문으로)

→ My brother ________ his bike.

3 He goes hiking with his friends. (의문문으로)

→ ________ hiking with his friends?

4 My parents have a car. (부정문으로)

→ My parents ________ a car.

문법 쓰기 B 틀린 부분 고치기

Example She dos the laundry. *dos* → *does*
그녀는 빨래를 한다.

1 A fable teaches a lesson. ________ → ________
우화는 교훈을 가르쳐 준다.

2 The museum don't open on Mondays. ________ → ________
그 박물관은 월요일에는 문을 열지 않는다.

3 Does the animal has a tail? ________ → ________
그 동물은 꼬리를 가지고 있나요?

4 The students doesn't play basketball in the gym. ________ → ________
그 학생들은 체육관에서 농구를 하지 않는다.

5 A: Do Mina like SF movies? ________ → ________
미나는 공상과학 영화를 좋아하니?

B: No, she don't. ________ → ________
아니, 그렇지 않아.

문법 쓰기 Ⓒ 주어진 단어를 활용하여 문장 완성하기

▸ Answer p.5

Example 그녀는 요가를 배운다. (yoga)
→ *She learns yoga.*

1 너는 아침에 일찍 일어나니? (get up, early)

→ ______________________ in the morning?

2 나는 여름에는 양말을 신지 않는다. (wear, socks)

→ ______________________ in summer.

3 그는 매년 지역 축제들을 즐긴다. (enjoy, local festivals)

→ ______________________ every year.

★local 지역의

4 우리는 작은 세상에서 산다. (live)

→ ______________ in a small world.

5 나의 삼촌은 차를 운전하지 않는다. (uncle, drive, car)

→ ______________________

6 우리에게 자유시간이 있나요? (have, any free time)

→ ______________________

7 내 개는 짖지 않는다. (dog, bark)

→ ______________________

8 그녀는 해산물을 먹니? (eat, seafood)

→ ______________________

▸ Answer p.6

서술형 예제 1

다음 문장을 〈조건〉에 맞게 바꿔 쓰시오. Point 07

I study math.

조건	• He를 주어로 할 것

→ ______________________

STEP ❶
먼저 주어 I 대신에 He를 넣어보세요.

STEP ❷
주어가 He로 3인칭 단수이므로 일반동사에 -(e)s를 붙여야 해요. study의 경우 「자음+y」로 끝나므로 끝의 y를 i로 바꾸고 -es를 붙여야 해요.

정답 ›› He studies math.

실전 연습 1

다음 문장을 〈조건〉에 맞게 바꿔 쓰시오. Point 07

I play the piano.

조건	• She를 주어로 할 것

→ ______________________

서술형 예제 2

다음 우리말과 일치하도록 괄호 안의 말을 이용하여 대화를 완성하시오. Point 08

A: Cathy에게는 남자 형제가 있니? (have a brother)
B: 아니, 없어.

A: ______________________
B: No, she doesn't.

STEP ❶
일반동사의 의문문이므로, Do나 Does로 시작해야 해요.
주어가 Cathy로 3인칭 단수이므로 Does로 시작해야 해요.

STEP ❷
일반동사의 의문문의 어순은 「Do[Does]+주어+동사의 원형 ~?」이므로, 이 어순에 맞게 나머지 부분을 써주면 돼요.

정답 ›› Does Cathy have a brother?

실전 연습 2

다음 우리말과 일치하도록 괄호 안의 말을 이용하여 대화를 완성하시오. Point 08

A: Mike는 설거지를 하니? (wash the dishes)
B: 아니, 안 해.

A: ______________________
B: No, he doesn't.

Point 09 일반동사 과거형

대부분의 동사는 동사원형에 -(e)d를 붙여서 과거형을 만들지만, 불규칙하게 변하는 동사들도 있다.

규칙 변화	대부분의 동사	동사원형+-ed	want → want**ed**
	-e로 끝나는 동사	동사원형+-d	like → like**d**
	「자음+y」로 끝나는 동사	y를 i로 바꾸고+-ed	study → stud**ied**
	「모음+y」로 끝나는 동사	동사원형+-ed	play → play**ed**
	「단모음+단자음」으로 끝나는 동사	마지막 자음을 한 번 더 쓰고+-ed	stop → stop**ped**
불규칙 변화	put → put have → had come → came do → did		

불규칙 변화는 Point 11, 12와 Chapter 12 뒤에 있는 〈불규칙 동사표〉를 암기하세요!

I **lived** in Busan **in 2000.**
나는 2000년에 부산에 살았었다.

» 과거형은 주로 과거를 나타내는 부사(구)인 yesterday, last week, two days ago, at that time, then, in+과거의 연도 등과 함께 쓰여요.

「단모음+단자음」으로 끝나는 동사라도 다음의 경우는 마지막 자음을 한 번 더 쓰지 않고 그냥 -ed를 붙여요.

x, w로 끝나는 동사	fix → fix**ed** bow → bow**ed**
강세가 앞에 오는 2음절 동사	visit → visit**ed** offer → offer**ed** cover → cover**ed**

문법 확인 Ⓐ 문장 해석하기

▸ Answer p.6

1 My teacher **called** my mom. → 선생님은 엄마에게 ________.

2 I **played** computer games all day. → 나는 하루 종일 컴퓨터 게임을 ________.

3 It **snowed** a lot last night. → 어젯밤에는 눈이 많이 ________.

4 We **finished** the science project. → 우리는 과학 프로젝트를 ________.

5 A fancy car **stopped** in front of me. → 고급 차가 내 앞에 ________.

6 Sumi **studied** for the test all night. → 수미는 밤새 ________.

7 I **solved** the puzzle in 30 minutes. → 나는 30분 만에 그 퍼즐을 ________.

8 My family **traveled** to Singapore last year. → 나의 가족은 작년에 싱가포르로 ________.

Point

10 일반동사 과거형_부정문, 의문문

❶ 일반동사 과거형의 부정문은 주어와 상관없이 동사원형 앞에 did not[didn't]을 쓴다.

「주어+did not[didn't]+동사원형 ~」: 주어가 ~하지 않았다

I **didn't go** to school yesterday. 나는 어제 학교에 가지 않았다. » 일반적으로 줄임말인 didn't를 더 많이 써요.
He **didn't buy** the shirt. 그는 그 셔츠를 사지 않았다.

❷ 일반동사 과거형의 부정문은 주어와 상관없이 「Did+주어+동사원형 ~?」으로 쓴다.

「Did+주어+동사원형 ~?」: 주어가 ~했니?

Did David **win** the game? David은 그 경기에서 이겼니?
- **Yes, he did.** 응, 이겼어.

Q **I didn't do my homework**와 같이 **do** 동사를 연달아 써도 되나요?

A 물론 되죠. 이 때 앞의 **did**는 일반동사 과거형의 부정문을 만들기 위한 조동사이고 뒤의 **do**는 '하다'의 뜻을 가진 일반동사에요. 아래 의문문도 같은 경우에요.

Did you **do** your best? 너는 최선을 다했니?
조동사 일반동사

문법 확인 B 문장 해석하기

▸ Answer p.6

1 I **didn't go** to bed early yesterday. → 나는 어제 일찍 잠자리에 ______.

2 **Did** you **see** the new movie? → 너는 그 새로 나온 영화를 ______?

3 The driver **didn't speed up**. → 그 운전자는 과속을 ______.
★speed up 과속하다

4 They **didn't come** to the meeting. → 그들은 모임에 ______.

5 **Did** you **eat** breakfast? → 너희들은 아침 식사를 ______?

6 Susan **didn't catch** a cold. → Susan은 감기에 걸리지 ______.
★catch a cold 감기에 걸리다

7 A: **Did** you **score** the goal? → A: 네가 골을 ______?
B: **No, I didn't.** B: 아니, 그렇지 않아.

8 A: **Did** King Sejong **invent** Hangeul? → A: 세종대왕이 한글을 ______?
B: **Yes, he did.** B: 응, 맞아.

▸ Answer p.6

문법 기본 Ⓐ 빈칸에 들어갈 말에 V 표시하기

1 I ________ to the hospital last night. ☐ hurrid ☐ hurried ☐ hurryed

2 Alice ________ her fork on the floor. ☐ drop ☐ droped ☐ dropped

3 Minho ________ the English speaking test yesterday. ☐ pass ☐ passes ☐ passed

4 They ________ have a club meeting last week. ☐ don't ☐ didn't ☐ doesn't

5 Did Mary ________ to her country? ☐ return ☐ returns ☐ returned

6 Her family ________ live together then. ☐ don't ☐ didn't ☐ doesn't

7 My father ________ the housework last Sunday. ☐ do ☐ does ☐ did

8 ________ you watch the soccer game last night? ☐ Do ☐ Does ☐ Did

문법 기본 Ⓑ 알맞은 동사형태 고르기

1 그 소년은 매우 열심히 피아노 연습을 했다. → The boy practice / practiced the piano very hard.

2 우리는 아직 시험 결과를 받지 못했다. → We don't / didn't get the test result yet.

3 너는 오늘 아침에 일찍 일어났니? → Do / Did you wake up early this morning?

4 Isabel은 세 시간 동안 책을 읽었다. → Isabel read / reads books for three hours.

5 Chris는 저녁식사를 건너뛰었다. → Chris skiped / skipped dinner.
★skip 거르다

6 나는 어제 상점에서 아무것도 사지 않았다. → I don't / didn't buy anything at the mall.

7 그들은 산 정상에 올라갔니? → Did they climb / climbed to the top of the mountain?

8 그 선수들은 경기에서 최선을 다했다. → The players doed / did their best in the game.

▸ Answer p.6

문법 쓰기 Ⓐ 지시에 맞게 문장 바꿔 쓰기

Example I wanted hot chocolate. (부정문으로)
→ I *didn't* *want* hot chocolate.

1 Susan mixed butter and eggs. (의문문으로)

→ ________ butter and eggs?

2 We watched a comedy movie. (부정문으로)

→ We ________ a comedy movie.

3 They had a great time together. (의문문으로)

→ ________ a great time together?

4 I did my homework yesterday. (부정문으로)

→ I ________ my homework yesterday.

문법 쓰기 Ⓑ 틀린 부분 고치기

Example She smileed at me. *smileed* → *smiled*
그녀는 나를 보고 미소를 지었다.

1 Minsu didn't joined the movie club. ________ → ________
민수는 영화 동아리에 가입하지 않았다.

2 Someone steped on my foot on the bus. ________ → ________
버스에서 누군가가 내 발을 밟았다.

3 I studyed until late at night. ________ → ________
나는 늦게까지 공부했다.

4 Do you stay in Japan last year? ________ → ________
너는 작년에 일본에 머물렀니?

5 She dosen't did her duty then. ________ → ________
그녀는 그때 그녀의 의무를 다하지 않았다.

6 Did Woody moved to another school? ________ → ________
Woody는 다른 학교로 전학을 갔니?

▸ Answer p.6

문법 쓰기 C 주어진 단어를 활용하여 문장 완성하기

Example 그 화가는 멋진 그림을 그렸다. (artist, painted, beautiful painting)
→ *The artist painted a beautiful painting.*

1 소라는 바닥에서 미끄러졌다. (slip)

→ Sora ______ on the floor.

2 나는 그녀에게서 아무런 연락도 받지 못했다. (get)

→ I ______ any messages from her.

3 너는 어제 그 콘서트에 갔니? (go)

→ ______ to the concert yesterday?

4 로미오와 줄리엣은 서로를 너무 많이 사랑했다. (love, each other)

→ Romeo and Juliet ______ so much.

5 그는 그 전화를 받지 않았다. (answer the phone)

→ He ______.

6 우리는 5년 전에 광주에 살았었다. (live, Gwangju, ago)

→ ______

7 너는 그 때 일출을 봤니? (see, sunrise, then)

→ ______

8 Mike는 그의 방을 청소했니? (clean, room)

→ ______

▸ Answer p.6

서술형 예제 1

다음 문장을 〈조건〉에 맞게 바꿔 쓰시오. Point 09

The baby cries a lot.

조건	• 과거시제로 쓸 것

→ ______________________

Teacher's guide

STEP ❶
주어 The baby는 바꿀 필요가 없으니 그대로 써주세요.

STEP ❷
일반동사 cry를 과거형으로 바꿔야 해요. 일반적으로는 동사원형에 -(e)d를 붙이지만 cry와 같이 「자음+y」로 끝나는 말은 y를 i로 바꾸고 -ed를 붙여야 해요.

정답 » The baby cried a lot.

실전 연습 1

다음 문장을 〈조건〉에 맞게 바꿔 쓰시오. Point 09

We play board games together.

조건	• 과거시제로 쓸 것

→ ______________________

서술형 예제 2

다음 우리말과 일치하도록 괄호 안의 말을 이용하여 대화를 완성하시오. Point 10

A: 그들은 그 파티를 즐겼니? (enjoy the party)
B: 응, 그랬어.

A : ______________________

B : Yes, they did.

Teacher's guide

STEP ❶
일반동사의 과거형 의문문은 주어에 관계없이 Did로 시작해요.

STEP ❷
일반동사의 과거형 의문문의 어순은 「Did+주어+일반동사의 원형 ~?」이므로, 이 어순에 맞게 나머지 부분을 써주시면 돼요.

정답 » Did they enjoy the party?

실전 연습 2

다음 우리말과 일치하도록 괄호 안의 말을 이용하여 대화를 완성하시오. Point 10

A: Sam과 Josh는 어제 축구를 했니? (play soccer)
B: 아니, 안 했어.

A : ______________________

B : No, they didn't.

일반동사 과거형_불규칙 변화 (1)

❶ A-A-A형 (원형, 과거형, 과거분사형이 같은 형)

원형	과거형	과거분사형	원형	과거형	과거분사형
put	put	put	cut	cut	cut
hurt	hurt	hurt	cast	cast	cast
hit	hit	hit	quit	quit	quit
let	let	let	shut	shut	shut
set	set	set	cost	cost	cost
read	read	read	spread	spread	spread

read의 경우 동사원형과 과거형, 과거분사형이 스펠링은 같지만 발음이 달라져요.
원형은 [ri:d]이나 과거형과 과거분사형은 [red]에요.

❷ A-B-B형 (과거형과 과거분사형이 같은 형)

원형	과거형	과거분사형	원형	과거형	과거분사형
buy	bought	bought	shoot	shot	shot
sit	sat	sat	dig	dug	dug
win	won	won	hold	held	held
sell	sold	sold	lose	lost	lost
tell	told	told	fight	fought	fought
teach	taught	taught	have	had	had
think	thought	thought	catch	caught	caught
keep	kept	kept	feed	fed	fed
lend	lent	lent	lead	led	led
send	sent	sent	bring	brought	brought
build	built	built	mean	meant	meant
feel	felt	felt	get	got / gotten	got / gotten
spend	spent	spent	say	said	said
flee	fled	fled	pay	paid	paid
bleed	bled	bled	lay	laid	laid
leave	left	left	seek	sought	sought
make	made	made	spill	spilt / spilled	spilt / spilled
meet	met	met	understand	understood	understood
sleep	slept	slept	light	lit / lighted	lit / lighted
find	found	found	stand	stood	stood
hear	heard	heard	bend	bent	bent
hang(매달다)	hung	hung	shine (빛나다)	shone	shone

hang이 '교수형에 처하다'의 뜻일 경우 규칙 변화해요.
(hang-hanged-hanged)

shine이 '광을 내다, 닦다'의 뜻일 경우 규칙 변화해요.
(shine-shined-shined)

Point 12 일반동사 과거형_불규칙 변화 (2)

❶ A-B-A형 (원형과 과거분사형이 같은 형)

원형	과거형	과거분사형
run	ran	run
come	came	come
become	became	become

※ welcome은 규칙 변화하는 동사로 welcomed가 됨에 유의하세요!

❷ A-B-C형 (원형, 과거형, 과거분사형이 다른 형)

원형	과거형	과거분사형	원형	과거형	과거분사형
go	went	gone	grow	grew	grown
see	saw	seen	begin	began	begun
take	took	taken	drink	drank	drunk
give	gave	given	wake	woke	woken
eat	ate	eaten	drive	drove	driven
write	wrote	written	throw	threw	thrown
swim	swam	swum	draw	drew	drawn
break	broke	broken	blow	blew	blown
choose	chose	chosen	wear	wore	worn
forget	forgot	forgotten	steal	stole	stolen
speak	spoke	spoken	freeze	froze	frozen
show	showed	shown / showed	rise	rose	risen
sing	sang	sung	do	did	done
ring	rang	rung	bear	bore	born
know	knew	known	bite	bit	bitten
fall	fell	fallen	hide	hid	hidden
forgive	forgave	forgiven	fly	flew	flown
ride	rode	ridden	lie(눕다)	lay	lain

lie가 '거짓말하다'의 뜻일 경우 규칙 변화해요. (lie-lied-lied)

혼동되는 동사의 불규칙 변화

원형	과거형	과거분사형	원형	과거형	과거분사형
find (발견하다)	found	found	lie(눕다)	lay	lain
found(설립하다)	founded	founded	lay(놓다)	laid	laid
wind((태엽) 등을 감다)	wound	wound	rise(오르다)	rose	risen
wound(상처를 입히다)	wounded	wounded	raise(올리다)	raised	raised

문법 기본 Ⓐ 동사의 과거형 쓰기

▸ Answer p.6

	원형	과거형		원형	과거형		동사	과거형
1	eat		11	begin		21	drive	
2	break		12	buy		22	let	
3	teach		13	put		23	fall	
4	cut		14	take		24	feel	
5	make		15	speak		25	come	
6	read		16	hear		26	bring	
7	ride		17	send		27	drink	
8	know		18	draw		28	keep	
9	pay		19	choose		29	ring	
10	lose		20	swim		30	mean	

문법 기본 Ⓑ 알맞은 동사형태 고르기

1 나는 캠프에서 많은 별들을 봤다.
→ I saw / seen many stars at the camp.

2 나의 아버지는 지난주에 중국에 가셨다.
→ My father gone / went to China last week.

3 많은 한국인들이 베트남 전쟁에서 싸웠다.
→ Many Koreans faught / fought in the Vietnam War.

4 그 최고경영자는 회의에 모습을 나타냈다.
→ The CEO showed / shown up for the meeting.
★CEO(Chief Executive Officer) 최고 경영자

5 진수는 축구 경기 중에 다리를 다쳤다.
→ Jinsu hurt / hurted his leg in the soccer game.

6 그 어린 소녀는 많은 사람들 앞에서 노래했다.
→ The little girl sung / sang in front of many people.

7 나는 지난 토요일에 동물원에서 기린들에게 먹이를 주었다.
→ I feed / fed the giraffes at the zoo last Saturday.

8 그녀는 어젯밤에 9시간 동안 잠을 잤다.
→ She slept / sleeped for nine hours last night.

▸ Answer p.6

문법 쓰기 A 주어진 동사로 빈칸 완성하기

Example	set	나는 매일 알람을 맞춘다.	→ I *set* the alarm clock every day.
		나는 어제 알람을 맞췄다.	→ I *set* the alarm clock yesterday.

1 **dig**
두더지는 구멍을 판다. → A mole ______ a hole.
두더지가 구멍을 팠다. → A mole ______ a hole.

2 **write**
그는 여가 시간에 시를 쓴다. → He ______ poems in his leisure time.
그는 여가 시간에 시를 썼다. → He ______ poems in his leisure time.

3 **become**
얼음은 햇빛 아래에서 물이 된다. → Ice ______ water under the sunlight.
얼음이 햇빛 아래에서 물이 되었다. → Ice ______ water under the sunlight.

4 **rise**
해는 동쪽에서 뜬다. → The sun ______ in the east.
해가 동쪽에서 떴다. → The sun ______ in the east.

문법 쓰기 B 틀린 부분 고치기

Example A storm hitted the whole country. *hitted* → *hit*
폭풍이 나라 전체를 강타했다.

1 She quitted the job for her children. ______ → ______
그녀는 아이들을 위해 일을 그만두었다.

2 The fisherman catched a big fish. ______ → ______
그 어부는 큰 물고기를 잡았다.

3 Sora spillt water on her laptop. ______ → ______
소라는 노트북 컴퓨터 위에 물을 엎질렀다.

4 Grace and I lied on the grass. ______ → ______
Grace와 나는 잔디 위에 누웠다.

5 He forgetted an important meeting. ______ → ______
그는 중요한 회의를 잊었다.

6 They payed a lot of money for their house. ______ → ______
그들은 많은 돈을 내고 집을 샀다.

문법 쓰기 C 주어진 단어를 활용하여 문장 완성하기

▸ Answer p.6

Example 우리는 어제 파티를 했다. (have)
→ *We had a party yesterday.*

1 그는 지하철에서 그의 지갑을 잃어버렸다. (lose, wallet)

→ He on the subway.

2 엄마는 내 휴대전화를 가져가셨다. (take, cell phone)

→ Mom .

3 학생들은 연필과 종이를 가져왔다. (bring, pencils, paper)

→ The students .

4 암탉이 알을 네 개 낳았다. (lay, egg)

→ The hen .

5 그 개가 나의 손을 물었다. (dog, bite, hand)

→

6 그녀는 동이 트기 전에 일어났다. (wake up, before dawn)

→

★dawn 새벽, 동이 틀 무렵

7 나는 벼룩시장에서 내 옷을 팔았다. (sell, clothes, at the flea market)

→

★flea market 벼룩시장

8 그 동물은 덤불 뒤에 숨었다. (animal, hide, behind the bush)

→

▸ Answer p.7

서술형 예제 1

다음 우리말을 〈조건〉에 맞게 영작하시오. Point 11

그는 그 문을 닫았다.

조건	• shut, door를 사용할 것 • 총 4단어로 쓸 것

→ ______________________

Teacher's guide

STEP ❶
우선 주어인 '그는'을 He로 바꿔 쓰세요.

STEP ❷
'그 문을 닫다'는 shut the door에요. 그런데 우리말을 보면 과거이니 shut의 과거형을 써야겠죠? shut은 불규칙 변화 동사로 동사원형, 과거형, 과거분사형이 모두 같은 형태에요.

정답 » He shut the door.

실전 연습 1

다음 우리말을 〈조건〉에 맞게 영작하시오. Point 11

그 새는 날개를 폈다.

조건	• spread, wings를 사용할 것 • 총 5단어로 쓸 것

→ ______________________

서술형 예제 2

다음 우리말과 일치하도록 괄호 안의 말을 이용하여 대화를 완성하시오. Point 12

A : 너는 지난 주 토요일에 무엇을 했니?
B : 나는 영화를 봤어. (see a movie)

A : What did you do yesterday?
B : ______________________

Teacher's guide

STEP ❶
주어인 '나'를 I로 바꿔 주세요.

STEP ❷
과거시제이므로 see a movie의 일반동사인 see를 과거형으로 써줘야 해요. see는 불규칙하게 변화하는 동사로 과거형, 과거분사형이 saw, seen이에요.

정답 » I saw a movie.

실전 연습 2

다음 우리말과 일치하도록 괄호 안의 말을 이용하여 대화를 완성하시오. Point 12

A : 너는 어제 무엇을 했니?
B : 나는 수영장에서 수영을 했어.
(swim, in the swimming pool)

A : What did you do yesterday?
B : ______________________

CHAPTER 02 일반동사

내신 대비 실전 TEST

▸ Answer p.7

객관식 (01~10)

Point 07

01 다음 빈칸에 들어갈 말로 알맞지 않은 것은?

_________ like summer.

① I ② They ③ People
④ Tommy ⑤ My sister and I

Point 08

02 다음 우리말과 일치하도록 할 때, 빈칸에 들어갈 말로 알맞은 것은?

나의 엄마는 커피를 마시지 않으신다.
→ My mom _________ coffee.

① isn't drink ② not drinks
③ don't drink ④ doesn't drink
⑤ doesn't drinks

대표 Point 08

03 다음 빈칸에 들어갈 말이 나머지 넷과 다른 것은? (대소문자 무시)

① I _______ not learn Japanese.
② _______ you usually get up early?
③ We _______ not have school tomorrow.
④ _______ your sister and you share a room?
⑤ _______ your brother play the violin?

Point 09

04 다음 중 보기와 같이 과거형이 규칙 변화하는 동사가 아닌 것은?

• 보기 •
walk – walked

① call ② tell ③ want
④ enjoy ⑤ finish

Point 07

05 다음 빈칸에 들어갈 말로 알맞은 것은?

_________ rides a motorcycle.

① I ② You ③ He
④ We ⑤ They

[06~07] 다음 밑줄 친 부분 중 어법상 틀린 것을 고르시오.

Point 07

06 ① Mike haves a sister.
② Ms. Park teaches music.
③ Yunho hurries to school every morning.
④ My father washes his car every Sunday.
⑤ Sora sometimes stays up late.

Point 09, 11, 12

07 ① This bag cost 20,000 won.
② Jinsu fought with his best friend.
③ She showed me her old pictures.
④ The concert begun two hours ago.
⑤ I read three books last month.

Point 08

08 다음 대화의 빈칸에 들어갈 말로 알맞은 것은?

A: Does Sujin cook at home?
B: No, she _________. She usually eats out.

① do ② don't ③ isn't
④ does ⑤ doesn't

Point 10

09 다음 문장을 부정문으로 바르게 고친 것은?

I saw a movie yesterday.

① I don't see a movie yesterday.
② I don't saw a movie yesterday.
③ I doesn't see a movie yesterday.
④ I didn't saw a movie yesterday.
⑤ I didn't see a movie yesterday.

Point 08

10 다음 밑줄 친 부분의 쓰임이 나머지 넷과 다른 것은?

① Does it live in the forest?
② He does his homework after school.
③ Chris does not like hip-hop music.
④ Does your school have a snack bar?
⑤ My family does not travel by car.

서술형 기본 (11~19)

[11~13] 다음 주어진 문장을 과거 시제로 바꿔 쓰시오.

Point 09

11 I have bread and milk for breakfast.
→ I ____________ bread and milk for breakfast.

Point 11

12 My whole body hurts.
→ My whole body ____________.

Point 12

13 We go camping.
→ We ____________ camping.

대표 Point 08

14 다음 대화의 빈칸에 들어갈 알맞은 말을 각각 쓰시오.

A: (1) ____________ a rabbit have a long tail?
B: No, it (2) ____________.

[15~16] 다음 문장에서 어법상 틀린 곳을 찾아 바르게 고쳐 쓰시오.

Point 09

15 The elevator suddenly stoped.

____________ → ____________

Point 10

16 I didn't ate dinner yesterday.

____________ → ____________

[17~18] 다음 대화의 빈칸에 들어갈 알맞은 말을 쓰시오.

Point 08

17 A : ________ ________ work at a museum?
B : Yes, he does.

Point 10

18 A : ________ ________ rain yesterday?
B : No, it didn't.

Point 10

19 다음 주어진 문장을 부정문으로 바꿀 때 빈칸에 알맞은 말을 쓰시오.

They swam in the river.

→ They ____________________.

서술형 심화 (20~25)

Point 08

20 다음 주어진 문장을 지시에 맞게 바꿔 쓰시오.

Sumi wears a school uniform.

(1) 부정문 ______________________

(2) 의문문 ______________________

Point 10, 12

21 다음 우리말을 〈조건〉에 맞게 영작하시오.

(1) 나는 내 우산을 가져오지 않았다.

조건 bring, umbrella를 이용할 것

→ ______________________

(2) 그녀는 편지 한 장을 썼다.

조건 write, letter를 이용할 것

→ ______________________

대표 Point 07

22 다음 ①~⑤ 중 어법상 틀린 것을 두 개 골라 바르게 고쳐 쓰시오.

Suhyun usually ① gets up at 6:30 in the morning. She ② washs her hair and ③ has breakfast with her family. She ④ leaves home at 8 o'clock. She ⑤ studys at school until 3 in the afternoon.

(   ) ______________

(   ) ______________

Point 08

23 다음 대화의 빈칸에 알맞은 말을 쓰시오.

A: Do you like sports?
B: (1) __________, __________. I like all kinds of sports.
A: What about your brother?
(2) __________ __________ like sports, too?
B: No, he doesn't.

고난도 Point 10~12

24 다음은 지난주 나의 계획표이다. 내가 한 일과 하지 않은 일을 완전한 문장으로 쓰시오.

To do list
- finish the science report (×)
- buy English novels (○)
- do my art homework (○)

(1) 하지 않은 일: ______________________

(2) 한 일: • ______________________

• ______________________

Point 07

25 다음 정보를 보고, 친구를 소개하는 글을 〈조건〉에 맞게 쓰시오.

사는 곳: Busan
형제 · 자매: two sisters
좋아하는 과목: English, social studies
좋아하지 않는 과목: math, science

조건
- He로 시작할 것
- (1) 사는 곳 (2) 형제 · 자매 (3) 좋아하는 과목 (4) 좋아하지 않는 과목 순으로 쓸 것

This is my best friend, Junwoo.

(1) ______________________

(2) ______________________

(3) ______________________

(4) ______________________

CHAPTER 03

시제

Get Ready

시제	현재시제	I play the violin.	나는 바이올린을 연주한다.
	과거시제	I played the violin.	나는 바이올린을 연주했다.
	미래시제	I will play the violin.	나는 바이올린을 연주할 것이다.
진행형	현재진행형	I am playing the violin.	나는 바이올린을 연주하고 있다.
	과거진행형	I was playing the violin.	나는 바이올린을 연주하고 있었다.

시제란 동사를 이용해서 동작이나 상태의 시간을 표현하는 것을 말해요. 크게 **과거, 현재, 미래**로 나뉘어요. 과거나 현재의 특정 시점에 진행 중인 일을 나타낼 때는 진행형을 사용해요. **진행형**은 「**be동사+v-ing**」 형태로 나타내요.

Point

13 현재시제와 과거시제

❶ 현재시제는 현재의 사실이나 상태, 습관이나 반복되는 동작, 과학적 사실이나 진리 등을 나타낸다.

- be동사의 현재형: am / are / is
- 일반동사의 현재형: 동사원형 또는 동사원형+(e)s

I **am rarely** late for school. 나는 학교에 거의 지각을 하지 않는다.

>> 현재시제는 always, usually, often, sometimes, rarely, never 등의 빈도부사와 함께 자주 쓰여요.

Earth **goes** around the sun. 지구는 태양 주위를 돈다.

>> 불변의 진리나 과학적인 사실, 속담이나 격언은 현재시제로 나타내요.

❷ 과거시제는 이미 끝난 과거의 동작이나 상태, 역사적인 사실을 나타낸다.

- be동사의 과거형: was / were
- 일반동사의 과거형: 규칙변화(동사원형+-(e)d) 또는 불규칙 변화

We **were** busy **yesterday**. 우리는 어제 바빴다.

>> 과거시제는 과거 시점을 나타내는 표현인 yesterday, last ~, ~ ago, at that time, then, in+과거 연도 등과 함께 쓰여요.

World War II **broke out in 1939**. 제2차 세계 대전은 1939년에 발발했다.

>> 역사적인 사실은 지난 일이므로 과거시제로 나타내요.

leave, come, go, start 등 왕래발착(가다/오다/출발하다/도착하다)을 나타내는 동사는 현재 시제로 미래의 의미를 나타내기도 해요. 이럴 경우 미래를 나타내는 부사(구) 등이 함께 쓰여요.

The train **leaves in ten minutes**. 기차는 십분 뒤에 출발한다.

문법 확인 Ⓐ 문장 해석하기

▸ Answer p.9

1 I usually **go** to bed at 11. → 나는 보통 11시에 ________.

2 My cousin **lives** in Canada. → 나의 사촌은 캐나다에 ________.

3 Two and two **are** four. → 2 더하기 2는 ________.

4 King Sejong **created** Hangeul **in 1443**. → 세종대왕은 1443년에 한글을 ________.
★create 창조[창제]하다

5 My grandfather **passed away last year**. → 나의 할아버지는 작년에 ________.
★pass away 돌아가시다

6 The show **begins in 30 minutes**. → 그 쇼는 30분 뒤에 ________.

7 I **had** dinner at 9 o'clock **yesterday**. → 나는 어제 9시에 저녁식사를 ________.

8 They **finished** the work **an hour ago**. → 그들은 한 시간 전에 일을 ________.

Point

14 미래시제

❶ 미래에 일어날 일이나 계획을 조동사 will을 이용해서 나타낸다.

「will+동사원형」: ~할 것이다

I **will go** shopping tomorrow. 나는 내일 쇼핑을 하러 갈 것이다.

I **will get** some sleep now. 나는 지금 잠을 좀 자야겠다.

>> 미래시제는 tomorrow, next ~, this ~, soon, in+미래 연도 등과 함께 쓰여요.

>> will은 말하는 시점의 주어의 의지를 나타내기도 해요.

❷ 비교적 가까운 미래의 구체적인 계획을 be going to를 이용해서 나타낸다.

「be going to+동사원형」: ~할 계획[예정]이다

We'**re going to** throw a farewell party for him.
우리는 그를 위한 송별파티를 열 계획이다.

He'**s not going to** join the club.
그는 그 동아리에 가입하지 않을 것이다.

>> will이 막연한 미래의 일을 나타내는 반면 be going to는 가까운 미래의 일이나 의도된 계획을 나타내요.

>> be going to의 부정문은 be동사 뒤에 not을 붙여서 만들어요.

will과 be going to의 부정문, 의문문 만드는 법

	will	be going to
부정문	「주어+will not[won't]+동사원형 ~.」	「주어+be동사+not going to+동사원형 ~.」
의문문	「Will+주어+동사원형 ~?」 –「Yes, 주어+will.」/「No, 주어+will not[won't].」	「be동사+주어+going to+동사원형 ~?」 –「Yes, 주어+be동사.」/「No, 주어+be동사+not.」

문법 확인 Ⓑ 문장 해석하기

▸ Answer p.9

1 It **will rain** tomorrow. → 내일은 비가 ______.

2 I **won't make** the same mistake again. → 나는 다시는 같은 실수를 ______.
★make a mistake 실수하다

3 Mr. Kim **is going to buy** a new car next week. → 김 선생님은 다음 주에 새 차를 ______.

4 We'**re not going to stay** at this hotel. → 우리는 이 호텔에 ______.

5 Jinsu **will be** a great teacher in the future. → 진수는 미래에 훌륭한 교사가 ______.

6 A: **Will** you **go** to the beach this summer? → A: 너는 이번 여름에 해변에 ______?
B: **No, I won't.** → B: 아니, 안 갈 거야.

7 A: **Is** the concert **going to start** at 8 o'clock? → A: 콘서트는 8시에 ______ 예정인가요?
B: **Yes, it is.** → B: 네, 맞아요.

▸ Answer p.9

문법 기본 Ⓐ 빈칸에 들어갈 말에 V 표시하기 (중복 표시 가능)

1 I usually ________ to school by bus. □ go □ goes □ went

2 The famous actor ________ Korea last year. □ visit □ visits □ visited

3 The airplane ________ in 30 minutes. □ land □ lands □ will land
★land 착륙하다

4 It ________ going to be a long trip. □ is □ be □ will

5 No news ________ good news. □ is □ was □ were
★속담이나 격언은 현재시제로 나타내요.

6 Edison ________ the light bulb in 1879. □ invent □ invents □ invented

7 It ________ sunny and warm tomorrow. □ is □ was □ will be

8 I ________ eat fast food anymore. □ will □ won't □ am going to
★not ~ anymore 더 이상 ~않다

문법 기본 Ⓑ 알맞은 동사형 고르기

1 그는 어린 시절에 가난했다. → He is / was poor in his childhood.

2 나의 아버지는 요즘 바쁘시다. → My father is / was busy these days.

3 물은 섭씨 100도에서 끓는다. → Water boils / boiled at 100℃.

4 작년에는 눈이 많이 내렸다. → It snows / snowed a lot last year.

5 나의 가족은 어제 외식을 했다. → My family ate / eats out yesterday.

6 그녀는 나의 말을 들으려고 하지 않는다. → She won't / isn't going to listen to me.

7 그들은 이번 주말에 낚시를 하러 갈 계획이다. → They are going go / to go fishing this weekend.

8 우리는 다음 달에 다른 도시로 이사 갈 것이다. → We moved / will move to another city next month.

▸ Answer p.9

문법 쓰기 Ⓐ 지시에 맞게 주어진 문장 바꿔 쓰기

Example I am sick. (과거시제로)
→ *I* *was* sick.

1 I travel around the country. (미래시제 – will로)

→ I ______ ______ around the country.

2 It was an interesting movie. (현재시제로)

→ ______ ______ an interesting movie.

3 We go on a picnic. (미래시제 – be going to로)

→ We ______ ______ ______ ______ on a picnic.

4 He buys a new camera. (과거시제로)

→ ______ ______ a new camera.

문법 쓰기 Ⓑ 틀린 부분 고치기

Example I take a walk in the park. *take* → *took*
나는 공원에서 산책을 했다.

1 The sun set in the west. ______ → ______
해는 서쪽에서 진다.

2 I will to clean the house. ______ → ______
나는 집을 청소할 것이다.

3 We watch the fireworks last night. ______ → ______
우리는 어젯밤에 불꽃놀이를 봤다.

4 I exercised for an hour every day. ______ → ______
나는 매일 한 시간씩 운동을 한다.

5 They are going see a movie tomorrow. ______ → ______
그들은 내일 영화를 보러 갈 계획이다.

6 I will trust anyone. ______ → ______
나는 아무도 믿지 않을 것이다.

▸ Answer p.9

문법 쓰기 Ⓒ 주어진 단어를 활용하여 문장 완성하기

Example 그는 운전을 해서 직장에 간다. (drive to work)
→ *He drives to work.*

1 나는 내년에 15살이 될 것이다. (will)

→ I fifteen years old next year.

2 한국은 2018년에 동계 올림픽을 개최했다. (hold)

→ Korea the Winter Olympics in 2018.

★hold 개최하다

3 그는 과학 경시대회에 참가할 계획이다. (going to, enter)

→ He the science contest.

★enter (대회 등에) 참가하다

4 지구는 둥글다. (round)

→ Earth .

5 그녀는 일요일마다 교회에 간다. (go to church)

→ She on Sundays.

6 시험은 9시에 시작할 것이다. (the test, will, start)

→

7 많은 가수들이 무대에서 노래를 부를 계획이다. (singer, going to, sing, on the stage)

→

8 물은 섭씨 0도에서 언다. (water, freeze, 0°C)

→

▸ Answer p.9

서술형 예제 1

다음 우리말을 〈조건〉에 맞게 영작하시오. Point 13

나는 어제 피자를 먹었다.

조건	• eat, pizza, yesterday를 사용할 것 • 총 4단어로 쓸 것

→ ______________________

Teacher's guide

STEP ❶
피자를 먹은 시점이 '어제'이므로 과거 시제를 써야 해요.

STEP ❷
앞서 eat는 불규칙하게 변화하는 동사로 과거형이 ate, 과거분사형이 eaten이라고 공부했던 것 잊지 않으셨죠? 과거형인 ate 뒤에 목적어 pizza를 써주면 됩니다.

정답 ›› I ate pizza yesterday.

실전 연습 1

다음 우리말을 〈조건〉에 맞게 영작하시오. Point 13

나는 지난주에 영화를 봤다.

조건	• see a movie, last week을 사용할 것 • 총 6단어로 쓸 것

→ ______________________

서술형 예제 2

다음 우리말과 일치하도록 괄호 안의 말을 사용하여 대화를 완성하시오. Point 14

A: 너는 파티에 올 예정이니? (come to the party)
B: Yes, I am.

A : ______________________

B : Yes, I am.

Teacher's guide

STEP ❶
'~할 계획[예정]이다'는 「be going to + 동사원형」으로 써요.

STEP ❷
의문문이므로 「be동사 + 주어 + going to + 동사원형 ~?」의 형태로 써야 해요. 주어가 you 이니 are로 시작해야 해요.

정답 ›› Are you going to come to the party?

실전 연습 2

다음 우리말과 일치하도록 괄호 안의 말을 사용하여 대화를 완성하시오. Point 14

A: Jessica는 올해 졸업할 예정이니? (graduate)
B: No, she isn't.

A : ______________________ this year?

B : No, she isn't.

Point
15 현재진행형과 과거진행형

❶ 현재진행형은 말하고 있는 시점에 진행 중인 일을 나타낸다.

「be동사의 현재형(am / are / is)+v-ing」: ~하고 있다, ~하는 중이다

I **am eating** breakfast. 나는 아침식사를 하고 있다.
>> 현재시제는 평소에 하는 일을 나타내는 반면, 현재진행형은 지금 하고 있는 일을 나타내요.

He **is working** right **now**. 그는 지금 일하고 있다.
>> 현재진행형은 주로 현재 시점이나 최근 기간을 나타내는 표현(now, these days, this week 등)과 함께 쓰여요.

I'm **meeting** Sam **tonight**. 나는 오늘 저녁에 Sam을 만날 예정이다.
>> 이미 예정된 가까운 미래를 표현할 때 현재진행형으로 표현할 수 있어요.

❷ 과거진행형은 과거 한때에 진행 중이었던 일을 나타낸다.

「be동사의 과거형(was / were)+v-ing」: ~하고 있었다, ~하는 중이었다

She **was drying** her hair. 그녀는 머리를 말리고 있었다.
They **were watching** TV then. 그들은 그때 TV를 보고 있었다.

동사의 -ing형(v-ing) 만드는 방법

대부분의 동사	동사원형+-ing	meet → meet**ing**
-e로 끝나는 동사	e를 없애고+-ing	take → tak**ing**
-ie로 끝나는 동사	ie를 y로 바꾸고+-ing	die → d**ying**
「단모음+단자음」으로 끝나는 동사	자음을 한 번 더 쓰고+-ing	cut → cut**ting** swim → swim**ming**

「단모음+단자음」으로 끝나도 -x, -w로 끝나는 동사, 강세가 앞에 오는 2음절 동사는 동사원형+ing 형태에요. (fix → fixing, visit → visiting)

문법 확인 Ⓐ 문장 해석하기

▸ Answer p.9

1 He **is feeding** his dog. → 그는 개에게 ________.
★feed 먹이를 주다

2 You **are lying** to me. → 너는 나에게 ________.

3 She **is learning** yoga these days → 그녀는 요즘 요가를 ________.

4 They **are listening** to the radio now. → 그들은 지금 라디오를 ________.

5 We **were taking** a test then. → 우리는 그때 시험을 ________.

6 The baby **was crying** loudly. → 그 아기는 큰 소리로 ________.

7 Some people **were cutting** down trees. → 몇몇 사람들이 나무를 ________.

8 I **was drawing** a cartoon character. → 나는 만화 캐릭터를 ________.

Point 16 진행형의 부정문과 의문문

❶ 진행형의 부정문

현재진행형 부정문	과거진행형 부정문
「be동사의 현재형(am / are / is)+not+v-ing」	「be동사의 과거형(was / were)+not+v-ing」
I **am not studying** right now. 나는 지금 공부하고 있지 않다.	They **were not sleeping** then. 그들은 그때 잠을 자고 있지 않았다.

❷ 진행형의 의문문

현재진행형 의문문	과거진행형 의문문
「be동사의 현재형(Am / Are / Is)+주어+v-ing ~?」	「be동사의 과거형(Was / Were)+주어+v-ing ~?」
A: **Are** you **listening** to me? 너는 내 말을 듣고 있니? B: **Yes, I am.** / **No, I'm not.** 응, 그래. / 아니, 그렇지 않아.	A: **Were** they **playing** with the toys then? 그들은 그때 장난감을 가지고 놀고 있었니? B: **Yes, they were.** / **No, they weren't.** 응, 그랬어. / 아니, 그렇지 않았어.

- **소유(have, own, belong, need, want 등), 감정(like, hate, love 등), 감각(see, hear, smell 등), 인식(know, understand, believe 등)과 같이 상태를 나타내는 동사는 진행형으로 쓰지 않아요.**

  She **is knowing** the truth. (×) She **knows** the truth. (○) 그녀는 진실을 알고 있다.
- **have의 경우 '가지다'의 뜻일 때에는 진행형이 불가능하지만 '먹다', '(시간 등을) 보내다'의 뜻일 때는 가능해요.**

  I **am having** two brothers. (×) 나는 남자형제가 둘 있다. I **am having** lunch. (○) 나는 점심을 먹고 있다.

문법 확인 B 문장 해석하기

▸ Answer p.9

1. My mother **is not talking** on the phone. → 나의 어머니는 통화를 ______.
   ★talk on the phone 전화통화하다
2. Jisu **was not sitting** on the chair. → 지수는 의자에 ______.
3. You **were not sleeping** at midnight. → 너는 자정에 ______.
4. **Are** you **driving** a car? → 너는 운전을 ______?
5. **Was** Minho **writing** an email? → 민호는 이메일을 ______?
6. A: **Are** you **looking** for your shoes? → A: 너는 네 신발을 ______?
   B: **Yes, I am.** B: 응, 맞아.
7. A: **Was** Jane **taking** a shower? → A: Jane은 샤워를 ______?
   B: **No, she wasn't.** B: 아니, 그렇지 않았어.

문법 기본 Ⓐ 주어진 동사의 v-ing형 고르기

▸ Answer p.9

1	bring	① bringging	② bringing	9	win	① wining	② winning
2	say	① saying	② saing	10	fly	① flying	② flaing
3	come	① coming	② comming	11	sit	① siting	② sitting
4	swim	① swiming	② swimming	12	die	① ding	② dying
5	stop	① stoping	② stopping	13	run	① runing	② running
6	do	① doeing	② doing	14	hold	① holdding	② holding
7	live	① living	② liveing	15	make	① makeing	② making
8	take	① takeing	② taking	16	put	① putting	② puting

문법 기본 Ⓑ 알맞은 동사형 고르기

1 그 신사는 신문을 읽고 있다. → The gentleman reads / is reading the newspaper.

2 그들은 농구를 하는 중이었다. → They played / were playing basketball.

3 나는 지금 내 개를 산책시키고 있다. → I am walking / was walking my dog.
★walk 산책시키다

4 우리는 깜짝 파티를 준비하는 중이었다. → We were preparing / prepareing a surprise party.

5 사람들이 버스에서 내리고 있다. → People are geting / getting off the bus.

6 너는 집중하고 있지 않았다. → You not were paying / were not paying attention.
★pay attention 집중하다

7 Bill은 마스크를 쓰고 있니? → Is Bill wears / wearing a mask?

8 그들은 교실에서 대화를 하는 중이었니? → Were they chating / chatting in the classroom?

▸ Answer p.9

문법 쓰기 Ⓐ 주어진 동사로 빈칸 완성하기

Example **have** 우리는 간식을 먹는 중이다. → We *are having* snacks.
우리는 간식을 먹는 중이었다. → We *were having* snacks.

1 **mark** 선생님은 시험을 채점하고 계신다. → The teacher ______ exams.
선생님은 시험을 채점하고 계셨다. → The teacher ______ exams.

2 **lie** 그 환자들은 침대에 누워 있다. → The patients ______ on their beds.
그 환자들은 침대에 누워 있었다. → The patients ______ on their beds.

3 **shop** 그녀는 지금 쇼핑몰에서 쇼핑을 하고 있지 않다. → She ______ at the mall now.
그녀는 지금 쇼핑몰에서 쇼핑을 하고 있니? → ______ she ______ at the mall now?

4 **ride** 그는 그때 자전거를 타고 있지 않았다. → He ______ his bike then.
그는 그때 자전거를 타고 있었니? → ______ he ______ his bike then?

문법 쓰기 Ⓑ 틀린 부분 고치기

Example I am liking my brother very much. *am liking* → *like*
나는 내 남동생을 매우 많이 좋아한다.

1 Tom are watching a TV show now. ______ → ______
Tom은 지금 TV쇼를 보고 있다.

2 It was rained heavily this morning. ______ → ______
오늘 아침에는 비가 세차게 내리고 있었다.

3 My little sister is having curly hair. ______ → ______
내 여동생은 곱슬머리이다.

4 Was she makeing spaghetti? ______ → ______
그녀는 스파게티를 만들고 있었니?

5 He is tieing his shoelaces. ______ → ______
그는 신발 끈을 묶고 있다.

▸ Answer p.9

주어진 단어를 활용하여 문장 완성하기

Example Hana는 잡지를 읽고 있었다. (read, a magazine)
→ *Hana was reading a magazine.*

1 나는 인터넷을 검색하고 있다. (surf)

→ I ______________________ the Internet.

2 그는 그의 자전거를 고치는 중이었다. (fix)

→ He ______________________ his bike.

3 요즘 나의 이모는 누군가와 데이트를 하고 있다. (date)

→ These days, my aunt ______________________ someone.

★현 시점에 진행 중인 일뿐만 아니라, 최근 일정 기간 동안 진행되어 온 일도 현재진행형으로 표현할 수 있어요.

4 그들은 이곳에서 좋은 시간을 보내고 있지 않다. (have)

→ They ______________________ a good time here.

5 그녀는 과일을 사고 있니? (buy, some fruits)

→ ______________________

6 나는 학교에 가고 있었다. (go to school)

→ ______________________

7 그들은 버스를 기다리는 중이 아니다. (wait for, the bus)

→ ______________________

8 너는 그때 체육관에서 운동을 하는 중이었니? (exercise, the gym, then)

→ ______________________

▸ Answer p.10

서술형 예제 1

다음 우리말을 〈조건〉에 맞게 영작하시오. Point 15

그 고양이는 쥐 한 마리를 쫓아 달려가고 있었다.

조건	• run after, mouse를 사용할 것 • 총 7단어로 쓸 것

→ ____________________

Teacher's guide

STEP ❶
우선 주어인 '그 고양이'를 영어로 바꿔 쓰세요.

STEP ❷
동사는 '달려가다'의 과거진행형인 '달려가고 있었다'에요. 과거진행형은 영어로 「was[were]+v-ing」 형태로 씁니다. 주어의 수에 어울리는 be동사를 써야 해요. 또 run과 같이 「단모음+단자음」으로 끝나는 동사는 끝의 자음을 한 번 더 쓰고 -ing를 붙이는 것을 잊지 마세요.

정답 » The cat was running after a mouse.

실전 연습 1

다음 우리말을 〈조건〉에 맞게 영작하시오. Point 15

그녀는 양파를 자르고 있었다.

조건	• cut, onions를 사용할 것 • 총 4단어로 쓸 것

→ ____________________

서술형 예제 2

다음 우리말과 일치하도록 괄호 안의 말을 사용하여 대화를 완성하시오. Point 16

A: (1) Susan은 지금 공부를 하고 있니? (study)
B: 아니, 그렇지 않아. (2) 그녀는 휴식을 취하고 있어. (take a rest)

A : (1) ____________________ now?
B : No, she isn't. (2) ____________________

Teacher's guide

STEP ❶
(1)은 '~하고 있니?'라는 뜻의 현재진행형 의문문이므로, 「Are[Is]+주어+v-ing~?」형태로 씁니다.

STEP ❷
(2)는 현재진행형이므로 「am[are, is]+v-ing」형태로 씁니다. 주어의 인칭과 수에 어울리는 be동사를 쓰도록 하세요. 동사에 -ing를 붙일 때 take와 같이 -e로 끝나는 말은 -e를 빼고 -ing를 붙이는 것도 잊지 마세요.

정답 » Is Susan studying / She is taking a rest

실전 연습 2

다음 우리말과 일치하도록 괄호 안의 말을 사용하여 대화를 완성하시오. Point 16

A: (1) 그들은 지금 TV를 보고 있니? (watch)
B: 아니, 그렇지 않아요. (2) 그들은 컴퓨터 게임을 하고 있어요. (play computer games)

A : (1) ____________________ now?
B : No, they weren't. (2) ____________________

CHAPTER 03 시제

내신 대비 실전 TEST

▸ Answer p.10

객관식 (01~10)

Point 13

01 다음 대화의 빈칸에 들어갈 말이 순서대로 짝지어진 것은?

A: __________ you a middle school student now?
B: Yes, I __________.

① Are – am ② Are – are ③ Are – was
④ Were – was ⑤ Were – were

Point 14

02 다음 빈칸에 들어갈 말로 알맞지 않은 것은?

Kate ____________________ tomorrow.

① will stay home ② keeps a diary
③ is leaving Korea ④ will go on a picnic
⑤ isn't going to come

Point 14

03 다음 문장에서 not이 들어갈 위치로 알맞은 곳은?

The art gallery ① is ② going ③ to ④ open ⑤ next Monday.

대표 Point 14

04 다음 빈칸에 공통으로 들어갈 말로 알맞은 것은?

• I __________ not eat anything.
• They __________ go to high school next year.

① am ② are ③ was
④ were ⑤ will

Point 14, 16

05 다음 중 의문문으로 바꾼 것 중 틀린 것은?

① You took out the trash.
→ Do you take out the trash?
② The train is going to leave soon.
→ Is the train going to leave soon?
③ We will meet at 3 o'clock tomorrow.
→ Will we meet at 3 o'clock tomorrow?
④ Tom is having lunch in the cafeteria.
→ Is Tom having lunch in the cafeteria?
⑤ They were cleaning their classroom.
→ Were they cleaning their classroom?

Point 16

06 다음 우리말을 영어로 바르게 옮긴 것은?

유리는 그때 음악을 듣고 있었니?

① Do Yuri listen to the music then?
② Does Yuri listen to the music then?
③ Is Yuri listening to the music then?
④ Will Yuri listen to the music then?
⑤ Was Yuri listening to the music then?

Point 16

07 다음 빈칸에 들어갈 말이 나머지 넷과 다른 것은? (대소문자 무시)

① __________ you go to the library yesterday?
② __________ Sora watering the plants now?
③ I __________ not have breakfast today.
④ __________ it snow a lot last winter?
⑤ My father __________ not come home last night.

Point 16

08 다음 대화의 대답에 대한 질문으로 알맞은 것은?

A: ____________________
B: Yes, they were.

① Will they go shopping?
② Did they work late?
③ Are they going to the airport?
④ Were they watching the news?
⑤ Are they taking an English class?

Point 13

09 다음 중 어법상 틀린 것은?

① A day has 24 hours.
② My brother was born in 2015.
③ The Korean War starts in 1950.
④ He lived in Sweden in his childhood.
⑤ The magic show begins in 15 minutes.

Point 15

10 다음 밑줄 친 부분의 쓰임이 나머지 넷과 다른 것은?

① He is going to join the band.
② Mina is going to learn Chinese.
③ It is going to rain a lot tomorrow.
④ Jiho is going to his friend's house.
⑤ The baseball game is going to start at 5:30.

서술형 기본 (11~19)

[11~12] 다음 주어진 문장을 진행형으로 바꿔 쓰시오. (단, 시제는 유지할 것)

Point 15

11 I cook dinner.

→ I ____________ dinner.

Point 16

12 Did the children play hide-and-seek?

→ ____________ the children ____________ hide-and-seek?

[13~14] 다음 대화의 흐름에 맞도록 빈칸에 알맞은 말을 쓰시오.

Point 13

13
A: (1) ________ you at school at 3 yesterday?
B: No. I (2) ________ at home at that time.

Point 14

14
A: (1) ____________ it be sunny tomorrow?
B: No, it (2) ____________. It's going to rain.

대표 Point 13, 15

15 다음 빈칸에 공통으로 알맞은 말을 쓰시오.

• Seoul ____________ the capital of Korea.
• It ____________ getting dark outside.

→ ____________________

[16~17] 다음 우리말과 일치하도록 빈칸에 알맞은 말을 써 문장을 완성하시오.

Point 15

16
We were not singing a song. 우리는 음악에 맞춰 춤을 추고 있었다.

→ We ____________ ____________ to the music.

Point 14

17
Jenny was 13 years old last year. 그녀는 내년에 15살이 될 것이다.

→ She ____________ ____________ 15 years old next year.

Point 13, 14

18 다음 대화의 흐름에 맞게 괄호 안의 말을 이용하여 빈칸에 알맞은 말을 쓰시오.

A: (1) ____________ the tourists (2) ____________ a tour of Seoul? (take)
B: Yes, they did.
A: What will they do next?
B: They (3) ____________ the Folk Museum. (visit)

Point 16

19 다음 주어진 문장을 의문문으로 바꿀 때 세 번째 오는 단어를 쓰시오.

Minho is studying for the test.

→ ____________

서술형 심화 (20~25)

Point 16

20 다음 주어진 문장을 지시에 맞게 바꿔 쓰시오.

Andy was playing the guitar.

(1) 부정문: ____________

(2) 의문문: ____________

Point 13

21 다음 우리말을 〈조건〉에 맞게 영작하시오.

그는 매일 산책을 한다.

조건
- take a walk를 활용할 것
- 총 6단어로 쓸 것

→ ____________

고난도

Point 14, 15

22 다음 날씨 예보를 보고, 우리말과 일치하도록 빈칸에 알맞은 말을 쓰시오.

Today	Tomorrow
(구름)	(비)

A: Is it raining now?
B: No, (1) ______ ______ ______ now. (지금 비가 오고 있지 않아.)
A: (2) ______ ______ ______ tomorrow? (내일 비가 올까?)
B: Yes, it will.

대표

Point 15

23 ①~⑤ 중 어법상 틀린 부분을 골라 바르게 고쳐 쓰시오.

Tomorrow ① is my mom's birthday. My sister and I ② are planing a special event for her. We ③ are going to make breakfast. We ④ will write letters, too. My mom ⑤ will be happy.

(　　) ____________

Point 14

24 다음은 Mike의 내일 계획표이다. 계획표를 보고, Mike가 내일 할 일과 하지 않을 일을 〈조건〉에 맞게 쓰시오.

활동	계획 여부
write a science report	○
play soccer with his friends	×

조건
- be going to를 이용할 것
- He로 시작하고 tomorrow로 끝날 것

(1) 할 일: ____________

(2) 하지 않을 일: ____________

Point 15

25 다음은 Tina의 어제 일정표이다. 일정표를 보고, 다음 대화를 완성하시오.

Time	Activity
9:00 – 10:00 a.m.	walk the dog
10:00 – 11:00 a.m.	have brunch
2:00 – 3:30 p.m.	swim in the swimming pool

A: ____________ at 9:30 yesterday?
B: Yes, she was.

CHAPTER 04

조동사

Get Ready

can	능력	I can speak English well.	나는 영어를 잘 말할 수 있다.
	허가	You can call me now.	너는 지금 나에게 전화해도 좋다.
may	허가	May I close the door?	제가 문을 닫아도 될까요?
	추측	It may be too late.	너무 늦었을지도 모른다.
must	의무	You must turn off the stove.	너는 가스 불을 꺼야 한다.
	강한 추측	Something must be wrong.	뭔가 잘못되었음이 틀림없다.
should	의무	We should protect wild animals.	우리는 야생동물을 보호해야 한다.
	충고	You should exercise regularly.	너는 규칙적으로 운동하는 게 좋다.

조동사란 동사 앞에 위치해서 **동사의 의미를 더해주는 동사**에요. 조동사 뒤에는 항상 동사원형을 쓰고, 조동사의 형태는 절대 변하지 않아요.

Point 17

can

❶ can은 능력 · 가능과 허가 · 요청의 의미를 가진다.

can: 능력 · 가능(~할 수 있다), 허가(~해도 좋다), 요청(~해주시겠어요?)

He **can** play the guitar. 그는 기타를 칠 수 있다. » can은 조동사이므로 주어가 3인칭 단수여도 -(e)s를 붙이면 안돼요.
You **can** stay here. 당신은 여기에 머물러도 좋다. » can이 허가의 의미로 쓰일 때는 may와 바꿔 쓸 수 있어요.

❷ can의 부정문과 의문문

부정문	의문문
「주어+cannot[can't]+동사원형」 (~할 수 없다)	「Can+주어+동사원형 ~?」 (~할 수 있나요? / ~해도 될까요? / ~해주시겠어요?)
I **can't** speak French. 나는 프랑스어를 말할 수 없다.	**Can** you **swim** well? 너는 수영을 잘 하니? - **Yes, I can.** 응, 잘 해. / **No, I can't.** 아니, 잘 못해. **Could** you open the door? 창문 좀 열어주시겠어요?

요청을 할 때 Could you ~?라고 하면 더 정중한 의미가 돼요.

can이 '~할 수 있다'는 뜻의 능력이나 가능의 의미를 나타낼 때 be able to로 바꿔 쓸 수 있어요.

I **can** fix the computer. = I **am able to** fix the computer. 나는 그 컴퓨터를 고칠 수 있다.
He **cannot** drive a car. = He **is not able to** drive a car. 그는 운전을 할 수 없다.
She **could** solve the problem. = She **was able to** solve the problem. 그녀는 그 문제를 풀 수 있었다.
can의 과거형은 could예요.
Can you ride a bike? = **Are you able to** ride a bike? 너는 자전거를 탈 수 있니?
You **will be able to** win the prize. 너는 상을 탈 수 있을 거야.
can은 미래형이 없고, 미래를 나타낼 때는 will be able to로 써요.

문법 확인 Ⓐ 문장 해석하기

▸ Answer p.12

1. Mina **can** read English novel. → 미나는 영어 소설을 ______.
2. Accidents **can** happen to anyone. → 사고는 누구에게든 ______.
3. I **cannot** tell you the truth. → 나는 너에게 진실을 ______.
4. The patient **was not able to** move at all. → 그 환자는 전혀 ______.
5. The children **couldn't** eat for a long time. → 그 아이들은 오랫동안 ______.
6. **Could** you wake me up tomorrow morning? → 내일 아침에 저를 ______?
7. **Can** you solve this math problem? → 너는 이 수학 문제를 ______?

Point 18

may

❶ may는 허가와 추측의 의미를 가진다.

may: 허가(~해도 좋다), 추측(~일지도 모른다)	
You **may** use the computer. 당신은 그 컴퓨터를 써도 좋다.	» may가 허가의 의미로 쓰일 때는 can과 바꿔 쓸 수 있어요.
It **may** rain tomorrow. 내일은 비가 올지도 모른다.	» may가 추측의 의미로 쓰일 때는 확신이 없는 불확실한 추측을 나타내요.
The rumor **might** be true. 그 소문은 (아마) 사실일지도 몰라.	» might는 may보다 더 불확실한 상황을 나타낼 때 사용해요.

❷ may의 부정문과 의문문

부정문	의문문
「주어+may not+동사원형」 (~가 아닐 지도 모른다) ⌒ may not은 축약할 수 없어요.	「May+주어+동사원형 ~?」 (~할 수 있나요? / ~해도 될까요? / ~해주시겠어요?)
She **may not** like my present. 그녀는 내 선물을 마음에 들어 하지 않을지도 몰라.	May I leave now? 지금 나가도 될까요? - **Yes, you may.** 네, 됩니다. - **No, you may not.** 아니오, 안 됩니다.

Q 요청이나 부탁, 허가에 대한 답변으로는 어떤 것들이 있나요?

A 승낙할 때는 **Yes, you may[can], Of course, Sure, No Problem** 등으로 대답할 수 있어요.
거절할 때는 **No, you may not[can't], I'm afraid not, Sorry, you can't** 등으로 대답할 수 있어요.

문법 확인 Ⓑ 문장 해석하기

▸ Answer p.12

1 You **may not** touch the paintings. → 너는 그림을 만지면 ________.

2 The train **may not** arrive on time. → 기차는 정시에 도착하지 ________.

3 The rest of you **may** go home now. → 너희 나머지들은 지금 집에 ________.

4 They **might** make the same mistakes. → 그들은 같은 실수를 ________.

5 **May** I ask you a favor? → 제가 당신에게 부탁 하나를 ________?
★favor 부탁, 호의

6 The visitors **may not** park their cars here. → 방문객들은 여기에 차를 ________.

7 You **may** keep the book for a month. → 너는 그 책을 한 달간 ________.

8 A: **May** I try on this skirt? → A: 제가 이 스커트를 ________?
★try on 입어 보다
B: **Yes, you may.** → B: 네, ________.

▸ Answer p.12

문법 기본 A 빈칸에 들어갈 말에 V 표시하기 (복수 표시 가능)

1 My brother ________ ride a unicycle. ☐ is ☐ can ☐ cans
★unicycle 외발자전거

2 ________ you help me with my homework, please? ☐ Are ☐ Do ☐ Can

3 People ________ live without nature. ☐ are ☐ can ☐ cannot

4 I ________ able to hold my breath for five minutes. ☐ am ☐ can ☐ can't
★hold one's breath 숨을 참다

5 My father may not ________ home tonight. ☐ come ☐ came ☐ comes

6 ________ I sit next to you? ☐ Are ☐ Can ☐ May

7 Brian ________ get up early yesterday morning. ☐ can't ☐ couldn't ☐ may not

8 You ________ use the copy machine over there. ☐ are ☐ can ☐ may
★copy machine 복사기

문법 기본 B 알맞은 조동사(혹은 be동사) 고르기

1 펭귄은 날 수 없다. → A penguin cannot / may not fly.

2 음악 좀 줄여주시겠어요? → Can / May you turn down the music?
★turn down (소리를) 줄이다

3 제가 물 좀 마실 수 있을까요? → Am / Can I drink some water?

4 민호는 물구나무서기를 할 수 있다. → Minho can / is able to stand on his hands.
★stand on one's hands 물구나무 서다

5 그 증인은 거짓말을 하고 있는지도 모른다. → The witness can / may be telling a lie.

6 제가 여기에서 사진을 찍어도 될까요? → Am / May I take pictures here?

7 당신은 자동차를 운전을 할 수 있나요? → Are / Can you able to drive a car?

8 당신은 여기에서 길을 건너셔도 됩니다. → You may / may not cross the road here.

▸ Answer p.12

문법 쓰기 Ⓐ 주어진 조동사를 이용하여 문장 전환하기

Example	Junho reads Chinese. (can)
	→ Junho *can* *read* Chinese.

1 Jinho makes a kite. (can't)

→ Jinho ______ ______ a kite.

2 Helen is in her room. (may)

→ Helen ______ ______ in her room.

3 You use your smartphone. (can)

→ You ______ ______ your smartphone.

4 Can I open the windows? (may)

→ ______ ______ ______ open the windows?

문법 쓰기 Ⓑ 틀린 부분 고치기

Example	Yuna can skates well. 유나는 스케이트를 잘 탈 수 있다.	*skates* → *skate*

1 I can't go to school yesterday. ______ → ______
나는 어제 학교에 갈 수 없었다.

2 They can like each other. ______ → ______
그들은 서로 좋아하는지도 모른다.

3 We will can see fine artworks at the art gallery. ______ → ______
우리는 그 미술관에서 멋진 예술품들을 볼 수 있을 것이다.

4 May I turning on the air conditioner? ______ → ______
제가 에어컨을 켜도 될까요?

5 You mayn't take your pet into the supermarket. ______ → ______
당신은 슈퍼마켓에 반려동물을 데려가면 안 됩니다.

6 He may has a health problem in the near future. ______ → ______
그에게 조만간 건강상의 문제가 생길지도 모른다.

문법 쓰기 Ⓒ 주어진 단어를 활용하여 문장 완성하기

▸ Answer p.12

Example 나의 아버지는 이탈리아 음식을 요리하실 수 있다. (can, cook, Italian food)

→ *My father can cook Italian food.*

1 수진이는 노래와 춤을 매우 잘 할 수 있다. (able, sing, dance)

→ Sujin ______ very well.

2 제가 당신의 이름을 불러도 될까요? (may, call)

→ ______ your name?

3 우리는 이 강에서 수영을 할 수 없다. (can, swim)

→ We ______ in this river.

4 우리는 회의에 늦을지도 모른다. (may, late)

→ We ______ for the meeting.

5 당신의 휴대전화를 꺼주실 수 있나요? (can, turn off, cell phone)

→ ______

★turn off 끄다

6 너는 내 사진을 찍어도 된다. (may, take, pictures)

→ ______

7 그는 곧 그 노트북을 수리할 수 있을 것이다. (able, fix, laptop, soon)

→ ______

8 그들은 나의 아이디어에 동의하지 않을지도 모른다. (may, agree with, idea)

→ ______

▸ Answer p.12

서술형 예제 1

다음 우리말과 일치하도록 제시된 단어 수에 맞게 대화를 완성하시오. Point 17

A: (1) 너는 빨리 달릴 수 있니?
B: (2) 아니, 못 해.

A: (1) ________ ________ ________ fast? (3단어)
B: (2) ________ ________ ________ (3단어)

Teacher's guide

STEP ❶
'~할 수 있다'는 능력을 나타내는 조동사는 can이고, can의 의문문은 「Can + 주어 + 동사원형~?」이에요. 물론 be able to로도 능력을 나타낼 수 있지만 단어 수를 맞추려면 can을 써야겠죠?

STEP ❷
can을 이용해서 물어봤으므로 대답도 can을 이용해야 해요. 부정의 대답이므로 「No, 주어 + can't.」로 해야 해요.

정답 » A: Can you run B: No, I can't.

실전 연습 1

다음 우리말과 일치하도록 제시된 단어 수에 맞게 대화를 완성하시오. Point 17

A: (1) 너는 바이올린을 연주할 수 있니?
B: (2) 응, 할 수 있어.

A: (1) ________ ________ ________ the violin? (3단어)
B: (2) ________ ________ ________ (3단어)

서술형 예제 2

다음 밑줄 친 우리말을 〈조건〉에 맞게 영작하시오. Point 18

Nobody is listening to him, but <u>그가 옳을 지도 모른다</u>.

조건	• may, right을 사용할 것 • 총 4단어로 쓸 것

→ ________________________________

Teacher's guide

STEP ❶
불확실한 추측을 나타낼 때는 조동사 may나 might를 사용해요. 조건에서 may를 사용하라고 했네요.

STEP ❷
'옳다'는 be right으로 표현해야 하는데, 이 때 조동사 뒤이므로 be동사를 is로 쓰지 않고 원형으로 쓰는 것에 유의해야 해요.

정답 » he may be right

실전 연습 2

다음 밑줄 친 우리말을 〈조건〉에 맞게 영작하시오. Point 18

Susan looks like a high school student, but <u>그녀는 십대가 아닐지도 모른다</u>.

조건	• may, teenager를 사용할 것 • 총 6단어로 쓸 것

→ ________________________________

Point
19 must

❶ must는 필요나 의무, 강한 추측의 의미를 가진다.

must: 필요 · 의무(~해야 한다), 강한 추측(~임에 틀림없다)

You **must** listen to me. 너는 내 말을 들어야 한다.
(= You **have to** listen to me.)
He **must** be rich. 그는 부자임에 틀림없다.

» must가 '~해야 한다'는 필요나 의무를 나타낼 때는 have to로 바꿔 쓸 수 있어요. (have to는 주어가 3인칭 단수이면 have 대신 has를 써요.)

» must는 may보다 확실성이 훨씬 강한 추측을 나타내요.

❷ must의 부정문과 의문문

부정문	의문문
「주어+must not+동사원형」 (~해서는 안 된다)	「Must+주어+동사원형 ~?」 (~해야 하나요?)
You **must not move** now. 너는 지금 움직이면 안 된다. must not은 금지를 나타내요. ※ 강한 부정의 추측을 나타낼 때는 cannot[can't] be로 나타내고 '~일 리가 없다'로 해석해요. She **cannot be** your sister. 그녀가 너의 자매일 리가 없다.	**Must** I **wait** here? 제가 여기에서 기다려야 하나요? - **Yes, you must.** 네, 기다려야 합니다. - **No, you don't have[need] to.** 아니오, 기다릴 필요 없어요. '~할 필요가 없다'는 don't[doesn't] have to, don't need to, need not으로 나타내요.

필요, 의무를 나타내는 must는 과거와 미래형이 없으므로, 과거는 had to로, 미래는 will have to로 나타내요.

I **had to** cancel my appointment. 나는 약속을 취소해야만 했다.
You **will have to** attend the meeting tomorrow. 너는 내일 그 모임에 참석해야 할 것이다.

문법 확인 Ⓐ 문장 해석하기

▸ Answer p.12

1 We **must** be careful with fire. → 우리는 불을 ____________.

2 You **must not** drive without a license. → 너는 면허증 없이 ____________.

3 Mr. Kim **must** be over sixty years old. → 김 선생님은 60살 이상임에 ____________.

4 Yura **has to** take care of her little brother. → 유라는 남동생을 ____________.

5 I **don't have to** go to school today. → 나는 오늘 학교에 ____________.

6 You **had to** call or text me. → 너는 나에게 전화나 문자를 ____________.
★text 문자를 보내다

7 A: **Must** I **show** you my ID card? → A: 제가 당신에게 신분증을 ____________?
★ID card 신분증
B: **Yes, you must.** → B: 네, 당신은 ____________.

should

❶ should는 의무나 충고 · 제안의 의미를 가진다.

should: 의무(~해야 한다), 충고 · 제안(~하는 게 낫다)

I **should** clean my room. 나는 내 방을 청소해야 한다.
You **should** wear a jacket. 너는 재킷을 입는 게 낫겠다.
(= You **had better** wear a jacket)

≫ should는 must보다 강제성이 약한 의무를 나타내요.
≫ should가 충고나 제안을 나타낼 때 had better와 바꿔 쓸 수 있어요. had better는 'd better로 줄여 쓰기도 해요.

❷ should의 부정문과 의문문

부정문	의문문
「주어+should not[shouldn't]+동사원형」 (~해서는 안 된다, ~하지 않는게 낫다)	「Should+주어+동사원형 ~?」 (~해야 하나요?)
You **shouldn't be** here now. 너는 지금 여기 있으면 안 된다. should의 부정문은 must의 부정문처럼 강한 금지를 나타내지는 않아요. ※ had better의 부정문은 had better 다음에 not을 써요.	**Should** I **tell** you more? 제가 당신에게 더 말해줘야 하나요? - **Yes, you should.** 네, 해주어야 해요. - **No, you don't have[need] to.** 아니오, 할 필요 없어요. (= No, you need not) (**No, you shouldn't** 아니, 해서는 안돼요.)

Q **must**와 **should**는 둘 다 의무를 나타내는데 의미상 차이가 있나요?

A **must**는 강제성이 있는 의무사항인 반면에 **should**는 강제성보다는 권고의 성격이 강해요.
Drivers **must** buy car insurance. 운전자는 자동차 보험에 들어야 한다. (강제성)
You **should not** talk with your mouth full. 너는 음식을 입에 문 채 말하면 안 된다. (권고)

문법 확인 Ⓑ 문장 해석하기

▸ Answer p.12

1 I **should** do my homework. → 나는 숙제를 ______.

2 You **should not** fight with your friends. → 너는 친구들과 ______.

3 We **should** keep our promises. → 우리는 약속을 ______.
★keep one's promise 약속을 지키다

4 You'**d better** check the weather forecast. → 너는 일기예보를 ______.
★weather forecast 일기예보

5 We **shouldn't** use bad words. → 우리는 나쁜 말을 ______.

6 You **had better not** talk about it. → 너는 그것에 대해 ______.

7 You **should** clean up the floor. → 너는 바닥을 ______.

8 **Should** I **be** here by seven? → 제가 여기에 7시까지 ______?

▸ Answer p.12

문법 기본 Ⓐ 빈칸에 들어갈 말에 V 표시하기 (복수 표시 가능)

1 I ________ finish my homework by tomorrow. □ have □ have to □ must

2 Liz ________ not be telling the truth. She is a liar. □ must □ has to □ should

3 I don't ________ get up early tomorrow morning. □ must □ have to □ should

4 You ________ not feed the animals at the zoo. □ must □ have to □ should

5 Chanwoo ________ walk home yesterday. □ must □ had to □ has to

6 You ________ take an umbrella. It's cloudy today. □ should □ had to □ had better

7 They ________ move to another city next year. □ had to □ will must □ will have to

8 ________ we join a club at school? □ Have □ Have to □ Should

문법 기본 Ⓑ 알맞은 조동사 고르기

1 우리는 어른을 공경해야 한다. → We should / shouldn't respect our elders.

2 그는 지금 직장에 있을 리가 없다. → He cannot / shouldn't be at work now.

3 지수는 택시를 탔어야 했다. → Jisu has to / had to take a taxi.

4 너는 목도리를 하는 게 낫겠다. → You must / should wear a scarf.

5 엄마는 나에 대해 걱정하실 필요가 없다. → Mom must not / doesn't have to worry about me.

6 그들은 쌍둥이임에 틀림없다. → They must / have to be twins.

7 나는 오늘 밤에 집에 있는 게 낫겠다. → I had to / had better stay home tonight.

8 Chris는 일요일마다 집을 청소해야 한다. → Chris should / had better clean the house on Sundays.

▸ Answer p.12

문법 쓰기 Ⓐ 문장의 어순 배열하기

Example 우리는 성실해야 한다. (be / should / diligent)
→ We *should* *be* *diligent* .

1 너는 공공장소에서 시끄럽게 하면 안 된다. (must / make / not)
→ You ______ a noise in public places.

2 그는 그녀와 사랑에 빠진 것이 틀림없다. (be / must / in / love)
→ He ______ with her.
★be in love (~와) 사랑에 빠지다

3 너는 나를 기다릴 필요가 없다. (to / have / wait / don't)
→ You ______ for me.

4 우리는 계단을 이용하는 게 낫겠다. (take / better / had)
→ We ______ the stairs.

문법 쓰기 Ⓑ 틀린 부분 고치기

Example Jina have to prepare dinner. *have* → *has*
지나는 저녁식사를 준비해야 한다.

1 You must crossing the street at a crosswalk. ______ → ______
너는 횡단보도에서 길을 건너야 한다.

2 People should always are humble. ______ → ______
사람들은 항상 겸손해야 한다.

3 You don't have to cheat others. ______ → ______
너는 다른 사람들을 속여서는 안 된다.

4 Minsu should helps his father with the farm work. ______ → ______
민수는 아버지를 도와 농장 일을 해야 한다.

5 They have to wait in line for hours. ______ → ______
그들은 줄을 서서 몇 시간을 기다려야 했다.

6 The boy should be a genius. ______ → ______
그 소년은 천재임에 틀림없다.

문법 쓰기 Ⓒ 주어진 단어를 활용하여 문장 완성하기

▸ Answer p.12

Example 너는 안전벨트를 매야 한다. (must, fasten, seat belt)
→ *You must fasten your seat belt.*

1 너는 수영장에서 뛰면 안 된다. (must, run)

→ You around the pool.

2 팀원들은 서로 도와야 한다. (have, help)

→ Team members each other.

3 우리는 부모님의 말씀을 잘 들어야 한다. (have, listen)

→ We carefully to our parents.

4 우리는 항상 최선을 다해야 한다. (should, do one's best, always)

→ We .

★always는 조동사 다음에 와요.

5 당신은 잔디를 밟으면 안 됩니다. (must, step on, the grass)

→

★step on ~을 밟다

6 그는 외국인임에 틀림없다. (must, a foreigner)

→

7 나는 저녁을 거르는 게 낫겠다. (had better, skip)

→

★skip 거르다

8 너는 서두르면 안 된다. (should, hurry)

→

▸ Answer p.13

서술형 예제 1

다음 문장을 지시에 맞게 바꿔 쓰시오. Point 19

Kevin has to go see a doctor.

(1) 부정문: ______________________

(2) 의문문: ______________________

Teacher's guide

STEP ❶

have[has] to는 '~해야 한다'는 의미로, 부정문은 「주어 + must not + 동사원형」 형태에요.

STEP ❷

have[has] to의 의문문은 「Do[Does] + 주어 + have to + 동사원형 ~?」의 형태에요. 주어가 3인칭 단수이므로 Does로 시작하는 의문문이어야 해요.

정답 ›› (1) Kevin must not go see a doctor.
(2) Does Kevin have to go see a doctor?

실전 연습 1

다음 문장을 지시에 맞게 바꿔 쓰시오. Point 19

Andy has to get on the bus.

(1) 부정문: ______________________

(2) 의문문: ______________________

서술형 예제 2

다음 우리말을 〈조건〉에 맞게 영작하시오. Point 20

너는 규칙적으로 운동을 해야 한다.

조건	• should, regularly를 사용할 것 • 총 4단어로 쓸 것

→ ______________________

Teacher's guide

STEP ❶

'~해야 한다'는 표현은 must와 should가 있어요. should는 must보다 강제성보다는 권고의 의미가 더 커요. 조건에서 should를 사용하라고 했으니 should를 사용하고, should 다음에는 동사 원형을 써야 해요.

STEP ❷

'규칙적으로 운동을 하다'는 조건에 있는 단어인 regularly를 이용해서 exercise regularly 혹은 regularly exercise라고 해요.

정답 ›› You should exercise regularly.
[You should regularly exercise]

실전 연습 2

다음 우리말을 〈조건〉에 맞게 영작하시오. Point 20

너는 진실을 믿어야 한다.

조건	• should, truth를 사용할 것

→ ______________________

CHAPTER 04 조동사

내신 대비 실전 TEST

▸ Answer p.13

객관식 (01~10)

Point 17

01 다음 빈칸에 들어갈 말로 알맞은 것은?

My mom __________ many kinds of food.

① cook ② can cook
③ can cooks ④ cans cook
⑤ cans cooks

Point 17

02 다음 밑줄 친 부분과 바꿔 쓸 수 있는 것은?

Can I borrow your pen?

① Do ② Will
③ May ④ Must
⑤ Should

Point 17

03 다음 대화의 빈칸에 들어갈 말로 알맞은 것은?

A: Can you play badminton well?
B: __________. I'm not good at sports.

① Yes, I do. ② No, I don't.
③ Yes, I can. ④ No, I can't.
⑤ Yes, I am.

대표 Point 19

04 다음 두 문장의 의미가 같을 때, 빈칸에 들어갈 말로 알맞은 것은?

Yuri must practice dancing for the talent show.
= Yuri __________ practice dancing for the talent show.

① have to ② has to
③ had to ④ is able to
⑤ is going to

Point 19

05 다음 우리말을 영어로 가장 바르게 옮긴 것은?

너는 시험에 대해 걱정할 필요가 없다.

① You must worry about the exam.
② You must not worry about the exam.
③ You have to worry about the exam.
④ You have not to worry about the exam.
⑤ You don't have to worry about the exam.

[06~07] 다음 밑줄 친 부분의 의미가 나머지 넷과 다른 것을 고르시오.

Point 18

06 ① I may be wrong.
② You may go home early.
③ We may have snow tonight.
④ They may not win the soccer game.
⑤ She may not know your phone number.

Point 19

07 ① He must be busy now.
② You must not skip your class.
③ We must protect the environment.
④ I must wash the dishes on weekends.
⑤ The students must wear school uniforms.

고난도 Point 19

08 다음 빈칸에 공통으로 들어갈 말로 알맞은 것은?

• We __________ follow the traffic rules.
• Ann __________ be sad. She is crying.

① can ② may
③ must ④ should
⑤ had better

Point 20

09 다음 중 어법상 틀린 것은?

① You should kind to others.
② I'd better wear sunglasses.
③ We had better call the police.
④ Should I take the medicine every day?
⑤ Drivers shouldn't speed near schools.

Point 18

10 다음 질문에 대한 답변으로 알맞지 않은 것은?

May I have your name?

① Sure. ② Of course.
③ Yes, you may. ④ I'm afraid not.
⑤ No, you mayn't.

서술형 기본 (11~19)

[11~12] 다음 문장의 밑줄 친 부분을 어법상 바르게 고쳐 쓰시오.

Point 17

11 An eagle cans fly high.
→ An eagle ______________ fly high.

Point 18

12 It may be not a good idea.
→ It may ______________ a good idea.

Point 17, 18

13 다음 대화의 빈칸에 공통으로 알맞은 말을 쓰시오. (대소문자는 무시할 것)

A: __________ I come in?
B: Yes, you __________. Have a seat here.

→ ______________

[14~15] 다음 밑줄 친 부분을 내용상 자연스럽게 고쳐 쓰시오.

Point 18

14 You may not take your dog into the cafe. It's a place for pet owners and pets.

→ ______________

Point 19

15 The movie can't be interesting. Many people saw it.

→ ______________

[16~17] 다음 대화의 흐름에 맞게 괄호 안의 말을 이용하여 빈칸에 알맞은 말을 쓰시오.

Point 19

16 A: Look! There's a beautiful lake. Let's swim.
B: No, we __________ swim there. (must) It's too dangerous.

Point 19

17 A: Oh, I'm late. It's already 8 o'clock.
B: It's Sunday. You __________ get up early. (have)

[18~19] 다음 괄호 안의 말을 바르게 배열하여 문장을 쓰시오.

Point 20

18 It's cold outside. ______________________
(wear, a, you, coat, should)

Point 17

19 ______________________
(not, carry, I, able to, the box, am)
It's too heavy.

서술형 심화 (20~25)

Point 17

20 다음 주어진 문장을 지시에 맞게 바꿔 쓰시오.

Kevin can speak Spanish.

(1) 부정문: ______________________

(2) be able to 이용: ______________________

Point 19

21 다음 우리말을 〈조건〉에 맞게 영작하시오.

나는 오늘 점심 도시락을 가져가야 한다.

조건
- have, take, lunch box를 이용할 것
- 총 8단어로 쓸 것

→ ______________________

Point 17

22 다음은 민호와 윤하가 연주할 수 있는 악기를 나타낸 표이다. 표를 참고하여 다음 질문에 각각 답하시오.

	piano	guitar
Minho (boy)	○	×
Yunha (girl)	○	○

(1) Can Minho play the guitar?

____

(2) Can Yunha play the guitar?

____

(3) Can Minho and Yunha play the piano?

____

대표 Point 19

23 다음 각 표지판을 보고, 괄호 안의 말을 이용하여 〈조건〉에 맞게 문장을 쓰시오.

(1)

(2)

조건
- must를 이용할 것
- You를 주어로 하고 here로 끝날 것

(1) ______________________ (take pictures)

(2) ______________________ (eat or drink)

고난도 Point 18

24 다음 일기예보를 나타낸 표를 보고, 오늘밤의 날씨를 나타내는 문장을 완성하시오.

	Monday	Tuesday
7 p.m.	sunny	rainy (90%)
9 p.m.	rainy(10%)	rainy (90%)

조건
- It을 주어로 하고 조동사 might[could]나 must를 이용할 것
- 총 4단어로 쓸 것

It's Monday today. What will the weather be like tonight?

______________________ tonight.

Point 20

25 다음은 도서관에서 지켜야 할 규칙을 나타낸 것이다. 〈조건〉에 맞게 각 문장을 다시 쓰시오.

(1) Keep the books clean.
(2) Don't make any noise.
(3) Return the books in a week.

조건
We를 주어로 하고 조동사 should를 이용할 것

(1) ______________________

(2) ______________________

(3) ______________________

CHAPTER 05

문장의 형식

Get Ready

1형식	The rain (주어) stopped. (동사)	비가 그쳤다.
2형식	My mom (주어) is (동사) a teacher. (주격 보어)	나의 엄마는 선생님이시다.
3형식	We (주어) learn (동사) English. (목적어)	우리는 영어를 배운다.
4형식	My father (주어) bought (동사(V)) me (간접목적어) a new bag. (직접목적어)	나의 아버지께서 나에게 새 가방을 사주셨다.
5형식	I (주어) call (동사) my cat (목적어) Nabi. (목적격 보어)	나는 내 고양이를 나비라고 부른다.

영어 문장은 주요 구성 성분의 유무에 따라 5가지 형식으로 나눌 수 있어요. 주요 구성 성분은 다음과 같아요.

주어: 문장의 주인이 되는 말

동사: 주어의 상태나 동작을 나타내는 말

보어: 주어나 목적어의 상태를 보충하는 말로 주어를 보충하는 주격 보어와 목적어를 보충하는 목적격 보어로 나뉘어요.

목적어: 주어가 하는 행위의 대상이 되는 말로 '~에게'에 해당하는 간접목적어와 '~을[를]'에 해당하는 직접목적어로 나뉘어요.

Point

21 1형식

❶ 주어와 동사로 이루어진다.

1형식: 「주어+동사」

Birds sing. 새들이 노래한다. ≫ 주어와 동사만으로 의미가 충분한 문장이에요.

Suji smiles **beautifully.** 수지는 아름답게 미소 짓는다. ≫ 시간, 장소, 방법을 나타내는 부사(구)나 전치사(구)와 함께 쓰이기도 해요.

❷ 「There+be동사+주어 ~」

「There+be동사+주어 ~」: '~에 …이[가] 있다'

There is **hope.** 희망이 있다. ≫ 문장의 주어는 there가 아니라 be동사 뒤에 오는 말이에요.

There are many fish **in the river.** 그 강에는 물고기가 많이 있다. ≫ 주로 문장의 마지막에 장소를 나타내는 전치사구가 와요.

「There is ~」 구문의 부정문과 의문문 : 부정문일 때는 be동사 뒤에 not을 쓰고, 의문문일 때는 be동사를 문장의 맨 앞으로 보내요. 부정문의 경우 「There is[are] no+명사」로 쓰기도 해요. 과거시제의 경우 be동사를 was나 were로 바꿔요.

	형태	의미
부정문	「There is[are] not ~ / There is[are] no ~」	~이 없다
의문문	「Is[Are] there ~?」	~이 있나요?

문법 확인 Ⓐ 문장 해석하기

▸ Answer p.15

1 **A snail moves** slowly. → 달팽이는 천천히 ________.

2 **The car** suddenly **stopped.** → 그 차는 갑자기 ________.

3 **Is there** any problem? → 무슨 문제라도 ________?

4 **The concert finishes** at 8 o'clock. → 콘서트는 8시에 ________.

5 **There were** no people on the street. → 거리에 사람이 아무도 ________.

6 **There aren't** any seats in the theater. → 극장에 자리가 하나도 ________.

7 **I sleep** for about seven hours a day. → 나는 하루에 대략 일곱 시간 ________.

8 **My father works** from Monday to Friday. → 나의 아버지는 월요일부터 금요일까지 ________.

Point

22 2형식

❶ 주어, 동사, 주어의 뜻을 보충하는 주격 보어로 이루어진다.

2형식: 「주어+동사+주격 보어」

He is **a police officer**. 그는 경찰관이다.

The leaves **turned** red and yellow. 나뭇잎이 빨갛고 노랗게 물들었다.

>> 주격 보어로는 명사(구)나 형용사(구)가 와요

>> be동사를 포함하여 주어의 상태나 상태의 변화를 나타내는 동사가 주로 쓰여요. (become, get, turn, come, grow, keep 등)

❷ 감각을 나타내는 동사들과 자주 쓰인다.

2형식: 「주어+감각 동사+주격 보어」

You **look** sick. 너는 아파 보인다.

The cake tastes **sweet**. 그 케이크는 달콤한 맛이 난다.

>> 감각동사에는 look(~하게 보이다), sound(~하게 들리다), smell(~한 냄새가 나다) taste(~한 맛이 나다), feel(~하게 느껴지다) 등이 있어요.

>> 감각동사 뒤에는 형용사 보어가 와요. '~하게'라고 해석이 된다고 해서 부사가 오지 않음에 유의해야 해요.
The cake tastes **sweetly** (×)

Q **look like, sound like**라고도 하지 않나요?

A 맞아요. 감각동사 뒤에 전치사 **like**를 붙여서 말하기도 해요. 의미는 비슷하지만 형태가 달라져요.
감각동사 뒤에는 형용사가 오지만 「**감각동사+like**」 뒤에는 명사가 오는 것에 유의해야 해요.
That **sounds** good. = That **sounds like** a good idea. 그거 좋은 생각이다.

문법 확인 Ⓑ 문장 해석하기

▸ **Answer** p.15

1 He **is a movie star.** → 그는 ________.

2 Kate **looked beautiful** in her new dress. → 새 옷을 입은 Kate는 ________.

3 Smartphones **are useful** in many ways. → 스마트폰은 다방면으로 ________.

4 The idea **sounds silly.** → 그 생각은 어리석게 ________.
★silly 어리석은

5 The cheese **turned bad.** → 그 치즈는 ________.
★bad (음식이) 상한

6 The weather **became warm.** → 날씨가 ________.

7 These coffee beans **smell like chocolate.** → 이 커피콩은 초콜릿 ________.

8 You **look like Spiderman** in the costume. → 그 복장을 하니 너는 스파이더맨처럼 ________.

문법 기본 A 빈칸에 들어갈 말에 V 표시하기

▸ Answer p.15

1	It rains ________.	□ heavy	□ heavily	□ heaviness
2	The baby's skin feels ________.	□ soft	□ softly	□ softness
3	The little boy is so ________.	□ smart	□ smartly	□ smartness
4	You look ________ today.	□ different	□ differently	□ difference
5	They kept ________ for a long time.	□ silent	□ silently	□ silence
6	There ________ no food in the refrigerator.	□ is	□ are	□ were
7	________ there a slide in the playground?	□ Is	□ Are	□ Were
8	There ________ some cookies on the table.	□ is	□ are	□ was

문법 기본 B 알맞은 말 고르기

1 그들은 정말 열심히 일한다. → They work really [hard / hardly].

2 나의 할아버지는 천천히 걸으신다. → My grandfather walks [slow / slowly].

3 벽에는 큰 그림이 있었다. → There [was / were] a big picture on the wall.

4 그 가게는 9시부터 8시까지 문을 연다. → The store is [open / opens] from nine to eight.

5 그의 억양은 친근하게 들렸다. → His accent sounded [friend / friendly].
★friendly 친근한

6 공원에는 벤치가 있나요? → [Is / Are] there benches in the park?

7 양복을 입으니 Tom은 영화배우처럼 보였다. → Tom [looked / looked like] a movie star in the suit.

8 추운 날씨에 그녀의 얼굴이 빨갛게 되었다. → Her face turned [red / redly] in the cold weather.

▸ Answer p.15

문법 쓰기 Ⓐ 문장의 어순 배열하기

Example 그 영화는 슬프다. (sad / is)
→ The movie *is* *sad*.

1 나의 삼촌은 수학 선생님이시다. (a / is / math / teacher)

→ My uncle ______________________.

2 콘서트장에는 많은 팬들이 있었다. (fans / were / many / there)

→ ______________________ at the concert hall.

3 음악 소리가 너무 크다. (too / is / loud)

→ The music ______________________.

4 바나나들이 며칠 지나 갈색으로 변했다. (brown / turned)

→ The bananas ______________________ in a few days.

문법 쓰기 Ⓑ 틀린 부분 고치기

Example My dad looked angrily with me. *angrily* → *angry*
나의 아빠는 내게 화가 난 것처럼 보였다.

1 She whispered quiet. ______ → ______
그녀는 조용히 속삭였다.

2 There are no water. ______ → ______
물이 하나도 없다.

3 The cloud looks cotton candy. ______ → ______
구름이 솜사탕처럼 보인다.

4 Is there many animals on the farm? ______ → ______
농장에는 동물들이 많이 있나요?

5 This silk scarf feels smoothly. ______ → ______
이 실크 스카프는 부드러운 느낌이 든다.

6 Do you feel tiredly today? ______ → ______
너는 오늘 피곤하니?

문법 쓰기 Ⓒ 주어진 단어를 활용하여 문장 완성하기

▸ Answer p.15

Example 나의 가족은 기차로 여행을 한다. (family, travel, by train)
→ *My family travels by train.*

1 그의 아버지는 박물관에서 일하신다. (work, at, the museum)

→ His father ______________________.

2 우리 집 뒷마당에는 사과나무가 한 그루 있다. (an apple tree)

→ ______________________ in my backyard.

3 이 우유는 바나나 맛이 난다. (taste, like, a banana)

→ This milk ______________________.

4 김치는 이제 전 세계적으로 인기가 있다. (popular)

→ Kimchi ______________________ all around the world now.

5 밤하늘에는 많은 별들이 있었다. (there, many, stars, in the night sky)

→ ______________________

6 너는 창백해 보인다. (pale)

→ ______________________

7 나의 그림자가 길어졌다. (shadow, become, long)

→ ______________________

8 그 아이들은 즐겁게 웃었다. (children, laugh, merrily)

→ ______________________

▸ Answer p.15

서술형 예제 1

다음 우리말과 일치하도록 제시된 단어 수에 맞게 대화를 완성하시오. Point 21

A: 너희 집에는 방이 몇 개가 있니?
B: 우리 집에는 방이 세 개 있어.

A: How many rooms are there in your house?

B: ________ ________ ________ ________ in my house. (4단어)

STEP ❶
'~이 있다'는 표현은 「There is[are] ~」로 써요. 이때 be동사는 뒤에 나오는 주어에 따라 결정돼요. 주어가 '방 세 개,' 즉 복수이므로 동사는 are를 써야 해요.

STEP ❷
be동사가 결정되었으니 주어인 '방 세 개'를 영어로 쓰면 되겠죠? three rooms라고 쓰면 됩니다.

정답 » There are three rooms

실전 연습 1

다음 우리말과 일치하도록 제시된 단어 수에 맞게 대화를 완성하시오. Point 21

A: 너희 가족은 몇 명이니?
B: 나의 가족은 다섯 명이 있어.

A: How many people are there in your family?

B: ________ ________ ________ ________ in my family. (4단어)

서술형 예제 2

다음 우리말을 〈조건〉에 맞게 영작하시오. Point 22

그 사과들은 맛이 시다.

조건	• taste, sour를 사용할 것 • 총 4단어로 쓸 것

→ ________________________________

Teacher's guide

STEP ❶
'맛이 ~하다,' '~한 맛이 나다'는 taste라는 감각동사를 이용해서 표현해요.

STEP ❷
감각동사 뒤에는 형용사 보어가 오는 거 잊지 않으셨죠? sour는 형용사이므로 그대로 taste 뒤에 쓰면 돼요.

정답 » The apples taste sour.

실전 연습 2

다음 우리말을 〈조건〉에 맞게 영작하시오. Point 22

그 꽃은 향이 달콤하다.

조건	• smell, sweet를 사용할 것 • 총 4단어로 쓸 것

→ ________________________________

3형식과 4형식

❶ 3형식은 주어, 동사, 그리고 목적어로 이루어진다.

3형식: 「주어+동사+목적어」

I love **my family.** 나는 내 가족을 사랑한다. >> 목적어는 행위의 대상이 되는 말로 '~을[를]'로 해석해요.
Do you know **her**? 너는 그녀를 아니? >> 목적어로는 대명사, 명사(구), to부정사(구), 동명사(구), 명사절 등이 와요.

❷ 4형식은 주어, 동사, 그리고 간접목적어와 직접목적어, 즉 두 개의 목적어로 이루어진다.

4형식: 「주어+동사+간접목적어(~에게)+직접목적어(~을/를)」

Mike **gave Susan flowers.** Mike는 Susan에게 꽃을 주었다. (Susan: 간접목적어, flowers: 직접목적어) >> 간접목적어는 '~에게', 직접목적어는 '~을[를]'로 해석해요.

Dad **taught** me Chinese characters. 아빠는 나에게 한자를 가르쳐주셨다. >> 4형식에 쓰이는 동사는 '~(해)주다'는 뜻이 있어서 수여동사라고 불러요.

+

4형식 문장의 3형식으로의 전환 : 4형식 문장에서 직접 목적어와 간접목적어의 순서를 바꾸고 간접목적어 앞에 전치사를 넣어 3형식 문장으로 전환할 수 있어요. 이때 전치사는 동사에 따라 달라져요.

I sent him a Christmas card. (4형식) → I sent a Christmas card **to** him. (3형식) 나는 그에게 크리스마스 카드를 보냈다.

to를 쓰는 동사	give, send, teach, show, tell, lend
for를 쓰는 동사	make, buy, cook, get
of를 쓰는 동사	ask

문법 확인 Ⓐ 문장 해석하기

▸ Answer p.15

1 They **play soccer** after school. → 그들은 방과 후에 ______ 한다.

2 I **forgot the password.** → 나는 ______ 잊어버렸다.

3 My teacher **gave me my report card.** → 나의 선생님은 나에게 ______ 주셨다.
★report card 성적표

4 Will you **get me some water**? → 나에게 ______ 가져다줄래?

5 My cousin **sent some presents to me.** → 나의 사촌이 나에게 ______ 보내주었다.

6 Can you **show me the way** to the post office? → 당신은 ______ 우체국에 가는 길을 알려 줄 수 있나요?

7 She **cooked delicious food** for the guests. → 그녀는 손님들을 위해 ______ 요리했다.

8 We can **find lots of information** on the Internet. → 우리는 인터넷에서 ______ 찾을 수 있다.

Point

24 5형식

❶ 5형식은 주어, 동사, 목적어, 그리고 목적격 보어로 이루어진다.

5형식: 「주어+동사+목적어+목적격 보어」

I keep **my room** **clean.** 나는 내 방을 깨끗하게 유지한다.
(my room: 목적어, clean: 목적격 보어)

>> 목적격 보어는 목적어의 뜻을 보충해주는 말이에요.

Call me later. 나에게 나중에 전화해. (3형식)
I **call** my dog Duri. 나는 내 개를 두리라고 부른다. (5형식)

>> 몇몇 동사는 3형식으로 쓰일 때와 5형식으로 쓰일 때 의미가 달라져요.
call(3형식: '전화하다', 5형식: '부르다'), find(3형식: '발견하다', 5형식: '생각하다')

❷ 목적격 보어로는 명사(구)나 형용사(구)가 온다.

5형식: 「주어+동사+목적어(A)+목적격 보어(B)」

They **elected** him **chairman.** 그들은 그를 회장으로 선출했다.
(chairman: 목적격 보어(명사))

The hat **made** her **fashionable.** 그 모자는 그녀를 세련되게 만들었다.
(fashionable: 목적격 보어(형용사))

>> 명사가 보어일 때는 'A를 B로'로 해석해요.
make, call, name, think, find 등의 동사가 주로 쓰여요.

>> 형용사가 보어일 때는 'A를 B하게'로 해석해요.
make, think, find, keep, leave 등의 동사가 주로 쓰여요.

「주어+동사+A+B」에서 A와 B가 서로 다른 것을 지칭하면 4형식, B가 A를 보충하는 말이면 5형식으로 구분할 수 있어요.

Tom made **his son a chair.** Tom은 그의 아들에게 의자를 만들어주었다. (his son ≠ a chair 4형식)
The movie director made **him a star.** 그 영화 감독은 그를 스타로 만들어 주었다. (him = a star 5형식)

문법 확인 B 문장 해석하기

▸ Answer p.15

1 You can **call me Yun.** → 너는 나를 ______ 부르면 된다.

2 My dog **makes me happy.** → 내 개는 나를 ______ 해준다.

3 I **found the book interesting.** → 나는 그 책이 ______ 생각했다.

4 Fresh food **keeps you healthy.** → 신선한 음식은 너를 ______ 지켜 준다.

5 Don't **leave the baby alone.** → 아기를 ______ 두지 마라.

6 People **consider him a genius.** → 사람들은 그가 ______ 생각한다.
★consider 생각하다, 여기다

7 Koreans **elected him the new president.** → 한국 사람들은 그를 ______ 선출했다.
★elect 선출하다

8 He always **leaves the doors open.** → 그는 항상 문을 ______ 둔다.

▸ Answer p.15

문법 기본 Ⓐ 빈칸에 들어갈 말에 V 표시하기

1 Everybody likes ___________. □ she □ her □ hers

2 My father bought ___________ a new bicycle. □ me □ I □ my

3 The school made a lounge ___________ the students. □ to □ of □ for

4 We call ___________ a walking dictionary. □ he □ his □ him
★dictionary 사전

5 Lack of rain made the land ___________. □ dry □ dryly □ dryer
★lack 부족, 결핍

6 The old lady told an interesting story ___________. □ us □ of us □ to us

7 A refrigerator keeps food ___________. □ fresh □ freshly □ freshness

8 The reporter asked many questions ___________ the actor. □ to □ of □ for

문법 기본 Ⓑ 알맞은 단어 고르기

1 경찰은 그를 체포했다. → The police arrested he / him .

2 김 선생님은 우리에게 영어를 가르쳐주신다. → Ms. Kim teaches us / our English.

3 우리는 뉴욕시를 Big Apple이라고 부른다. → We call / tell New York City the Big Apple.

4 나는 그것을 잘게 잘랐다. → I cut it / its into pieces.

5 내 여동생은 가끔 나를 화나게 한다. → My little sister sometimes drives me crazy / crazily .

6 저에게 그 공을 전달해주실래요? → Will you pass I / me the ball?

7 너는 답을 쉽게 찾았니? → Did you find the answers easy / easily ?

8 그는 그의 상사에게 문자 메시지를 보냈다. → He sent a text message to / of his boss.

▸ Answer p.15

문법 쓰기 Ⓐ 문장의 어순 배열하기

Example 나는 어제 그녀를 만났다. (her / yesterday / met)
→ I *met* *her* *yesterday* .

1 그 관광객들은 한국에서 많은 고궁들을 방문했다. (many / visited / old / palaces)
→ The tourists ______ in Korea.

2 아빠는 나에게 시계를 주셨다. (me / a / watch / gave)
→ Dad ______ .

3 그는 자신의 딸을 위해 그 그네를 만들었다. (for / the / swing / his / daughter)
→ He made ______ .

4 이 양말은 너의 발을 따뜻하게 유지해 줄 것이다. (keep / warm / your / feet)
→ These socks will ______ .

문법 쓰기 Ⓑ 틀린 부분 고치기

Example Mom made pizza to me. *to* → *for*
엄마는 나에게 피자를 만들어주셨다.

1 Our parents love we. ______ → ______
우리 부모님은 우리를 사랑하신다.

2 Will you bring me to a chair? ______ → ______
나에게 의자를 하나 가져다줄래?

3 He moved the table easy. ______ → ______
그는 그 탁자를 쉽게 옮겼다.

4 They chose she their new leader. ______ → ______
그들은 그녀를 새로운 대표로 선정했다.

5 Tests make me nervously. ______ → ______
시험은 나를 긴장되게 만든다.

6 The king built the palace to his wife. ______ → ______
그 왕은 자신의 아내에게 그 궁전을 지어줬다.

▸ Answer p.15

문법 쓰기 Ⓒ 주어진 단어를 활용하여 문장 완성하기

Example 너는 그 소식을 들었니? (hear, the news)

→ *Did you hear the news?*

1 많은 십대들이 힙합 음악을 좋아한다. (like, hip-hop)

→ Many teenagers ____________ .

2 나의 선생님은 나에게 충고를 해주셨다. (give, advice, to)

→ My teacher ____________ .

3 우리는 그 시계탑을 Big Ben이라고 부른다. (call, the clock tower)

→ We ____________ Big Ben.

4 그녀의 노력이 그녀를 훌륭한 교사로 만들었다. (her, good, teacher)

→ Her hard work made ____________ .

5 나는 어제 무서운 영화를 봤다. (watch, a scary movie, yesterday)

→

6 Chris는 나에게 그의 카메라를 빌려주었다. (lend, camera)

→

7 커피는 나를 깨어있게 해준다. (coffee, keep, awake)

→

8 나의 할머니는 나에게 오래된 앨범을 보여주셨다. (grandmother, show, old album)

→

▸ Answer p.15

서술형 예제 1

다음 주어진 문장을 지시에 맞게 바꿔 쓰시오. Point 23

Mom made me cookies.

→ 3형식으로: ______________________

Teacher's guide

STEP ❶
4형식 문장을 3형식으로 전환할 때는 두 목적어의 순서를 바꾸고 간접 목적어 앞에 전치사를 붙여요. 주어진 문장에서 me가 간접목적어이고 cookies가 직접목적어이니 이 둘의 순서를 바꾸어요.

STEP ❷
make는 4형식을 3형식으로 전환할 때 전치사 for를 사용하는 동사에요. 그러니 me 앞에 for를 넣어야 해요.

정답 » Mom made cookies for me.

실전 연습 1

다음 주어진 문장을 지시에 맞게 바꿔 쓰시오. Point 23

He sent me a letter.

→ 3형식으로: ______________________

서술형 예제 2

다음 우리말을 〈조건〉에 맞게 영작하시오. Point 24

나는 그 영화가 지루하다고 생각했다.

조건	• find, boring를 이용할 것 • 총 5단어로 쓸 것

→ ______________________

Teacher's guide

STEP ❶
'~이 …하다고 생각하다'를 조건에 주어진 find 동사를 이용해 말할 수 있어요. 내용상 과거형으로 바꿔야 해요.

STEP ❷
find 다음에는 「목적어 + 목적격 보어」순으로 와요. 목적어의 상태를 나타내므로 형용사 보어가 와야 해요.

정답 » I found the movie boring.

실전 연습 2

다음 우리말을 〈조건〉에 맞게 영작하시오. Point 24

나는 그가 정직하다고 생각했다.

조건	• find, honest를 이용할 것 • 총 4단어로 쓸 것

→ ______________________

CHAPTER 05 문장의 형식

내신 대비 실전 TEST

▸ Answer p.16

객관식 (01~10)

Point 22

01 다음 빈칸에 들어갈 말로 알맞지 않은 것은?

She looks ___________.

① sad ② tired ③ angry
④ friendly ⑤ prettily

[02~03] 다음 문장의 형식이 나머지 넷과 다른 것을 고르시오.

Point 21, 22

02 ① You should talk quietly.
② It snowed heavily last night.
③ The dancers danced beautifully.
④ His face turned red in front of her.
⑤ The children ran to the candy shop.

Point 23, 24

03 ① The rain made the ground wet.
② The movie made me sleepy.
③ Exercises will make you healthy.
④ Mom made me a chocolate cake.
⑤ An air conditioner makes the air cool.

Point 22, 23

04 다음 밑줄 친 부분의 역할이 나머지 넷과 다른 것은?

① My old friend became a famous movie star.
② Mother Teresa helped poor children in India.
③ Kevin collects stamps from different countries.
④ My father reads the newspaper in the morning.
⑤ She grows many flowers and plants in her garden.

대표 Point 23

05 다음 두 문장의 의미가 같을 때, 빈칸에 들어갈 말로 알맞은 것은?

Mina bought her little sister some snacks.
= Mina bought some snacks ___________ her little sister.

① to ② of ③ for ④ as ⑤ on

Point 24

06 다음 우리말을 영어로 바르게 옮긴 것은?

그들은 그들의 아들을 John이라고 이름 지었다.

① They named John their son.
② They named their son John.
③ They named John to their son.
④ They named their son as John.
⑤ They named John for their son.

[07~08] 다음 빈칸에 들어갈 말이 나머지 넷과 다른 것을 고르시오.

Point 21

07 ① There _______ a book on the desk.
② There _______ a movie theater in my village.
③ There _______ a parking lot in the building.
④ There _______ no water or air on the moon.
⑤ There _______ a lot of people on the street.

Point 23

08 ① Can you give a glass of water _______ me?
② Michael sent some flowers _______ his wife.
③ Mom made cookies _______ my friends.
④ Yujin lent her camera _______ Mina
⑤ I showed my student ID _______ the librarian.

Point 23, 24

09 다음 빈칸에 공통으로 들어갈 말로 알맞은 것은?

• You can ______ me later.
• My parents ______ me Angel.

① call ② make ③ take
④ think ⑤ write

Point 22, 23, 24

10 다음 중 어법상 틀린 것은?

① I found the box empty.
② His voice sounded gentle.
③ The clerk got a new shirt me.
④ They elected him their captain.
⑤ The store is open 24 hours a day.

서술형 기본 (11~19)

[11~13] 다음 문장의 밑줄 친 부분을 어법상 바르게 고쳐 쓰시오.

Point 22

11 You should keep silently.

→ You should keep ______.

Point 23

12 My friend sent an email me.

→ My friend sent ______.

Point 24

13 Her smile makes me happily.

→ Her smile makes me ______.

대표 Point 21

14 다음 대화의 빈칸에 공통으로 들어갈 알맞은 말을 쓰시오.

A: Is ______ a drugstore around here?
B: Yes, ______ is one around the corner.

→ ______

[15~16] 다음 두 문장의 의미가 같도록 빈칸에 알맞은 말을 쓰시오.

Point 23

15 My uncle gave his girlfriend a ring.
= My uncle gave a ring ______ his girlfriend.

Point 23

16 Can you buy me some milk?
= Can you buy some milk ______ me?

[17~18] 다음 대화의 흐름에 맞도록 괄호 안의 말을 바르게 배열하시오.

Point 21

17 A: Where does your father work?
B: ______
(at, works, a car factory, he)

Point 23

18 A: What are you going to do on Parents' Day?
B: I'm going to ______.
(my parents, make, carnations)

Point 23

19 다음을 바르게 배열하여 문장을 만들 때 다섯 번째 오는 단어를 쓰시오.

asked, he, question, a, difficult, me

→ ______

서술형 심화 (20~24)

Point 23

20 다음 주어진 문장을 지시에 맞게 바꿔 쓰시오.

(1) The gentleman gave me help.

→ 3형식으로: ______________________

(2) Can I ask a favor of you?

→ 4형식으로: ______________________

Point 22

21 다음 우리말을 〈조건〉에 맞게 영작하시오.

그녀는 화가 나 보였다.

조건 look, angry를 이용할 것

→ ______________________

대표 Point 23

22 다음 글의 밑줄 친 부분의 우리말을 영어로 바꿔 쓸 때 문장을 완성하시오.

Sunday, July 7th
Today was my 14th birthday. I got a lot of wonderful presents. (1) 아빠는 나에게 자전거를 사주셨다. (2) 엄마는 나에게 티셔츠를 사주셨다. (3) 누나는 나에게 그녀의 새 가방을 주었다. I'm so happy.

(1) Dad ______________________.

(2) Mom ______________________.

(3) My older sister ______________________.

고난도 Point 21

23 다음 그림을 보고 아래 질문에 〈보기〉와 같이 괄호 안의 말을 이용하여 답하시오.

Question: What are there in the playground?

• 보기 •
There is a big tree in the playground.
(big tree)

(1) ______________________ (slide)

(2) ______________________ (swing)

(3) ______________________ (bench)

Point 24

24 다음은 민지의 가방에서 나온 물건들이다. 〈보기〉와 같이 각 물건들이 민지에게 갖는 의미를 5형식 문장으로 쓰시오.

vitamin C	healthy
(1) fan	cool
(2) actor's picture	happy

• 보기 •
The vitamin C makes her healthy.

(1) ______________________

(2) ______________________

CHAPTER 06

명사와 대명사

Get Ready

- **셀 수 있는 명사**
  - **보통명사**: 보통의 사람이나 사물 : boy, egg, book, school, dog 등
  - **집합명사**: 사람이나 사물의 집합체 : family, team, class 등
- **셀 수 없는 명사**
  - **추상명사**: 추상적인 개념: happiness, love, beauty, hope 등
  - **고유명사**: 사람이나 지역의 이름: John, Korea, Seoul 등
  - **물질명사**: 일정한 모양이 없는 물질: water, bread, sugar, money 등
- **대명사**
  - **비인칭 주어 it**: 뜻이 없는 형식적인 주어
  - **부정대명사**: 앞에 나온 명사를 대신하는 말

명사란 사람, 사물, 장소 등의 이름을 말해요. 명사는 셀 수 있는 명사와 셀 수 없는 명사로 구분할 수 있어요. 명사를 대신하는 말을 **대명사**라고 해요. 대명사에는 앞에서 학습한 인칭대명사와 재귀대명사말고도 **비인칭 주어 it**과 **부정대명사**가 있어요.

Point

25 셀 수 있는 명사

❶ 셀 수 있는 명사가 한 개일 때는 명사 앞에 부정관사 a(n)을 쓴다.

단수: a(n)+명사

I have **a cat.** 나에게는 고양이 한 마리가 있다.

>> 부정관사 a(n)은 '하나의' 라는 의미로도 쓰이지만 막연한 하나를 나타내어 해석하지 않는 경우가 더 많아요.

Are you looking for **an umbrella**? 당신은 우산을 찾고 있나요?

>> 모음으로 시작하는 단어 앞에는 an을 쓰는데, 이 때 구분은 철자가 아니라 발음으로 해요.

❷ 셀 수 있는 명사가 두 개 이상일 때는 복수형으로 쓴다.

복수: 명사+-(e)s

I usually have six **classes** at school. 나는 보통 학교에서 수업이 6개 있다.

>> ss로 끝나는 명사는 명사 뒤에 -es를 붙여요.

Six **children** are playing soccer. 여섯 명의 아이들이 축구를 하고 있다.

>> 항상 -(e)s를 붙여서 복수형을 만드는 것은 아니에요.

+

셀 수 있는 명사의 복수형 만드는 방법

대부분의 명사	명사+-s	dog**s**, book**s**, skirt**s**
-s, -ss, -sh, -ch, -o, -x로 끝나는 명사	명사+-es	box**es**, bus**es**, dish**es**, potato**es** (예외: photos, pianos, radios)
「자음+y」로 끝나는 명사	y를 i로 고치고+-es	baby → bab**ies**, hobby → hobb**ies**
-f, -fe로 끝나는 명사	f(e)를 v로 고치고+-es	leaf → lea**ves**, knife → kni**ves** (예외: roofs, safes)
불규칙하게 변화하는 명사	child → children, man → men, mouse → mice, tooth → teeth, ox → oxen goose → geese	
단수형과 복수형이 같은 명사	fish → fish, deer → deer, sheep → sheep	

문법 확인 Ⓐ 문장 해석하기

▸ Answer p.18

1 **Many buses** run on the streets. → ______ 거리를 달린다.

2 Sora ate **two eggs** for breakfast. → 소라는 아침식사로 ______ 먹었다.

3 **Four men** were sitting around the table. → ______ 탁자 주위에 앉아 있었다.

4 I bought **carrots and potatoes** at the market. → 나는 시장에서 ______ 샀다.

5 She takes care of **two babies** at home. → 그녀는 집에서 ______ 돌본다.

6 I saw **houses** with red **roofs** in Europe. → 나는 유럽에서 ______ 봤다.

7 The hunter caught **three deer**. → 그 사냥꾼은 ______ 잡았다.

Point

26 셀 수 없는 명사

❶ 셀 수 없는 명사는 항상 단수형으로 쓰고, 앞에 a(n)을 쓰지 않는다.

셀 수 없는 명사: 관사 없이 단수형

No **news** is good **news**. 무소식이 희소식이다. >> news, happiness와 같은 추상명사는 -s로 끝났지만 복수형이 아니니 주의해야 해요.

I live in **Korea**. 나는 한국에 살고 있다. >> 사람이나 지역의 이름을 나타내는 고유명사는 항상 첫 철자를 대문자로 써야 해요.

❷ 셀 수 없는 명사의 수량 표현은 단위 명사를 이용해서 한다.

셀 수 없는 명사의 수량표현: 「a+단위명사+of+명사」 / 「단위명사의 복수형+of+명사」

Give me **a cup of coffee**, please. 커피 한 잔 주세요. >> 음료는 a cup[glass, bottle] of, 종이는 a piece[sheet] of, 빵이나 치즈는 a piece[slice] of, 고기는 a loaf of, 수프나 시리얼, 밥 등은 a bowl of를 이용해요.

I ate **two pieces of bread**. 나는 빵 두 조각을 먹었다. >> 복수일때는 단위명사를 복수형으로 써야해요. 셀 수 없는 명사를 복수형으로 쓰지 않도록 주의하세요!

항상 복수형으로 쓰이는 glasses(안경), pants(바지), socks(양말), shoes(신발) 등의 단위를 나타낼 때는 a pair of를 사용해요.

I'm looking for **a pair of gloves**. 나는 장갑을 찾고 있어요.
He packed **two pairs of** socks. 그는 양말 두 켤레를 쌌다.

문법 확인 Ⓑ 문장 해석하기

▸ Answer p.18

1 **Health** is very important. → ______ 매우 중요하다.

2 Books are **food** for the **mind**. → 책은 ______ 이다.
★mind 마음

3 I'd like **two cups of coffee**, please. → ______ 을 주세요.

4 My father bought **a pair of glasses**. → 나의 아버지는 ______ 사셨다.

5 Trees give us clean **air**. → 나무는 우리에게 ______ 준다.

6 I drink **a glass of milk** every morning. → 나는 매일 아침 ______ 마신다.

7 Can you give me **a piece of advice**? → 저에게 ______ 를 해줄 수 있나요?
★advice 충고

8 Mom made *bibimbap* with **a bowl of rice**. → 엄마는 ______ 로 비빔밥을 만드셨다.

▸ Answer p.18

문법 기본 Ⓐ 명사의 복수형 쓰기

	단수형	복수형		단수형	복수형		단수형	복수형
1	pig		11	toy		21	wolf	
2	girl		12	watch		22	baby	
3	cat		13	cookie		23	mouth	
4	hobby		14	woman		24	tomato	
5	map		15	ox		25	sheep	
6	dish		16	lady		26	tooth	
7	bench		17	mouse		27	holiday	
8	photo		18	blouse		28	address	
9	city		19	country		29	banana	
10	roof		20	wife		30	goose	

문법 기본 Ⓑ 알맞은 명사형 고르기

1 나는 반려동물 한 마리를 기른다. → I raise a pet / pets .

2 실험실에는 컴퓨터가 세 대 있다. → There are three computer / computers in the lab.

3 시간은 쏜 살처럼 지나간다. → Time / A time flies like an arrow.

4 탁자 위에 포크와 나이프를 좀 놓아줄래요? → Would you put forks and knifes / knives on the table?

5 그 남자는 차 두 잔을 마셨다. → The man drank two cups of tea / teas .

6 행복은 돈으로 살 수 없다. → You can't buy a happiness / happiness with money.

7 나는 한 발을 그 차가운 물에 담갔다. → I put one foot / feet in the cold water.

8 엄마가 나에게 청바지 한 벌을 사주셨다. → Mom bought me a pair of jean / jeans .

▸ Answer p.18

문법 쓰기 Ⓐ 주어진 명사로 빈칸 완성하기

Example	apple	나는 사과를 하나 샀다.	→ I bought *an apple* .
		나는 사과를 열 개 샀다.	→ I bought *ten apples* .

1	child	아이 한 명이 노래를 하고 있다.	→ ______ is singing.
		많은 아이들이 노래를 하고 있다.	→ ______ are singing.
2	potato	나는 감자 하나를 썰었다.	→ I sliced ______ .
		나는 감자 두 개를 썰었다.	→ I sliced ______ .
3	leaf	그녀는 나뭇잎을 하나 그렸다.	→ She painted ______ .
		그녀는 많은 나뭇잎을 그렸다.	→ She painted ______ .
4	piano	강당에는 피아노가 한 대 있었다.	→ There was ______ in the hall.
		강당에는 피아노가 세 대 있었다.	→ There were ______ in the hall.

문법 쓰기 Ⓑ 틀린 부분 고치기

Example A beauty is only skin deep. *A beauty* → *Beauty*
미모는 가죽 한 꺼풀에 불과하다.

1 My uncle saved a lot of moneys. ______ → ______
내 삼촌은 많은 돈을 저축했다.

2 Do you want some sugars in your coffee? ______ → ______
커피에 설탕을 좀 넣으시겠습니까?

3 Can I borrow a paper? ______ → ______
제가 종이 한 장을 빌릴 수 있을까요?

4 We prepared ten piece of cakes for the party. ______ → ______
우리는 그 파티를 위해 케이크 열 조각을 준비했다.

5 Suji bought a T-shirt and a pair of pant. ______ → ______
수지는 티셔츠 한 장과 바지 한 벌을 샀다.

6 We don't have much times now. ______ → ______
우리는 지금 시간이 많지 않다.

문법 쓰기 C 주어진 단어를 활용하여 문장 완성하기

▸ Answer p.18

Example 농장에 황소 여섯 마리가 있다. (ox, farm)
→ *There are six oxen on the farm.*

1 다락은 오래된 상자들로 가득하다. (box)

→ The attic is full of ______________.

★attic 다락

2 우리의 우정은 영원히 지속될 것이다. (friendship)

→ ______________ will last forever.

★last 지속하다

3 한 시간은 60분이다. (hour, minute)

→ ______________ has ______________.

4 양 열 마리가 풀을 뜯고 있다. (sheep, eat)

→ Ten ______________ grass.

5 나는 점심으로 피자 두 조각을 먹었다. (eat, piece, pizza)

→ ______________ for lunch.

6 고양이 한 마리가 쥐 두 마리를 쫓고 있다. (cat, chase, mouse)

→ ______________

7 그녀는 차에 약간의 꿀을 넣었다. (put, some honey, in the tea)

→ ______________

8 당신은 오렌지 주스 세 잔을 주문하셨습니까? (order, glass, orange juice)

→ ______________

▸ Answer p.18

서술형 예제 1

다음 우리말을 〈조건〉에 맞게 영작하시오. Point 25

나는 동물원에서 원숭이 일곱 마리를 봤다.

조건	• see, at the zoo를 사용할 것 • 총 7단어로 쓸 것

→ ______________________________

Teacher's guide

STEP ❶
'원숭이'는 셀 수 있는 명사인지 셀 수 없는 명사인지 구분하세요. 원숭이는 '한 마리, 두 마리...' 하고 셀 수 있죠?

STEP ❷
목적어인 '원숭이 일곱 마리'는 복수이므로 monkey의 복수형을 쓰세요. monkey는 「모음+y」로 끝나므로 그냥 -s를 붙여서 복수형을 만들어야 해요.

정답 ›› I saw seven monkeys at the zoo.

실전 연습 1

다음 우리말을 〈조건〉에 맞게 영작하시오. Point 25

그는 호수에서 물고기 열 마리를 잡았다.

조건	• catch, at the lake를 사용할 것 • 총 7단어로 쓸 것

→ ______________________________

서술형 예제 2

다음 우리말과 일치하도록 괄호 안의 말을 이용하여 대화를 완성하시오. Point 26

A: 무엇을 주문하시겠어요?
B: 커피 한 잔을 주문할게요. (coffee, cup)

A : What would you like to order?
B : I'd like ______________________.

Teacher's guide

STEP ❶
커피는 셀 수 있는 명사인지 셀 수 없는 명사인지 구분하세요. 커피는 액체이므로 셀 수 없는 물질명사입니다.

STEP ❷
커피의 수량을 어떤 단위 명사를 이용하여 표현할지 결정하세요. 커피는 작은 '잔' 단위이므로 cup으로 수량을 표현합니다. 한 잔이니 a cup of를 쓰면 됩니다.

정답 ›› (to order) a cup of coffee

실전 연습 2

다음 우리말과 일치하도록 괄호 안의 말을 이용하여 대화를 완성하시오. Point 26

A: 무엇을 주문하시겠어요?
B: 포도 주스 세 잔을 주문할게요. (glass, grape juice)

A : What would you like to order?
B : I'd like ______________________.

Point 27 비인칭 주어 it

❶ 비인칭 주어는 뜻이 없이 형식적으로 주어 자리에 쓰는 것이다.

비인칭 주어 it : 시간, 날짜, 날씨, 요일, 계절, 명암, 거리 등을 표현

It's Monday today. 오늘은 월요일이다. ≫ 요일을 나타낼 때 주어 자리에는 비인칭 주어 it을 씁니다.

It took two hours. 두 시간이 걸렸다. ≫ 시간이 얼마나 걸리는지 소요시간을 말할 때도 비인칭 주어 it을 사용합니다.

It was 10℃ below zero last night. 어젯밤에는 기온이 영하 10도였다. ≫ 날씨를 나타낼 때 비인칭 주어 it을 씁니다.

❷ '그것'이라고 해석하지 않는다.

비인칭 주어 it은 해석하지 않음

A: What time is **it** now? 지금 몇 시죠?
B: **It**'s seven thirty. 7시 30분입니다.

≫ '지금 그것은 몇 시죠?', '그것은 7시 30분이다.'는 어색하죠? 이와 같이 비인칭 주어 it은 '그것'이라고 해석하지 않아요.

Q 비인칭 주어 **it**과 대명사 **it**은 어떻게 구분하나요?

A '그것'이라고 해석이 되면 대명사, 그렇지 않으면 비인칭 주어로 구분할 수 있어요.
It is dark outside. 밖이 어둡다. (비인칭 주어)
It is my pen. 그것은 나의 펜이다. (대명사)

문법 확인 Ⓐ 문장 해석하기

▸ Answer p.18

1 It is raining heavily. → 비가 많이 ________.

2 It is eight o'clock in the morning. → ________ 이다.

3 It is January 5th today. → 오늘은 ________ 이다.

4 It is already spring. → 벌써 ________.

5 It is bright in this room. → 이 방은 ________.

6 It is 5℃ above zero this morning. → 오늘 아침은 ________.
★above zero 영상

7 It's two kilometers from the school to my house. → 학교에서 집까지는 ________ 이다.

8 It takes ten minutes to the subway station on foot. → 지하철역까지는 걸어서 ________.

Point

28 부정대명사 one

❶ 앞에서 말한 것과 같은 종류의 불특정한 것 하나를 지칭한다.

one : 앞서 말한 것과 같은 종류의 '것, 하나', 일반적인 '사람'

I need a pen. Do you have **one**? 나는 펜이 필요해. 하나 가지고 있니? >> 부정대명사 one은 '하나' 또는 '~것'이라고 해석해요.

One should learn. 사람은 배워야 한다. >> 부정대명사 one이 일반적인 사람을 지칭하기도 해요.

❷ 복수형 명사를 대신할 때는 ones를 쓴다.

ones : 앞서 말한 것과 같은 종류의 '여러 개'

A: How many roses did you buy? 너는 장미꽃을 몇 송이 샀니?

B: I bought three red **ones** and two yellow **ones**. 빨간 것 세 송이와 노란 것 두 송이를 샀어.

>> 복수형 명사는 one의 복수형인 ones로 대신해요.

Q 대명사 **one**과 **it**은 어떻게 다른가요?

A **one**은 앞서 언급한 것과 같은 종류의 것을 지칭하는 반면, **it**은 앞서 언급한 '바로 그것'을 지칭해요.

I like your shirt. I have a similar **one**. 네 셔츠 예쁘구나. 나에게도 비슷한 것이 있어.

I like your shirt. Where did you buy **it**? 네 셔츠 예쁘구나. 너 그것을 어디서 샀니?

문법 확인 B 문장 해석하기

▸ Answer p.18

1 My computer is broken. I need a new **one**.

→ 내 컴퓨터는 고장이 났다. 나는 ______ 필요하다.

2 I don't like this shirt. Can you show me another **one**?

→ 저는 이 셔츠가 마음에 들지 않아요. ______ 보여주실래요?

3 Among these bags, I like that blue **one**.

→ 이 가방들 중에, 저는 ______ 마음에 들어요.

4 **One** should follow the rules.

→ ______ 규칙을 따라야 한다.

5 Instead of red apples, I bought green **ones**. ★instead of ~대신에

→ 빨간 사과 대신, 나는 ______ 샀다.

6 A: Mom, my sneakers are too old. B: OK. I'll buy you new **ones**.

→ A: 엄마, 제 운동화는 너무 낡았어요. B: 그래. ______ 사줄게.

▸ Answer p.18

문법 기본 A 빈칸에 들어갈 말에 V 표시하기

1 Someone stole my bike, so my dad bought me a new ________. □ it □ one □ ones

2 We're running late. ________ is already 3 o'clock. □ It □ One □ Ones

3 No ________ is wise at all times. □ it □ one □ ones

4 Do you need slippers? Then, you can wear these ________. □ it □ one □ ones

5 ________ snowed a lot last winter. □ It □ One □ Ones

6 The skirt looks a little bit small for you. Try this ________. □ it □ one □ ones
★try on 입어보다

7 There are two black pens and three blue ________ in my pencil case. □ it □ one □ ones

8 Do you like my cap? I will lend ________ to you. □ it □ one □ ones

문법 기본 B 알맞은 말 고르기

1 사람은 정직해야 한다. → It / One should be honest.

2 이 수건은 더러워요. 새 것을 주세요. → This towel is dirty. Please give me a new it / one .

3 그것은 네 잘못이 아니다. → It / One is not your fault.
★fault 잘못

4 지금은 늦가을이다. → It / One is late fall now.

5 오늘은 새해 첫 날입니다. → It / One is New Year's Day today.

6 이 신발을 너무 작아요. 더 큰 게 있나요? → These shoes are too small. Do you have bigger one / ones ?

7 그 티셔츠는 너에게 잘 어울린다. 어디서 샀니? → The T-shirt looks good on you. Where did you buy it / one ?

▸ Answer p.18

문법 쓰기 Ⓐ 문장의 어순 배열하기

Example 거리가 얼마나 머나요? (it / is / far)
→ How *far* *is* *it* ?

1 나는 왼쪽 것을 선택했다. (one, the, left)

→ I chose ______ .

2 겨울에는 날이 일찍 어두워진다. (gets, it, dark)

→ ______ early in winter.

3 사람은 어려울 때를 대비해서 저축을 해야 한다. (for, should, one, save)

→ ______ a rainy day.

4 내 열쇠가 안보여. 너는 그것을 봤니? (you, see, it, did)

→ I can't find my key. ______ ?

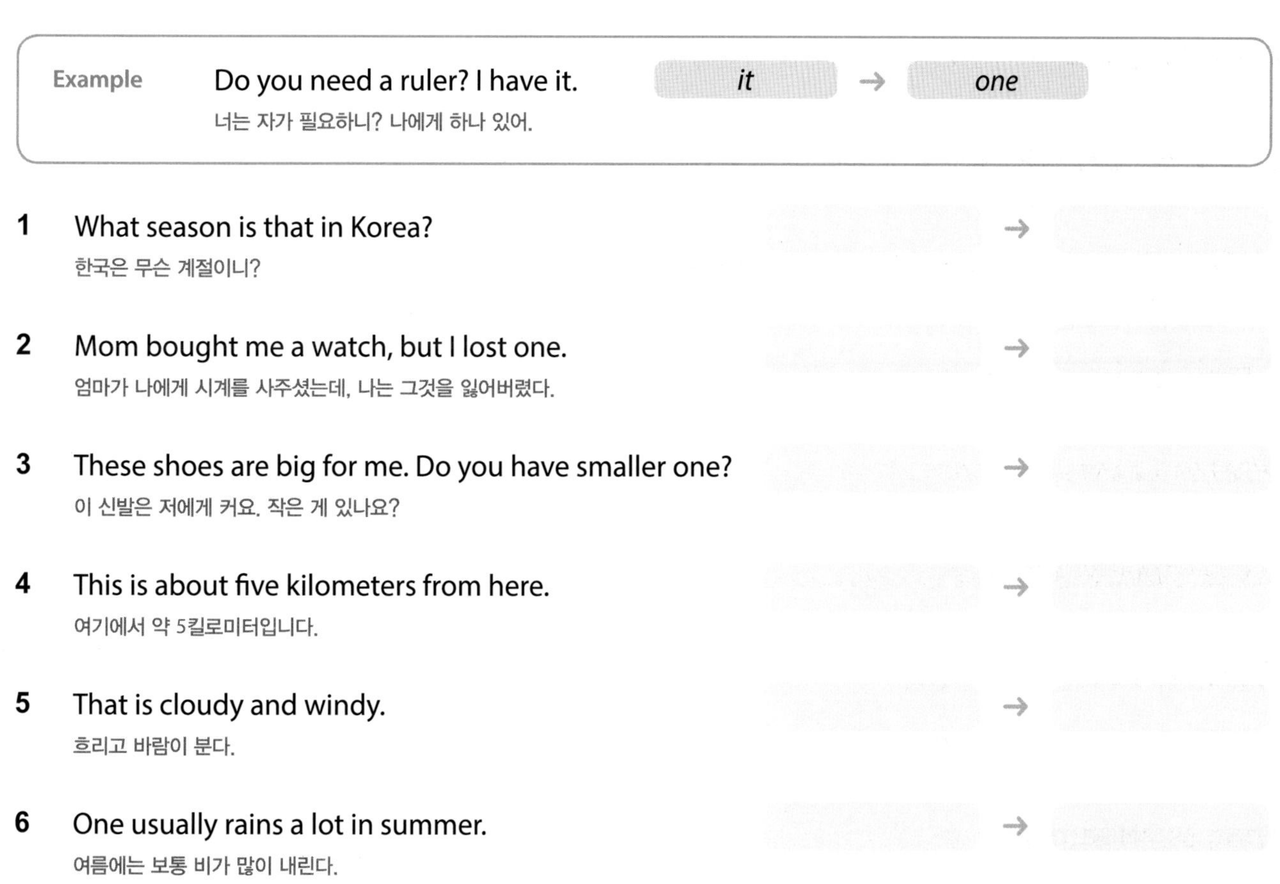

문법 쓰기 Ⓑ 틀린 부분 고치기

Example Do you need a ruler? I have it. *it* → *one*
너는 자가 필요하니? 나에게 하나 있어.

1 What season is that in Korea? ______ → ______
한국은 무슨 계절이니?

2 Mom bought me a watch, but I lost one. ______ → ______
엄마가 나에게 시계를 사주셨는데, 나는 그것을 잃어버렸다.

3 These shoes are big for me. Do you have smaller one? ______ → ______
이 신발은 저에게 커요. 작은 게 있나요?

4 This is about five kilometers from here. ______ → ______
여기에서 약 5킬로미터입니다.

5 That is cloudy and windy. ______ → ______
흐리고 바람이 분다.

6 One usually rains a lot in summer. ______ → ______
여름에는 보통 비가 많이 내린다.

▸ Answer p.18

 주어진 단어를 활용하여 문장 완성하기

Example	지금은 8시 10분 전이다. (to, eight)
	→ *It is ten to eight now.*

1 너 우산이 필요하니? 나에게 하나 있어. (have)

→ Do you need an umbrella? I ________________.

2 학교까지는 자전거로 십 분이 걸린다. (take, minute)

→ ________________ to school by bike.

3 저는 이 스커트가 마음에 들어요. 빨간 게 있나요? (have)

→ I like this skirt. Do you ________________?

4 반지가 어디 있지? 나는 그것을 못 찾겠어. (find)

→ Where is the ring? I can't ________________.

5 밖에 비가 내리고 있다. (rainy, outside)

→

6 오늘은 4월 5일이다. (April, 5th)

→

7 그는 흰 양말을 신지 않는다. 그는 검은 색을 신는다. (wear, black)

→ He doesn't wear white socks.

8 나는 영화를 좋아해. 하나 추천해줄래? (will, recommend)

→ I like movies.

▸ Answer p.19

서술형 예제 1

다음 우리말과 일치하도록 괄호 안의 말을 이용하여 대화를 완성하시오. Point 27

A: 오늘은 무슨 요일이지?
B: 월요일이야. (Monday)

A : What day is it today?
B : ______________________________

Teacher's guide

STEP ❶
요일은 비인칭 주어 it을 이용해 표현합니다.

STEP ❷
비인칭 주어 It과 그에 알맞은 be동사 is를 이용해 답하도록 합니다. 월요일은 영어로 Monday에요.

정답 » It is Monday.

실전 연습 1

다음 우리말과 일치하도록 괄호 안의 말을 이용하여 대화를 완성하시오. Point 27

A: 오늘은 며칠이지?
B: 3월 15일이야. (March 15th)

A : What date is it today?
B : ______________________________

서술형 예제 2

다음 대화의 밑줄 친 우리말을 〈조건〉에 맞게 영작하시오. Point 28

A: How many carnations did you buy?
B: 빨간 것 두 송이와 노란 것 한 송이를 샀어.

조건	• buy, one을 사용할 것 • 총 9단어로 쓸 것

→ ______________________________

Teacher's guide

STEP ❶
빨간 '것'과 노란 '것'의 '것'이 가리키는 말이 무엇인지 찾으세요. A가 말한 문장의 carnations이죠?

STEP ❷
carnations가 복수형이라고 해서 무조건 ones로 받으면 안 돼요. B의 대답에서 빨간 것은 두 송이, 노란 것은 한 송이라고 했으니, red 뒤에는 ones를, yellow 뒤에는 one을 각각 써야 해요.

정답 » I bought two red ones and a yellow one.

실전 연습 2

다음 대화의 밑줄 친 우리말을 〈조건〉에 맞게 영작하시오. Point 28

A: How many bell peppers did you buy?
B: 나는 빨간색 두 개와 초록색 하나를 샀어.

조건	• buy, one을 사용할 것 • 총 9단어로 쓸 것

→ ______________________________

CHAPTER 06 명사와 대명사

내신 대비 실전 TEST

▸ Answer p.19

객관식 (01~10)

Point 25

01 다음 중 명사의 복수형이 잘못 연결된 것은?

① ox - oxes ② wife - wives
③ photo - photos ④ sheep - sheep
⑤ activity - activities

대표 Point 26

02 다음 빈칸에 들어갈 말로 알맞지 않은 것은?

> ________ is very important to me.

① Love ② Money ③ Friends
④ Honor ⑤ Experience

Point 26

03 다음 중 어법상 틀린 것은?

① I have good news for you.
② My cousins live in canada.
③ He found three mice in the attic.
④ She doesn't put sugar in her coffee.
⑤ There are many children on the playground.

Point 26

04 다음 우리말과 일치하도록 할 때, 빈칸에 들어갈 말로 알맞은 것은?

> • 나는 저녁 식사로 피자 세 조각을 먹었다.
> = I ate ________ for dinner.

① three pizza
② three piece of pizza
③ three piece of pizzas
④ three pieces of pizza
⑤ three pieces of pizzas

Point 27

05 다음 밑줄 친 It 중 성격이 나머지 넷과 다른 하나는?

① It is not raining yet.
② It is ten past eleven.
③ It is not your problem.
④ It is October 30th today.
⑤ It takes thirty minutes from here.

[06~07] 다음 대화의 빈칸에 들어갈 말로 알맞은 것을 고르시오.

Point 28

06

> A: Oh, no! I didn't bring a pencil.
> B: Don't worry. I can lend you ________.

① a ② it ③ one
④ ones ⑤ them

Point 28

07

> A: How do the jeans fit?
> B: They are too big for me. Could you bring me smaller ________?

① it ② they ③ one
④ ones ⑤ them

Point 28

08 다음 빈칸에 들어갈 말이 나머지 넷과 다른 것은?

① I need an egg. Get me ______, please.
② I lost my wallet. Did you see ______?
③ ______ should be kind to others.
④ It's not my style. Please show me another ______.
⑤ Do you like this shirt more than that ______?

[09~10] 다음 중 밑줄 친 부분이 어법상 틀린 것을 고르시오.

Point 25

09 ① We still have a hour.

② You should take an umbrella.

③ An idea came to mind.

④ Did you ride a horse in Jeju?

⑤ They are looking for a house.

Point 26

10 ① I bought a pair of gloves at the mall.

② You need two sheets of paper.

③ She ordered a glass of apple juice.

④ There are five pair of pants in the closet.

⑤ I want two loaves of bread for sandwiches.

서술형 기본 (11~19)

[11~13] 다음 문장의 밑줄 친 부분을 괄호 안의 숫자를 이용하여 바꿔 쓰시오.

Point 25

11 There is one main dish on the menu. (two)

→ There are ______________ on the menu.

Point 25

12 The dentist pulled out a tooth. (three)

→ The dentist pulled out ______________.

Point 25

13 The frog caught a fly. (four)

→ The frog caught ______________.

Point 27

14 다음 대화의 빈칸에 공통으로 알맞은 말을 쓰시오.

A: What day is ___________ today?
B: ___________ is Wednesday.

→ ______________

[15~16] 다음 문장에서 어법상 틀린 곳을 찾아 고쳐 쓰시오.

Point 26

15 Money does not bring happinesses.

______________ → ______________

대표 Point 26

16 She put two spoonful of sugar in her coffee.

______________ → ______________

[17~18] 다음 대화의 밑줄 친 우리말을 영작하시오.

Point 28

17 A: Do you usually carry a big bag?
B: No, I usually carry a 작은 것.

→ ______________

Point 28

18 A: Did you buy red roses at the flower shop?
B: No. I bought 노란 것들.

→ ______________

고난도 Point 27

19 다음 대화의 흐름에 맞게 괄호 안의 말을 바르게 배열하시오.

A: How far is it from your house to school?
B: ______________________________
(about, on foot, it, ten minutes, takes)

서술형 심화 (20~25)

Point 25

20 다음 우리말을 괄호 안의 말을 이용하여 영작하시오.

> 극장 안에 남자 세 명과 여자 두 명이 있다.
> (there, man, woman, movie theater)

→ ______________________________

Point 26

21 다음 우리말을 〈조건〉에 맞게 영작하시오.

> 나는 빵 한 조각과 우유 한 잔을 먹었다.

조건
- bread, milk를 이용할 것
- 총 11단어로 쓸 것

→ ______________________________

Point 27

22 다음 휴대전화 화면을 보고, 질문에 답하시오.

(1) What date is it today?

____

(2) What day is it today?

____

(3) How is the weather today?

____

대표 Point 25, 26

23 다음 ①~⑤ 중 어법상 틀린 부분을 골라 바르게 고쳐 쓰시오.

> I'm packing for the trip now. I will take ① two T-shirts and ② a pair of jeans. I'll also take ③ two pairs of socks and ④ a pair of sunglass. Oh, I almost forgot. I have to pack ⑤ a pair of slippers, too.

(   ) ______________

고난도 Point 28

24 다음 대화의 밑줄 친 우리말을 〈조건〉에 맞게 영작하시오.

> A: What did you buy at the accessory shop?
> B: I bought some hairpins.
> A: How many hairpins did you buy?
> B: 나는 핑크색 세 개와 노란색 두 개를 샀어.

조건 부정대명사 one을 이용할 것

→ ______________________________

Point 25, 26

25 다음은 Cathy가 샌드위치를 만들기 위해 필요한 재료들이다. 그림을 보고 괄호 안의 말을 사용하여 〈보기〉와 같이 쓰시오.

보기
She needs two eggs

(1) ______________________________ (bread)

(2) ______________________________ (cheese)

(3) ______________________________ (tomato)

CHAPTER 07

to부정사와 동명사

Get Ready

to부정사	I want to raise a pet.	나는 반려동물을 기르고 싶다.
	We have a lot of work to do.	우리는 할 일이 많다.
	He went to Paris to study art.	그는 미술을 공부하기 위해 파리로 갔다.
동명사	Playing the guitar is my hobby.	기타를 치는 것은 내 취미이다.
	I enjoy surfing the Internet.	나는 인터넷 서핑하는 것을 즐긴다.

1. **to부정사**는 「**to+동사원형**」의 형태에요. 품사가 정해지지 않았다고 '부정사'라고 불러요. 문장에서 명사, 형용사, 부사 역할을 해요.
2. **동명사**는 「**동사원형+-ing**」의 형태에요. 동사를 명사로 바꾼 것으로 문장에서 명사처럼 주어, 목적어, 보어 역할을 해요.

Point

29 to부정사의 명사적 용법 (1)

❶ to부정사는 문장에서 주어로 쓰인다.

「to 부정사(구)+동사」: ~하기는, ~하는 것은

To play soccer is fun. 축구를 하는 것은 재미있다.

To watch movies is exciting. 영화를 보는 것은 흥미롭다.

» to부정사는 보통 단독으로 쓰이지 않고, 뒤에 목적어나 부사(구)가 와서 to부정사구로 쓰여요.

» 주어로 쓰인 to부정사구는 항상 단수 취급해요. movies와 같이 복수로 끝났다고 해서 복수 취급하면 안 돼요.

❷ to부정사는 문장에서 보어로 쓰인다.

「주어+be동사+to부정사(구)」: ~하기, ~하는 것

My hobby is **to draw pictures.** 내 취미는 그림 그리기이다.

Her job is **to teach English.** 그녀의 직업은 영어를 가르치는 것이다.

» 보어로 쓰인 to부정사구 앞에는 보통 be동사가 와요.

» to부정사구가 보어로 쓰였을 때에는 '주어 = to부정사구'의 관계가 성립돼요. (Her job = to teach English)

주어로 쓰인 to부정사구가 다소 길면 It을 주어 자리에 쓰고, to부정사구를 문장의 뒤로 보내요. 이때 It을 가주어, to부정사구를 진주어라고 해요. It을 '그것'이라고 해석하지 않는 것에 유의해요.

To skip breakfast is not good for your health. 아침을 거르는 것은 너의 건강에 좋지 않다.

= **It**(가주어) is not good for your health **to skip breakfast**(진주어).

문법 확인 Ⓐ 문장 해석하기

▸ Answer p.21

1 **To play computer games** is interesting. → 컴퓨터 게임을 ________ 재미있다.

2 My goal is **to lose five kilograms.** → 내 목표는 5킬로그램을 ________ 이다.

3 **To tell lies** is wrong. → ________ 잘못되었다.

4 It is dangerous **to ride a bike without a helmet.** → 헬멧 없이 ________ 위험하다.

5 His hobby is **to collect foreign coins.** → 그의 취미는 외국 ________ 이다.

6 **To listen to music** makes me happy. → 음악을 ________ 나를 행복하게 만든다.

7 **It** was impossible **to finish the work in time.** → 제 시간에 그 일을 ________ 불가능했다.

8 Their plan is **to surprise their parents.** → 그들의 계획은 부모님을 ________ 이다.

Point 30 to부정사의 명사적 용법 (2)

❶ to부정사는 문장에서 목적어로 쓰인다.

「to 부정사(구)+동사(want, like, plan ...)」: ~하기는, ~하는 것을

I like **to sing** songs. 나는 노래 부르는 것을 좋아한다. » to부정사는 동사의 목적어로 쓰여요.

Are you planning **to go** abroad? 너는 해외에서 공부할 계획이니?

❷ to부정사를 목적어로 취하는 동사들이 있다.

소망이나, 희망, 계획, 선택 등 미래와 관련된 동사들	want, hope, wish, expect, plan, decide, choose, prepare, need, promise, learn
기호와 관련된 동사들	like, love, dislike

I **hope to see** you soon. 저는 당신을 곧 만나기를 희망합니다.

Do you **like to read** books? 너는 책 읽는 것을 좋아하니?

Q **to부정사**를 부정할 때는 어떻게 하나요?

A **to부정사**를 부정할 때는 **to부정사** 앞에 **not**이나 **never**를 써요.

We decided **not to go** there. 우리는 그곳에 가지 않기로 결정했다.

문법 확인 Ⓑ 문장 해석하기

▸ Answer p.21

1 I don't **want to do** anything now. → 나는 지금 어떤 것도 ____ 원하지 않는다.

2 My mom **loves to talk** with me. → 나의 엄마는 나와 ____ 좋아하신다.

3 My older sister is **learning to drive** a car. → 나의 언니는 자동차를 ____ 배우고 있다.

4 Jisu chose **not to raise** a pet. → 지수는 애완동물을 ____ 선택했다.
★raise 기르다

5 Ally doesn't **like to watch** scary movies. → Ally는 무서운 영화를 ____ 좋아하지 않는다.

6 Do you **wish to improve** your English skills? → 너는 영어 능력을 ____ 원하니?
★improve 향상시키다

7 He is **preparing to be** a professional golfer. → 그는 프로 골프 선수가 ____ 준비 중이다.
★prepare 준비하다

8 They **hoped to gain** their freedom. → 그들은 자유를 ____ 희망했다.

▸ Answer p.21

문법 기본 Ⓐ 빈칸에 들어갈 말에 V 표시하기

1 __________ history is interesting. □ Study □ Studied □ To study

2 My mother's job is __________ care of children. □ take □ to take □ to taking

3 To eat too much candy __________ not good for your teeth. □ is □ are □ were

4 I like __________ detective stories. □ to read □ read □ reader
★detective story 탐정소설

5 __________ is stressful to do a lot of homework. □ It □ This □ That

6 Sora chose __________ the yellow T-shirt. □ buy □ bought □ to buy

7 Her only wish was __________ her son. □ see □ saw □ to see

8 Did you decide __________ to enter the contest? □ no □ not □ don't

문법 기본 Ⓑ 알맞은 형태 고르기

1 온라인으로 쇼핑하는 것은 쉽다. → Shop / To shop online is easy.

2 여행객들이 버스에서 내리려고 준비 중이다. → The tourists are preparing to get / getting off the bus.

3 그의 약점은 쉽게 포기하는 것이다. → His weakness is give / to give up easily.
★weakness 약점

4 스스로를 아는 것은 중요하다. → It / That is important to know oneself.

5 나의 꿈은 전 세계를 여행하는 것이다. → My dream is / is to travel around the world.

6 우리는 서로 도울 필요가 있다. → We need help / to help each other.

7 그는 전투에서 지지 않기를 희망했다. → He hoped not to / to not lose the battle.

8 새로운 언어를 배우는 데는 시간이 걸린다. → To learn a new language take / takes time.

▸ Answer p.21

문법 쓰기 Ⓐ 문장의 어순 배열하기

Example 나는 성공하기를 원한다. (to / want / succeed)
→ I *want* *to* *succeed*.

1 에너지를 절약하는 것은 필요하다. (save / to / energy)

→ ______ is necessary.

2 내 목표는 시험에 통과하는 것이다. (to / pass / is)

→ My goal ______ the test.

3 라면을 요리하는 것은 쉽다. (easy / to / is / cook)

→ It ______ *ramyeon*.

4 그는 다시는 늦지 않기로 약속했다. (not / be / promised / to)

→ He ______ late again.

문법 쓰기 Ⓑ 틀린 부분 고치기

Example To drink lots of water are good for your health. *are* → *is*
물을 많이 마시는 것은 너의 건강에 좋다.

1 I want taking a rest now. ______ → ______
나는 지금 휴식을 취하고 싶다.

2 He didn't expect win the lottery. ______ → ______
그는 복권에 당첨될 거라고 예상하지 못했다.

3 My duty is water the plants. ______ → ______
내 임무는 식물에 물을 주는 것이다.

4 It is not easy exercise regularly. ______ → ______
규칙적으로 운동하는 것은 쉽지 않다.

5 Her hobby is to listening to K-pop. ______ → ______
그녀의 취미는 K-pop을 듣는 것이다.

6 Did you choose to not go on a vacation? ______ → ______
너는 휴가를 가지 않기로 선택했니?

▸ Answer p.21

문법 쓰기 C 주어진 단어와 to부정사를 활용하여 문장 완성하기

Example	나의 계획은 영어를 마스터하는 것이다. (plan, to, master)
	→ *My plan is to master English.* .

1 약속을 지키는 것은 중요하다. (keep a promise)

→ is important.

★keep a promise 약속을 지키다

2 나는 그 파티에서 너를 볼 것을 기대했다. (expect, see)

→ at the party.

3 패스트푸드를 먹는 것은 너의 건강에 나쁘다. (eat, fast food)

→ It is bad for your health .

4 내 숙제는 독후감을 쓰는 것이었다. (write, a book report)

→ My homework was .

5 내 꿈은 요리사가 되는 것이다. (dream, become, a chef)

→

6 너는 아이스크림을 먹고 싶니? (want, eat ice cream)

→

7 그들의 임무는 달을 탐사하는 것이었다. (mission, explore, the moon)

→

★mission 임무

8 말을 타는 것은 재미있었다. (it, fun, ride a horse)

→

▸ Answer p.21

서술형 예제 1

다음 우리말과 일치하도록 괄호 안의 말을 이용하여 대화를 완성하시오. Point 29

A: 너의 인생의 목표는 무엇이니?
B: 나의 인생의 목표는 행복한 삶을 사는 것이다.
(to, live, a happy life)

A : What's your goal in life?

B : ______________________________

Teacher's guide

STEP ❶
주어에 해당하는 '나의 인생의 목표'를 영어로 써요. A의 말을 참고하면 어렵지 않게 쓸 수 있어요.

STEP ❷
live a happy life를 보어 역할을 하는 명사로 바꿔야 해요. 동사를 명사로 바꾸기 위해서는 to부정사로 만들어야겠죠?

정답 ›› My goal in life is to live a happy life.

실전 연습 1

다음 우리말과 일치하도록 괄호 안의 말을 이용하여 대화를 완성하시오. Point 29

A: 너희 아버지의 직업은 무엇이니?
B: 그의 직업은 버스를 운전하는 거야. (to, drive a bus)

A : What's your father's job?

B : ______________________________

서술형 예제 2

다음 우리말을 〈조건〉에 맞게 영작하시오. Point 30

나는 그 새 영화를 보기를 원한다.

조건
• want, see the new movie를 사용할 것
• 총 7단어로 쓸 것

→ ______________________________

Teacher's guide

STEP ❶
'나는 ~를 원한다'를 영어로 써보세요. I want ~라고 써야 해요.

STEP ❷
원하는 것이 '그 새 영화를 보는 것'이므로 동사 see를 목적어 역할을 하는 to부정사로 바꿔줘야 해요. want는 to부정사를 목적어로 취하는 동사에요.

정답 ›› I want to see the new movie.

실전 연습 2

다음 우리말을 〈조건〉에 맞게 영작하시오. Point 30

그들은 캐나다로 여행을 가기로 결정했다.

조건
• decide, travel to Canada를 사용할 것
• 총 6단어로 쓸 것

→ ______________________________

Point

31 to부정사의 형용사적 용법

❶ to부정사는 형용사처럼 명사를 수식한다.

「명사+to부정사」: ~하는[할] …

He has **homework to do.** 그는 해야 할 숙제가 있다. ›› to부정사는 명사의 뒤에서 명사를 수식해요.

There is no **food to eat** in this room. 이 방에는 먹을 음식이 없다.

❷ -thing, -one, -body로 끝나는 명사 뒤에서 형용사가 수식하는 경우, 형용사 뒤에 to부정사가 온다.

「-thing+(형용사)+to부정사」: ~할 (…한) 무엇

We need **something to eat.** 우리는 먹을 무언가가 필요하다.

I want **something cold to drink.** 나는 차가운 마실 것을 원한다. ›› -thing으로 끝나는 말은 기본적으로 뒤에 형용사가 오기 때문이에요. special something (×) → something special (○) 특별한 무엇

I have **many things to do.** 나는 할 일이 많다. ›› thing이 단독으로 쓰이면 형용사가 앞에 와요.

+

「명사+to부정사+전치사」: 수식받는 명사가 전치사의 목적어 일 때 to부정사 뒤에 전치사를 써야 해요.

Give me **a pen to write with.** 나에게 (가지고) 쓸 펜을 줘.

pen을 쓰는 것이 아니라, pen을 '가지고' 쓰는 것이에요. 이 경우 a pen은 with의 목적어로 with가 반드시 있어야 해요!

문법 확인 Ⓐ 문장 해석하기

▸ Answer p.21

1 I have **a secret to tell** you. → 나는 ________ 비밀이 있다.

2 It's **time to go** to bed. → ________ 시간이다.

3 Susan doesn't have **a sister to take care of.** → Susan은 ________ 여동생이 없다.

4 Is there **anything interesting to do**? → ________ 뭔가가 있니?

5 I have no **rain boots to put on.** → 나는 ________ 레인 부츠가 없다.

6 Tom was the only **student to answer** the question. → Tom은 ________ 유일한 학생이었다.

7 There are many **chairs to sit on** in the park. → 공원에는 ________ 의자가 많다.

8 The poor boy has **nobody to talk to.** → 그 불쌍한 소년은 ________ 사람이 아무도 없다.

Point

32 to부정사의 부사적 용법

❶ to부정사는 목적을 나타낸다.

「주어+동사(구)+to부정사」: ~하기 위해서, ~하려

People exercise **to get** healthy. 사람들은 건강해지려고 운동을 한다.
= People exercise **in order to get** healthy.

» to부정사가 목적을 나타낼 때는 in order to로 바꿔 쓸 수 있어요. in order to 다음에도 반드시 동사원형이 와야 해요.

❷ to부정사는 원인을 나타낸다.

「감정을 나타내는 형용사+to부정사」: ~해서, ~하니

I'm **glad to meet** you 저는 당신을 만나서 기쁩니다.

» to부정사가 감정을 나타내는 형용사(happy, sad, sorry, excited, surprised 등)의 뒤에 오면 감정의 원인을 나타내요.

❸ to부정사는 결과를 나타낸다.

「live, grow up, wake up 등의 동사+to부정사」: ~해서 (그 결과) … 하다[되다]

He **grew up to be** a famous actor. 그는 자라서 유명한 배우가 되었다.

» to부정사가 결과의 의미를 나타낼 때는 앞에서부터 순차적으로 해석을 해요.

+

to부정사가 앞에 나온 형용사를 수식해서 '~하기에'라는 의미를 나타내기도 해요. 이때는 정도를 나타내는 말들이 주로 와요.

This book is **easy to read**. 이 책은 읽기에 쉽다.

문법 확인 B 문장 해석하기

▸ Answer p.21

1 We got up early **to see** the sunrise. → 우리는 ________ 일찍 일어났다.

2 Mom went to the market **to buy** some vegetables. → 엄마는 ________ 시장에 가셨다.

3 Everyone was **happy to hear** the news. → 모두가 ________ 행복했다.

4 He **woke up to find** himself in the hospital. → 그는 일어나보니 ________ 있었다.

5 I saved money **in order to buy** a smartphone. → 나는 ________ 돈을 모았다.

6 I am so **sorry to bother** you. → 당신을 ________ 너무 죄송해요.
★bother 성가시게 하다

7 My grandmother **lived to be** 90. → 나의 할머니는 연세가 ________ 되셨다.

8 The dress is too **big to wear**. → 그 드레스는 ________ 너무 크다.

문법 기본 Ⓐ 빈칸에 들어갈 말에 V 표시하기

▸ Answer p.21

1 Please give me a piece of paper __________ on. ☐ write ☐ writing ☐ to write

2 They bought a house __________. ☐ to live ☐ to live in ☐ live in

3 Mina was excited __________ her favorite singer. ☐ see ☐ saw ☐ to see

4 Did you go to the library __________ books? ☐ borrow ☐ borrowing ☐ to borrow

5 She grew up __________ a beautiful woman. ☐ be ☐ to be ☐ being

6 I have no money __________ you. ☐ to lend ☐ lent ☐ lending

7 Korean is not so difficult __________. ☐ learn ☐ learning ☐ to learn

8 We have a lot of work __________ today. ☐ finish ☐ to finish ☐ finishing

문법 기본 Ⓑ 알맞은 말 고르기

1 나는 예약을 하기 위해 그 식당에 전화했다. → I called the restaurant make / to make a reservation.
★make a reservation 예약하다

2 너는 나에게 말해줄 흥미있는 이야기를 아니? → Do you know an exciting story telling / to tell me?

3 많은 동물들이 살 주거지를 잃고 있다. → Many animals are losing shelters to live / to live in.
★shelter 주거지

4 Laura는 읽을 책을 몇 권 샀다. → Laura bought several books read / to read.

5 그들은 수영을 하기 위해 호수에 갔다. → They went to the lake in order / in order to swim.

6 나는 너에게 보여줄 사진들을 가져왔다. → I brought some pictures showing / to show you.

7 그 스케이트 선수들은 금메달을 따서 매우 행복했다. → The skaters were very happy to win / win gold medals.

8 그는 시험에 떨어지지 않기 위해 열심히 공부했다. → He studied hard to not / not to fail the test.

▸ Answer p.21

문법 쓰기 Ⓐ 문장의 어순 배열하기

Example 우리는 낭비할 시간이 없다. (to / no / waste / time)
→ We have *no* *time* *to* *waste* .

1 나는 가방을 살 돈이 필요하다. (a / to / bag / buy)

→ I need money ______________________ .

2 너는 빵을 사기 위해 빵집에 갔니? (some / to / buy / bread)

→ Did you go to the bakery ______________________ ?

3 그 방에는 앉을 소파가 없다. (on / to / sit / sofas)

→ There are no ______________________ in the room.

4 그 야채들은 먹기에 신선하지 않았다. (to / fresh / eat)

→ The vegetables were not ______________________ .

문법 쓰기 Ⓑ 틀린 부분 고치기

Example The book is too boring read. *read* → *to read*
그 책은 읽기에 너무 지루하다.

1 I stood in line buying movie tickets. ________ → ________
나는 영화표를 사기 위해 줄을 섰다.

2 She needs somebody help her. ________ → ________
그녀는 도와줄 누군가가 필요하다.

3 There are many good places visit in this country. ________ → ________
이 나라에는 방문할 좋은 장소들이 많이 있다.

4 This problem is difficult solve. ________ → ________
이 문제는 풀기에 어렵다.

5 The soup is too cold eating. ________ → ________
그 수프는 먹기에 너무 차갑다.

6 We went to the Han River in order watch the fireworks. ________ → ________
우리는 불꽃놀이를 보기 위해 한강에 갔다.

▸ Answer p.21

문법 쓰기 Ⓒ 주어진 단어와 to부정사를 활용하여 문장 완성하기

Example 그녀는 살을 빼기 위해 운동을 한다. (exercise, lose weight)
→ *She exercises to lose weight.*

1 너의 부모님께 감사를 전할 방법들은 다양하다. (thank, your parents)

→ There are various ways ______________________________.

2 나는 따뜻한 마실 뭔가를 원한다. (hot, drink)

→ I want something ______________________________.

3 그는 살아서 80살이 되었다. (be, eighty)

→ He lived ______________________________.

4 Tom은 시험 결과를 보고 실망했다. (see, the test result)

→ Tom was disappointed ______________________________.

5 나에게 쓸 펜을 빌려줄 수 있나요? (could, lend, pen, write with)

→

6 나의 엄마는 내 방이 지저분한 것을 보고 화가 나셨다. (get angry, see, my room in a mess)

→

7 그녀는 이 책을 이해하기에는 어리다. (young, understand, this book)

→

8 나는 할 만한 재미있는 무언가를 찾았다. (find out, interesting, do)

→

▸ Answer p.22

서술형 예제 1

다음 우리말을 〈조건〉에 맞게 영작하시오. Point 31

그녀는 함께 놀 친구가 필요하다.

조건
- need, friend, play를 사용할 것
- 총 7단어로 쓸 것

→ ______________________________

Teacher's guide

STEP ❶
우선 영어 문장에서 필수적인 주어와 동사를 써보세요. 주어가 she로 3인칭 단수이므로 need에 -s를 붙여요.

STEP ❷
목적어인 '함께 놀 친구'를 영어로 써보아요. a friend를 play가 수식해야 하므로 play를 to부정사 형태로 써야 해요. 또 '함께 놀'이므로 play 뒤에 전치사 with를 쓰는 것을 잊으면 안돼요.

정답 » She needs a friend to play with.

실전 연습 1

다음 우리말을 〈조건〉에 맞게 영작하시오. Point 31

나는 잠을 잘 침대를 샀다.

조건
- buy, bed, sleep을 사용할 것
- 총 7단어로 쓸 것

→ ______________________________

서술형 예제 2

우리말과 일치하도록 주어진 단어를 사용하여 다음 대화를 완성하시오. Point 32

A: 너는 쇼핑몰에 왜 갔니?
B: 나는 신발 한 켤레를 사러 갔어.
(buy, a pair of shoes)

A : Why did you go to the mall?
B : ______________________________

Teacher's guide

STEP ❶
'나는 거기에 갔다'를 영어로 써보세요. 동사의 과거형을 써야 해요.

STEP ❷
'신발 한 켤레를 사러'는 목적을 나타내므로 부사적 용법의 to부정사로 써야 해요.

정답 » I went there to buy a pair of shoes.

실전 연습 2

우리말과 일치하도록 주어진 단어를 사용하여 다음 대화를 완성하시오. Point 32

A: 너는 나에게 왜 전화했니?
B: 나는 너에게 숙제에 대해 물어보려고 전화했어.
(call, ask about, the homework)

A : Why did you call me?
B : ______________________________

Point

33 동명사의 쓰임과 형태

❶ 동명사는 문장에서 주어와 보어로 쓰인다.

「동사원형+ing」: ~하기, ~하는 것

Taking good pictures **is** not easy. 좋은 사진을 찍는 것은 쉽지 않다.

>> 동명사는 to부정사의 명사적 용법과 유사해요. 동명사구도 to부정사구처럼 항상 단수 취급해요

Her hobby is **reading** books. 그녀의 취미는 독서이다.
(= Her hobby is **to read** books.)

>> 주어와 보어로 쓰인 동명사는 to부정사와 바꿔 쓸 수 있어요.

❷ 동명사는 문장에서 목적어로 쓰인다.

「주어+동사(enjoy, stop, finish)+동명사(구)」: ~하기를, ~하는 것을

Do you **enjoy playing** games? 너는 게임하는 것을 즐기니?

>> 동명사는 to부정사와 마찬가지로 동사의 목적어로 쓰여요.

I'm not good **at playing** sports. 나는 운동을 잘 못 한다.

>> 동명사는 to부정사와 달리 전치사의 목적어로 쓰일 수 있어요.

+

동명사를 목적어로 취하는 동사	enjoy, finish, stop, avoid, give up, mind, practice, keep, consider, deny, quit, suggest

문법 확인 Ⓐ 문장 해석하기

▸ Answer p.22

1 **Seeing** is **believing**. → 보는 것이 ______ 이다.

2 **Riding** a snowboard is **exciting**. → 스노보드를 ______ 신난다.

3 The rain started **pouring**. → 비가 ______ 시작했다.
★pour (비가) 마구 쏟아지다

4 Are you interested in **designing**? → 너는 ______ 관심이 있니?

5 **Saving** money is necessary. → 돈을 ______ 필요하다.

6 Would you mind **opening** the window? → 창문을 ______ 될까요?

7 Your role is **preparing** food. → 너의 역할은 음식을 ______ 이다.

8 I'm looking forward to **seeing** you soon. → 곧 당신을 ______ 기대합니다.
★look forward to ~을 기대하다

동명사와 to부정사를 목적어로 쓰는 동사

❶ 의미 변화 없이 동명사와 to부정사를 모두 목적어로 취하는 동사들이 있다.

「begin, start, like, love, hate, continue+to부정사[동명사]」

I **began jogging** in the mornings. 나는 아침마다 조깅을 하기 시작했다.
(= I **began to jog** in the mornings.)

» 위의 동사들은 의미 변화 없이 동명사와 to부정사를 모두 목적어로 취해요.

My sister hates reading books. 내 여동생은 책 읽는 것을 싫어한다.

❷ to부정사와 동명사를 목적어로 취했을 때 의미가 달라지는 동사들이 있다.

	remember	forget	regret	try
to부정사	~할 것을 기억하다	~할 것을 잊다	~하게 돼서 유감이다.	~하려고 노력하다
동명사	~했던 것을 기억하다	~했던 것을 잊다	~한 것을 후회하다	(시험 삼아) ~해보다

stop도 to부정사와 동명사가 올 때 의미가 달라지는 동사에요. 단, stop은 동명사를 목적어로 취하므로 「stop+-ing」는 '~하는 것을 멈추다(그만두다)'는 뜻이고, stop 뒤에 to부정사가 오면 목적을 나타내는 부사적용법으로 '~하기 위해 멈추다'는 뜻이 됩니다.

My father **stopped smoking**. 나의 아버지는 담배를 끊으셨다.
My father **stopped to smoke**. 나의 아버지는 담배를 피우기 위해 (가던 길을) 멈추셨다.

문법 확인 Ⓑ 문장 해석하기

▸ Answer p.22

1 The bell **started ringing**. → 벨이 ______ 시작했다.

2 **Remember to meet** me tomorrow. → 내일 나를 ______ 기억해.

3 Why don't you **stop drinking** soft drinks? → 너는 탄산음료 ______ 그만두는 게 어떠니?

4 Susan **tried wearing** her mother's dress. → Susan은 엄마의 드레스를 ______.

5 I **forgot to lock** the door. → 나는 문을 ______ 잊어버렸다.

6 Ms. Kim **stopped to buy** some groceries. → 김 선생님은 식료품을 ______ 멈췄다.

7 Let's **continue to talk** about the topic. → 그 주제에 대해서 계속 ______ 하자.

8 I always **try to smile** brightly. → 나는 항상 밝게 웃으려고 ______.

문법 기본 Ⓐ 빈칸에 들어갈 말에 V 표시하기 (복수 표시 가능)

▸ Answer p.22

1 __________ is a good exercise. □ Walk □ Walking □ To walk

2 I gave up __________ a diary. □ keep □ keeping □ to keep

3 It started __________ last night. □ snow □ snowing □ to snow

4 My bad habit is __________ my nails. □ bite □ biting □ to bite

5 Are you good at __________? □ cook □ cooking □ to cook

6 Don't forget __________ some eggs on your way home. □ buy □ buying □ to buy

7 All the members on the boat tried __________ the race. □ win □ winning □ to win

8 Their plan was __________ to the final. □ go □ going □ to go

문법 기본 Ⓑ 알맞은 형태 고르기

1 너는 네 방 청소를 끝냈니? → Did you finish to clean / cleaning your room?

2 이틀 동안 비가 왔다. → It kept to rain / raining for two days.

3 Tom은 종이비행기를 시험 삼아 만들어봤다. → Tom tried to make / making a paper airplane.

4 새로운 사람들을 만나는 것은 언제나 신난다. → Meeting new people is / are always exciting.

5 그녀는 식물을 기르는 것에 관심이 많다. → She is very interested in to grow / growing plants.

6 나는 길을 물어보려고 가던 길을 멈췄다. → I stopped to ask / asking for directions.

7 그 억만장자는 오랫동안 계속해서 사람들을 도왔다. → The billionaire continued help / helping people for a long time.

8 너는 창문을 닫는 것을 잊었니? → Did you forget to close / closing the window?

▸ Answer p.22

문법 쓰기 Ⓐ 문장의 어순 배열하기

Example 너무 많이 먹는 것은 좋지 않다. (eating / much / too)
→ *Eating* *too* *much* is not good.

1 그의 취미는 농구를 하는 것이다. (basketball / is / playing)

→ His hobby ________________ .

2 내 숙제 좀 도와줄래? (me / with / helping)

→ Do you mind ________________ my homework?

3 나는 우산을 가져오는 것을 잊었다. (an / to / umbrella / bring)

→ I forgot ________________ .

4 나는 남동생과 싸우는 것을 피하려고 노력한다. (my / with / brother / fighting)

→ I try to avoid ________________ .

문법 쓰기 Ⓑ 틀린 부분 고치기

Example I finished to paint the wall. *to paint* → *painting*
나는 벽을 칠하는 것을 끝냈다.

1 Keep to practice the piano. ________ → ________
피아노 연습을 계속해라.

2 Read comic books is my favorite thing. ________ → ________
만화책을 읽는 것은 내가 가장 좋아하는 것이다.

3 Do you enjoy eat sweets? ________ → ________
너는 단 것을 즐겨먹니?

4 I try speaking English in English class. ________ → ________
나는 영어 수업 시간에 영어를 말하려고 노력한다.

5 The dog stopped to bark. ________ → ________
그 개는 짖는 것을 멈췄다.

6 Jimin is poor at use computers. ________ → ________
지민은 컴퓨터를 사용하는 데 서툴다.

문법 쓰기 Ⓒ 주어진 단어를 활용하여 문장 완성하기

▸ Answer p.22

Example 네가 할 일은 화장실을 청소하는 것이다. (job, clean the bathroom)
→ *Your job is cleaning[to clean] the bathroom.*

1 하루 종일 집에 있는 것은 지루하다 (stay home all day)

→ is boring.

2 너는 보고서 쓰는 것을 끝냈니? (finish, write)

→ the report?

3 나는 내일 소풍 가는 것이 기대된다. (go on a picnic)

→ I'm looking forward to tomorrow.

4 수진이는 불을 끄는 것을 깜빡했다 (turn off, the lights)

→ Sujin forgot .

5 저녁으로 샐러드를 한번 먹어봐. (eat, salad for dinner)

→ Try .

6 나는 초콜릿과 사탕을 먹는 것을 그만두었다. (stop, eat, chocolate and candy)

→

7 수필을 쓰는 것은 어렵다. (write an essay, difficult)

→

8 너는 리코더를 연주하는 것을 연습했니? (practice, play, the recorder)

→

▸ Answer p.22

서술형 예제 1

다음 우리말을 〈조건〉에 맞게 영작하시오. Point 33

나는 내 숙제를 하는 것을 끝냈다.

조건
• finish, do my homework를 사용할 것
• 총 5단어로 쓸 것

➜ ______________________________

Teacher's guide

STEP ❶
우선 주어와 동사를 써보세요. 동사는 과거형으로 써야 해요.

STEP ❷
finish는 목적어로 동명사를 취하므로 목적어인 do my homework에서 do를 동명사로 바꿔줘야 해요. do에 -ing를 붙이면 됩니다.

정답 » I finished doing my homework.

실전 연습 1

다음 우리말을 〈조건〉에 맞게 영작하시오. Point 33

너는 운동하는 것을 포기했니?

조건
• give up, exercise를 사용할 것
• 총 5단어로 쓸 것

➜ ______________________________

서술형 예제 2

다음 대화를 읽고, 밑줄 친 우리말을 〈조건〉에 맞게 영작하시오. Point 34

A: 문을 닫는 것을 기억해.
B: OK, I will.

조건
• remember, close the door를 사용할 것
• 총 5단어로 쓸 것

A: ______________________________
B: OK, I will.

Teacher's guide

STEP ❶
'기억해'를 영어로 써보세요. 명령문이므로 동사원형으로 시작해요.

STEP ❷
'(앞으로) ~할 것을 기억하다'이므로 remember 뒤에 to 부정사를 써야 해요.

정답 » Remember to close the door.

실전 연습 2

다음 대화를 읽고, 밑줄 친 우리말을 〈조건〉에 맞게 영작하시오. Point 34

A: 나는 너에게 이메일 보내는 것을 잊었어.
B: Please send it tonight.

조건
• forget, send you an email을 사용할 것
• 총 7단어로 쓸 것

A: ______________________________
B: Please send it tonight.

CHAPTER 07 to부정사와 동명사

내신 대비 실전 TEST

▸ Answer p.22

객관식 (01~10)

[01~03] 다음 빈칸에 들어갈 말로 알맞은 것을 고르시오.

Point 31

01 Give me a piece of paper ________ on.

① write ② wrote ③ writing
④ written ⑤ to write

Point 33

02 I finished ________ the dishes.

① do ② did ③ doing
④ done ⑤ to do

Point 34

03 I will remember ________ my passport tomorrow.

① bring ② brought ③ bringing
④ to bring ⑤ to bringing

대표 Point 29, 30, 32

04 다음 밑줄 친 부분의 쓰임이 나머지 넷과 다른 것은?

① My plan is to study English.
② I like to listen to classical music.
③ She was surprised to see the present.
④ To drink lots of water is good for your health.
⑤ The band started to play their instruments.

Point 29, 30, 33

05 다음 빈칸에 알맞은 말이 순서대로 짝지어진 것은?

- ________ is fun to ride a roller coaster.
- We decided ________ fishing this weekend.
- Do you mind ________ for a while?

① It – going – to wait
② This – going – to wait
③ It – to go – to wait
④ This – to go – waiting
⑤ It – to go – waiting

[06~07] 다음 빈칸에 들어갈 말로 알맞지 않은 것을 고르시오.

Point 30, 33

06 Mike ________ to travel to Spain.

① wanted ② enjoyed ③ planned
④ hoped ⑤ prepared

Point 30, 33

07 Sora ________ learning French.

① chose ② kept ③ enjoyed
④ continued ⑤ gave up

Point 33, 34

08 다음 어법상 옳은 문장의 개수는?

ⓐ The airplane began to take off.
ⓑ Are you good at to play badminton?
ⓒ It stopped raining in the morning.
ⓓ Don't forget calling me tomorrow.
ⓔ I try to be hopeful for the future.

① 1개 ② 2개 ③ 3개 ④ 4개 ⑤ 5개

Point 31

09 다음 밑줄 친 부분과 쓰임이 같은 것은?

I bought a magazine to read.

① She went to the mall to buy jeans.
② Suho has many friends to play with.
③ They wanted to stay in the fancy hotel.
④ I was so happy to meet my favorite singer.
⑤ My hope is to buy a house for my parents.

Point 31

10 다음을 우리말을 영어로 바르게 옮긴 것은?

나는 달콤한 먹을 무언가를 원한다.

① I want sweet something eat.
② I want something sweet eat.
③ I want something sweet eating.
④ I want something sweet to eat.
⑤ I want sweet something to eat.

서술형 기본 (11~19)

[11~12] 다음 밑줄 친 부분을 동명사로 바꿔 쓰시오.

Point 33

11 To get up early is difficult for me.

→ ________________ early is difficult for me.

Point 33

12 My hobby is to draw cartoon characters.

→ My hobby is __________ cartoon characters.

대표 Point 29, 30

13 다음 대화의 빈칸에 공통으로 알맞은 말을 쓰시오.

A: What do you want __________ be in the future?
B: My dream is __________ be a teacher.

→ ________________

[14~15] 다음 문장에서 어법상 틀린 곳을 찾아 고쳐 쓰시오.

Point 31

14 They needed a place resting.

________________ → ________________

Point 33

15 I didn't finish to solve the math problems.

________________ → ________________

[16~17] 다음 우리말과 일치하도록 괄호 안의 말을 이용하여 빈칸에 알맞은 말을 쓰시오.

Point 34

16 나는 언니의 재킷을 입어봤다. 그것은 나에게 너무 컸다.

→ I __________ my sister's jacket. (try, wear)
It was too big for me

Point 32

17 기차가 움직이기 시작했다. 우리는 기차를 놓치지 않으려고 뛰었다.

→ The train started moving.
We ran __________ the train. (miss)

고난도 Point 31

18 다음 우리말과 일치하도록 괄호 안의 말을 바르게 배열하시오.

모든 사람은 사랑할 누군가가 필요하다.
→ ________________________________
(to, somebody, needs, love, everyone)

Point 34

19 다음 우리말을 영작할 때, 어법상 틀린 곳을 찾아 바르게 고쳐 쓰시오.

나는 전화를 걸기 위해 먹는 것을 멈췄다.
→ I stopped to eat to make a phone call.

________________ → ________________

서술형 심화 (20~24)

Point 29, 33

20 다음 주어진 문장을 지시에 맞게 바꿔 쓰시오.

To do your best is important.

(1) It을 주어로 하여: ______________________

(2) 동명사를 이용하여: ______________________

Point 30, 33

21 다음 우리말을 〈조건〉에 맞게 영작하시오.

(1) 나는 이번 주말에 등산을 갈 계획이다.

조건
- plan, go hiking, this weekend를 이용할 것
- 총 7단어로 쓸 것

→ ______________________

(2) 너는 매일 수영하는 것을 연습하니?

조건
- practice, swim을 이용할 것
- 총 6단어로 쓸 것

→ ______________________

대표 Point 29, 33

22 다음은 가족이 할 일을 나타낸 목록이다. 목록을 참고하여 글을 완성하시오.

Dad	clean the living room
Mom	do the laundry
Me	do the dishes
My brother	water the plants

Today is a cleaning day. Everyone in my family has work to do. My dad will clean the living room. My mom's job is (1) ______ ______________. It's my job (2) ______ ______________. My brother has to water the plants.

Point 30

23 다음 대화의 밑줄 친 우리말과 일치하도록 괄호 안의 말을 사용하여 영작하시오.

A: Do you have special plans for this holiday?
B: Yes. 가족들과 제주도에 가기로 결정했어.
(decide, go Jeju Island, my family)
A: Sounds great. What will you do there?
B: I'll ride a horse. I enjoy riding.

→ ______________________

Point 32

24 다음은 Mina가 주말 동안 간 장소와 목적을 나타낸 표이다. 〈보기〉와 같이 괄호 안에 있는 장소에 간 목적을 문장으로 쓰시오.

Place (장소)	Purpose (목적)
library	borrow some books
mall	buy a T-shirt
movie theater	watch a movie
gym	do some exercise

보기
Mina went to the library to borrow some books. (library)

(1) ______________________ (mall)

(2) ______________________ (movie theater)

(3) ______________________ (gym)

CHAPTER 08

형용사와 부사

Get Ready

형용사	명사 수식	**I bought white sneakers.**	나는 하얀 운동화를 샀다.
	보어 역할	**The movie was exciting.**	그 영화는 흥미진진했다.
	수량 형용사	**I made a few friends at the camp.**	나는 캠프에서 몇몇 친구들을 사귀었다.
	동사 수식	**He finished the work easily.**	그는 그 일을 쉽게 끝냈다.
	빈도 부사	**I always carry my smartphone.**	나는 항상 내 스마트폰을 가지고 다닌다.

형용사와 부사 모두 다른 품사를 꾸민다는 공통점을 가지고 있지만 각각 다음과 같은 특징이 있어요.

1. **형용사**는 명사나 대명사를 꾸미거나 보어로 쓰여서 주어나 목적어의 뜻을 보충해줘요. 명사의 수량을 나타내는 형용사도 있으니 잘 구분해서 알아두어야 해요.
2. **부사**는 동사, 형용사, 다른 부사, 또는 문장 전체를 꾸며줘요. 일의 빈도수를 나타내는 부사를 빈도부사라고 불러요.

Point
35 형용사의 쓰임과 형태

❶ 형용사는 명사나 대명사를 앞, 혹은 뒤에서 꾸며준다.

「형용사+(대)명사」: ~한 …

He is a **smart boy.** 그는 영리한 소년이다. 》 형용사가 명사를 수식할 때에는 '~한'이라는 뜻을 가져요.

I'm looking for **something fun.** 나는 뭔가 재미있는 것을 찾고 있다. 》 -thing, -body, -one으로 끝나는 대명사는 형용사가 뒤에 와요.

❷ 형용사는 보어로 쓰여 주어나 목적어를 보충 설명한다.

형용사: ~하다(주격 보어), ~하게(목적격 보어)

The flowers are **beautiful.** 꽃들이 아름답다. 》 형용사가 be동사, 상태변화동사(become, grow, turn 등), 감각동사(look, sound, taste, smell 등) 뒤에 올 때는 주격 보어로 쓰여요.

You make me **happy.** 너는 나를 행복하게 만든다. 》 형용사가 목적격 보어로 쓰일 때는 '~하게'로 해석해요.

명사나 동사 뒤에 형용사형 접미사가 붙으면 형용사가 돼요. 형용사형 접미사에는 다음과 같은 것들이 있어요.

명사+-y	health (건강) → healthy (건강한), dirt (먼지) → dirty (더러운)
명사+-ful	care (주의) → careful (주의 깊은), use (사용) → useful (유용한)
명사+-ous	danger (위험) → dangerous (위험한), fame (명성) → famous (유명한)
명사+-less	use (사용) → useless (쓸모없는), care (주의) → careless (부주의한)
명사/동사+-able	fashion (패션) → fashionable (패션 감각 있는), change (변화) → changeable (변덕스러운)

문법 확인 Ⓐ 문장 해석하기

▸ Answer p.24

1 Sumi has a **cute** dog. → 수미는 ______ 강아지를 키운다.

2 Do you want something **interesting**? → 너는 ______ 뭔가를 원하니?

3 Coffee can make your teeth **brown.** → 커피는 네 치아를 ______ 만들 수 있다.

4 Your room is so **messy.** → 네 방은 매우 ______.
★messy 엉망인, 지저분한

5 The weather is **changeable** at this time of year. → 매년 이맘때쯤에는 날씨가 ______.

6 I found the test questions **easy.** → 나는 시험 문제가 ______ 생각했다.

7 Our basketball team needs somebody **tall.** → 우리 농구팀은 ______ 누군가가 필요하다.

수량 형용사

❶ 셀 수 있는 명사를 꾸미는 수량 형용사에는 many, a few, few 등이 있다.

many	많은	There are **many** tall buildings in Seoul. 서울에는 많은 높은 건물들이 있다.
a few	약간 있는 (긍정적)	She was in the hospital for **a few** weeks. 그녀는 몇 주간 병원에 있었다.
few	거의 없는 (부정적)	He has very **few** clothes. 그에게는 옷이 거의 없다.

❷ 셀 수 없는 명사를 꾸미는 수량 형용사에는 much, a little, little 등이 있다.

much	많은	I have so **much** work to do. 나는 할 일이 정말 많다.
a little	약간 있는 (긍정적)	My mom put **a little** salt in the stew. 엄마는 스튜에 소금을 약간 넣으셨다.
little	거의 없는 (부정적)	There is **little** water in the well. 우물 안에는 물이 거의 없다.

※ a lot of, lots of, plenty of는 '많은'이라는 뜻으로 셀 수 있는 명사와 셀 수 없는 명사를 모두 꾸밀 수 있어요.

some과 any도 셀 수 있는 명사와 셀 수 없는 명사 앞에 모두 쓰이지만 의미와 쓰임이 달라요.

some	약간의, 몇몇의	주로 긍정문과 권유문에 쓰임. (의문문에 쓰일 경우는 권유의 의미)	**Some** children are playing in the playground. 몇몇 아이들이 운동장에서 놀고 있다.
any	어느, 어떤	주로 부정문과 의문문에 쓰임 (긍정문에 쓰이면 '어떤 ~라도'의 의미)	I don't have **any** questions. 나는 질문이 없다.

문법 확인 Ⓑ 문장 해석하기

▸ Answer p.24

1 Mike has **many** SNS friends. → Mike는 ______ SNS 친구들이 있다.
★SNS(Social Networking Service) 소셜 네트워크 서비스

2 This cake has too **much** sugar in it. → 이 케이크에는 설탕이 너무 ______ 있다.

3 Will you have **some** snacks? → ______ 간식을 먹을래?

4 I don't have **any** brothers or sisters. → 나에게는 ______ 형제나 자매도 없다.

5 There are **few** coins in the piggy bank. → 그 돼지 저금통에는 동전이 ______.
★piggy bank 돼지 저금통

6 I just need **a little** time and money. → 나는 단지 ______ 시간과 돈이 필요하다.

7 You still have **plenty of** chances in life. → 너에게는 아직 인생에서 ______ 기회가 있다.

8 There was **little** information on the website. → 그 웹사이트에는 정보가 ______.

▸ Answer p.24

문법 기본 Ⓐ 빈칸에 들어갈 말에 V 표시하기

1	He was a ________ singer.	□ fame	□ famous	□ famously
2	A broken computer is ________.	□ use	□ useful	□ useless
3	I bought ________ eggs at the supermarket.	□ some	□ any	□ a little
4	We have ________ time left. Let's hurry.	□ much	□ little	□ few
5	The smell of fresh bread made me ________.	□ hunger	□ hungry	□ hungrily
6	Andy has ________ nicknames.	□ plenty	□ lot of	□ a lot of
7	I'm thirsty. Please get me ________ cold to drink.	□ water	□ something	□ someone
8	My teacher found ________ errors in my report.	□ little	□ a little	□ a few

문법 기본 Ⓑ 알맞은 형용사 고르기

1 나의 삼촌은 굉장히 활동적인 사람이다. → My uncle is a very energy / energetic person.

2 밖에 이상한 누군가가 있다. → There is somebody strange / strange somebody outside.

3 수진이는 스페인어로 몇 마디 할 수 있다. → Sujin can speak few / a few words in Spanish.

4 몇몇 기자들이 그 배우를 기다리고 있었다. → Any / Some reporters were waiting for the actor.

5 인터뷰는 사람을 긴장되게 만든다. → Interviews make one nervous / nervously .

6 이 피자에는 치즈가 거의 없다. → There is few / little cheese on this pizza.

7 요새 우리는 편의점을 많이 볼 수 있다. → These days, we can see lot of / lots of convenience stores.

8 이쪽이 아프신가요? → Do you feel some / any pain here?

▸ Answer p.24

문법 쓰기 Ⓐ 문장의 어순 배열하기

Example 우리는 커다란 눈사람을 만들었다. (snowman / big)
→ We made a *big* *snowman* .

1 나는 먹을만한 달콤한 무언가를 살 것이다. (sweet / to / eat / something)

→ I will buy ______ .

2 그 호수에는 물고기가 거의 없었다. (were / few / there / fish)

→ ______ in the lake.

3 과일 좀 드시겠습니까? (have / fruits / some)

→ Would you like to ______ ?

4 많은 사람이 그 쇼를 보고 있었다. (a / of / people / lot)

→ ______ were watching the show.

문법 쓰기 Ⓑ 틀린 부분 고치기

Example My room is too dirt. *dirt* → *dirty*
내 방은 너무 더럽다.

1 Riding a motorcycle is exciting but danger. ______ → ______
오토바이를 타는 것은 신나지만 위험하다.

2 I don't have some worries now. ______ → ______
나에게는 지금 아무 걱정거리도 없다.

3 There is a little gasoline in the car. ______ → ______
차에 휘발유가 거의 없다.

4 I want to be special someone to you. ______ → ______
나는 너에게 특별한 사람이 되고 싶다.

5 The new student has little friends yet. ______ → ______
그 새로운 학생은 아직 친구가 거의 없다.

6 Let's keep the classroom tidily. ______ → ______
교실을 청결하게 유지하자.

▸ Answer p.24

문법 쓰기 Ⓒ 주어진 단어를 활용하여 문장 완성하기

Example 나는 커다란 바퀴벌레를 봤다 (see, big, cockroach)
→ *I saw a big cockroach.*

1 일찍 일어나는 새가 벌레를 잡는다. (early)

→ catches the worm.

2 엄마는 내 머리 아래에 부드러운 뭔가를 놓아주셨다. (soft)

→ Mom put under my head.

3 나는 쇼핑몰에서 셔츠 몇 벌을 살 것이다. (shirt)

→ I will buy at the mall.

4 주전자에 약간의 물이 있다. (water)

→ There is in the pot.

5 나는 그가 유머가 있다고 생각한다. (find, him, humorous)

→

6 친절한 누군가가 우리를 도와줄 것이다. (kind, will help)

→

7 우리에게는 어떤 선택의 여지가 없다. (have, choice)

→

8 내 지갑에는 돈이 거의 없다. (there, money, wallet)

→

▸ Answer p.25

서술형 예제 1

다음 우리말을 〈조건〉에 맞게 영작하시오. Point 35

그는 유명한 배우이다.

조건	• fame, actor를 사용할 것 • 필요하면 단어의 형태를 변형할 것

→ ______________________

Teacher's guide

STEP ❶
먼저 주어, 동사를 써요. '그는 ~이다'이므로 be동사를 이용해서 써요.

STEP ❷
보어 역할을 하는 '유명한 배우'를 영어로 써요. '유명한'이 배우를 꾸며주는 형용사이므로 조건에 제시된 fame(명성)을 형용사 형태로 바꿔줘야 해요.

정답 >> He is a famous actor.

실전 연습 1

다음 우리말을 〈조건〉에 맞게 영작하시오. Point 35

그것은 유용한 앱이다.

조건	• use, app을 사용할 것 • 필요하면 단어의 형태를 변형할 것

→ ______________________

서술형 예제 2

다음 우리말과 일치하도록 제시된 단어 수에 맞게 대화를 완성하시오. Point 36

A: 유리병 안에는 무엇이 있니?
B: 약간의 설탕이 있어.

A : What's in the jar?

B : ______________________ (4단어)

Teacher's guide

STEP ❶
'~이 있다'를 영어로 써요. 앞서 배운 「There is[are] ~.」를 쓰면 돼요. 주어가 설탕으로 셀 수 없는 명사이므로 동사는 is를 써요.

STEP ❷
'약간의'는 수량 형용사 some이나 셀 수 없는 명사의 경우 a little을 써서 표현할 수 있어요. 4단어로 써야하니, some을 써야 해요. some은 셀 수 있는 명사와 셀 수 없는 명사를 모두 꾸밀 수 있다는 것, 잊지 않으셨죠?

정답 >> There is some sugar.

실전 연습 2

다음 우리말과 일치하도록 제시된 단어 수에 맞게 대화를 완성하시오. Point 36

A: 바구니 안에는 무엇이 있니?
B: 약간의 오렌지가 있어.

A : What's in the basket?

B : ______________________ (4단어)

Point

37 부사의 쓰임과 형태

❶ 부사는 동사, 형용사, 다른 부사, 문장 전체를 꾸민다.

부사: ~하게, ~하게도

The baby slept **soundly**. 아기는 곤히 잤다.
Luckily, nobody was hurt. 다행히도, 아무도 다치지 않았다.

>> 부사는 형용사나 다른 부사를 앞에서 수식하고, 동사는 뒤에서 수식해요.
>> 부사가 문장 전체를 수식할 때에는 문장의 제일 앞에 와요.

❷ 부사는 주로 형용사에 -ly를 붙여서 만든다.

대부분의 경우	형용사+-ly	usual → usually, beautiful → beautifully
-y로 끝나는 형용사	y를 i로 고치고+-ly	happy → happily, easy → easily, merry → merrily

※ 「명사+-ly」 형태는 형용사에요. 이를 부사로 혼동하지 않도록 주의하세요!
love(사랑) → lovely(사랑스러운), friend(친구) → friendly(친절한), curl(곱슬털) → curly(곱슬곱슬한)

형용사와 부사의 형태가 같은 경우가 있는가 하면, 형용사에 -ly를 붙였을 때 뜻이 달라지는 경우도 있어요.

형용사와 형태가 같은 부사	fast(형 빠른 – 부 빠르게), high(형 높은 – 부 높게), early(형 이른 – 부 일찍), late(형 늦은 – 부 늦게), hard (형 어려운, 딱딱한, 열심인 – 부 열심히, 세게), near(형 가까운 – 부 가까이)
형용사에 -ly를 붙일 때 뜻이 달라지는 부사	high(형 높은) → highly(부 매우), hard(형 어려운, 딱딱한, 열심인) → hardly(부 거의 ~않다), late(형 늦은) → lately(부 최근에), near(형 가까운) → nearly(부 거의)

문법 확인 Ⓐ 문장 해석하기

▸ Answer p.25

1 I don't get up **early** on weekends. → 나는 주말에는 ______ 일어나지 않는다.

2 The new car was **perfectly** clean and shiny. → 새 차는 ______ 깨끗하고 반짝였다.

3 I **hardly** ever catch a cold. → 나는 감기에 ______ 걸리지 않는다.
★catch a cold 감기에 걸리다

4 You look very tired **lately**. → 너는 ______ 피곤해 보인다.

5 I **highly** recommend the new movie. → 나는 그 새 영화를 ______ 추천한다.

6 A few birds are flying **high** in the sky. → 몇 마리의 새들이 하늘 ______ 날고 있다.

7 Look at the **lovely** girl. She's **so** cute! → 저 ______ 소녀 좀 봐. 정말 귀엽다!

8 **Fortunately**, we found missing dog. → ______, 우리는 실종된 개를 찾았다.

Point
38 빈도부사

❶ 빈도부사는 어떤 일이 얼마나 자주 일어나는지를 표현한다.

빈도 (0%) ◀───────────────▶ 100(%)

never	seldom, rarely	sometimes	often	usually	always
절대 ~ 않다	거의 ~ 않다	가끔	종종, 자주	보통, 대개	항상

❷ 빈도부사는 조동사나 be동사 뒤, 일반동사 앞에 쓴다.

「주어+be동사[조동사]+빈도부사+~」 / 「주어+빈도부사+일반동사」

She **is usually** at home after school. 그녀는 방과 후에 보통 집에 있다.
I **will never** forget that day. 나는 그날을 결코 잊지 못할 것이다.
Andy **often sends** text messages to Bonnie. Andy는 Bonnie에게 종종 문자 메시지를 보낸다.

Q 빈도부사는 반드시 정해진 위치에만 쓰나요?
A 보통은 주어와 동사 사이에 쓰지만, **sometimes**의 경우 문장 앞에 쓰는 경우도 많아요.
He sometimes walks to work. = Sometimes, he walks to work. 가끔 그는 걸어서 출근한다.

문법 확인 B 문장 해석하기

▸ Answer p.25

1 It is **always** hot in July. → 7월에는 ________ 덥다.

2 My mom **seldom** drinks coffee at night. → 엄마는 밤에 커피를 ________ 마시지 않는다.

3 **Sometimes**, I feel sad without any reason. → ________, 나는 이유 없이 슬프다.

4 Sujin is **never** late for an appointment. → 수진이는 ________ 약속에 늦지 않는다.

5 The old man **rarely** has visitors. → 그 노인에게는 방문객이 ________ 오지 않는다.

6 The bus **sometimes** comes late. → 그 버스는 ________ 늦게 온다.

7 He **often** watches TV until late at night. → 그는 ________ 밤늦게까지 TV를 본다.

8 They **usually** have dinner together on weekends. → 그들은 ________ 주말에는 저녁 식사를 함께 한다.

문법 기본 Ⓐ 빈칸에 들어갈 말에 V 표시하기

▸ Answer p.25

1 The singer sang her hit songs ________. □ beautiful □ beautifully

2 I got up ________ because the alarm clock didn't ring. □ late □ lately

3 Sora ________ skips breakfast a weekdays. □ usual □ usually

4 My math teacher is kind and ________. □ friend □ friendly

5 They ________ have a barbecue party in their backyard. □ sometime □ sometimes

6 You should talk ________ on the subway. □ quiet □ quietly

7 ________, I felt dizzy. □ Sudden □ Suddenly

8 My parents work ________ for my family. □ hard □ hardly

문법 기본 Ⓑ 알맞은 말 고르기

1 그는 조심스럽게 어항을 옮겼다. → He moved the fish-bowl careful / carefully .

2 나는 어젯밤에 잠을 거의 자지 못했다. → I could hard / hardly sleep last night.

3 미나는 자주 여동생과 싸운다. → Mina often / never fights with her younger sister.

4 슬프게도, 나의 할아버지는 지난 달에 돌아가셨다. → Sad / Sadly , my grandfather passed away last month.

★pass away 돌아 가시다

5 그 소년은 토끼처럼 높이 점프했다. → The boy jumped high / highly like a rabbit.

6 교장 선생님은 좀처럼 웃지 않으신다. → The principal rare / rarely smiles.

7 나는 보통 아침에 우유 한 잔을 마신다. → I always / usually drink a glass of milk in the morning.

8 부자가 반드시 행복한 것은 아니다. → The rich are not necessary / necessarily happy.

▸ Answer p.25

문법 쓰기 Ⓐ 문장의 어순 배열하기

Example 그는 매우 빨리 달린다. (very / runs / fast)
→ He *runs* *very* *fast* .

1 그 음악 소리는 정말 컸다. (really / was / loud)

→ The music ________________ .

2 아빠는 가끔 나를 학교까지 태워주신다. (drives / sometimes / me)

→ My dad ________________ to school.

3 나는 항상 그를 그리워할 것이다. (miss / always / him)

→ I will ________________ .

4 다행히도, 모든 일이 잘되었다. (went / everything / fortunately)

→ ________ , ________________ well.

문법 쓰기 Ⓑ 틀린 부분 고치기

Example He is always on time. *always* → *never*
그는 절대 제시간에 오지 않는다.

1 He hit his head hardly on the ground. ________ → ________
그는 땅에 머리를 세게 부딪쳤다.

2 The answer was simple quite. ________ → ________
답은 꽤 단순했다.

3 We heard some surprisingly news from her. ________ → ________
우리는 그녀에게서 놀라운 소식을 들었다.

4 He cooks often for himself. ________ → ________
그는 종종 스스로를 위해 요리한다.

5 She speaks slowly and soft. ________ → ________
그녀는 천천히 그리고 조용히 말한다.

6 I am always tired late. ________ → ________
나는 최근에 항상 피곤하다.

문법 쓰기 Ⓒ 주어진 단어를 활용하여 문장 완성하기

▸ Answer p.25

Example 아이들은 즐겁게 웃었다. (children, laugh, merrily)
→ *The children laughed merrily.*

1 Kevin은 아주 빠르게 수영을 할 수 있다. (swim, fast)

→ Kevin can .

2 그 아나운서는 크고 분명하게 말했다. (loudly, clearly)

→ The announcer spoke .

3 아버지께서는 어젯밤에 집에 늦게 들어오셨다. (come home, last night)

→ My father .

4 사고는 항상 갑자기 일어난다. (accidents, happen)

→ suddenly.

5 나는 자주 혼자 영화를 보러 간다. (go to the movies, alone)

→

6 그는 절대 내 충고를 따르지 않을 것이다. (follow, my advice)

→

7 너는 최근에 체중이 늘었니? (gain, some weight, recently)

→

★gain weight 체중이 늘다

8 분명히, 너는 그것을 믿지 않을 것이다. (surely, won't believe)

→

▸ Answer p.25

서술형 예제 1

다음 우리말을 〈조건〉에 맞게 영작하시오. Point 37

그 개는 꼬리를 살랑살랑 흔들었다.

조건	• wag, its tail, gentle을 이용할 것 • 필요하면 주어진 단어의 형태를 바꿀 것

→ ______________________________

Teacher's guide

STEP ❶

주어와 동사, 목적어를 차례로 써요. 각각 the dog, wagged, its tail이에요.

STEP ❷

이제 부사인 '살랑살랑'을 써야 해요. 주어진 단어는 gentle로 형용사이므로 여기에 -ly를 붙여 부사로 만들어 줘야 해요. gentle은 끝의 -e를 빼고 -ly를 붙여야 해요.

정답 » The dog wagged its tail gently.

실전 연습 1

다음 우리말을 〈조건〉에 맞게 영작하시오. Point 37

사람들은 빠르게 버스에 탔다.

조건	• people, get on the bus, quick을 이용할 것 • 필요하면 주어진 단어의 형태를 바꿀 것

→ ______________________________

서술형 예제 2

다음 우리말과 일치하도록 제시된 단어 수에 맞게 대화를 완성하시오. Point 38

A: 너는 학교에 어떻게 가니?
B: 나는 보통 걸어서 학교에 가.

A : How do you go to school?

B : ______________________________ (5단어)

Teacher's guide

STEP ❶

'학교에 걸어가다'는 I walk to school. 또는 I go to school on foot. 둘 다 가능하지만 제시된 단어 수를 보면 앞의 문장을 써야 해요.

STEP ❷

'보통'에 해당하는 빈도부사 usually를 써요. 빈도부사의 위치는 일반동사 앞이었던 거 잊지 않았죠?

정답 » I usually walk to school.

실전 연습 2

다음 우리말과 일치하도록 제시된 단어 수에 맞게 대화를 완성하시오. Point 38

A: 너는 아침 식사로 무엇을 먹니?
B: 나는 보통 아침 식사로 밥을 먹어.

A : What do you eat for breakfast?

B : ______________________________ (4단어)

CHAPTER 08 형용사와 부사

내신 대비 실전 TEST

▸ Answer p.25

객관식 (01~10)

Point 35

01 다음 중 명사에서 파생된 형용사의 의미 연결이 바르지 않은 것은?

① help – helpless (무기력한)
② break – breakable (깨지기 쉬운)
③ rain – rainy (비가 오는)
④ use – useful (쓸모없는)
⑤ fame – famous (유명한)

대표 Point 37

02 다음 짝지어진 단어의 관계가 나머지 넷과 다른 것은?

① easy – easily ② love – lovely
③ sure – surely ④ heavy – heavily
⑤ beautiful – beautifully

Point 38

03 다음 중 always가 들어갈 위치로 가장 알맞은 것은?

You ① should ② be ③ careful ④ with ⑤ fire.

① ② ③ ④ ⑤

[04~05] 다음 중 밑줄 친 부분의 쓰임이 바르지 않은 것을 고르시오.

Point 36

04 ① A few children are crossing the street.
② I have little experience in this area.
③ There are plenty of things to enjoy.
④ Can you put a little honey in my tea?
⑤ The businessman spends few time with his family.

고난도 Point 37

05 ① It hardly rains in the desert.
② Minho flew his kite high in the sky.
③ Unluckily, my father's car had a flat tire.
④ You shouldn't turn up the music lately at night.
⑤ Everyone found the treasures easily in the treasure hunt.

Point 35

06 다음 우리말을 영어로 바르게 옮긴 것은?

저는 입을만한 따뜻한 무언가를 찾고 있어요.

① I'm looking for warm something wear.
② I'm looking for warm something to wear.
③ I'm looking for something warm wear.
④ I'm looking for something warm to wear.
⑤ I'm looking for something to wear warm.

[07~08] 다음 빈칸에 들어갈 말이 나머지 넷과 다른 것을 고르시오.

Point 36

07 ① Do you need ________ help?
② I don't have ________ problems.
③ Will you have ________ more cake?
④ Is there ________ information about it?
⑤ There isn't ________ ice in the refrigerator.

Point 36

08 ① I got ________ gifts on my birthday.
② My mom knows ________ old songs.
③ We have ________ time before the movie.
④ People are using too ________ paper cups.
⑤ There are ________ books in my school library.

Point 37

09 다음 빈칸에 공통으로 들어갈 말로 알맞은 것은?

- He was tired from the ___________ work.
- They practiced soccer ___________ before the final match.

① hard ② harder ③ hardly
④ harden ⑤ hardship

Point 35

10 다음 밑줄 친 형용사의 쓰임이 나머지 넷과 다른 것은?

① Mike is a funny boy.
② The tall man is my uncle.
③ You look great in that dress.
④ I washed my dirty sneakers.
⑤ Look at the beautiful sky.

서술형 기본 (11~20)

[11~13] 다음 문장의 밑줄 친 부분을 어법상 바르게 고쳐 쓰시오.

Point 35

11 The movie made me sadly.
→ The movie made me ___________.

Point 35

12 Let's eat delicious something.
→ Let's eat ___________.

Point 37

13 I high recommend this book.
→ I ___________ recommend this book.

대표 Point 37

14 다음 대화의 빈칸에 공통으로 알맞은 말을 쓰시오.

A: Why were you ___________ for school today? (너는 오늘 학교에 왜 늦었니?)
B: I got up too ___________.
(너무 늦게 일어났어.)

→ ___________

고난도

[15~16] 다음 문장에서 어법상 틀린 곳을 찾아 바르게 고쳐 쓰시오.

Point 36

15 A few knowledge is dangerous.

___________ → ___________

Point 37

16 I write in a diary near every day.

___________ → ___________

[17~18] 다음 두 문장의 의미가 같도록 빈칸에 알맞은 말을 쓰시오.

Point 38

17 The store is open all the time.
= The store is ___________ open.

Point 38

18 Cathy doesn't drink soft drinks at all.
= Cathy ___________ drinks soft drinks.

[19~20] 다음 대화의 흐름에 맞도록 괄호 안의 말을 바르게 배열하시오.

Point 38

19 A: What do you do on weekends?
B: ___________
(play, I, often, soccer)

Point 37

20 A: How did you like the musical?
B: I loved it. ___________
(sang, the actors, beautifully)

서술형 심화 (21~26)

Point 37

21 다음 주어진 문장을 지시에 맞게 바꿔 쓰시오.

Andy is a fast runner.

→ run을 동사로: ______________________

Point 36

22 다음 우리말을 〈조건〉에 맞게 영작하시오.

(1) 나는 취미가 몇 개 있다.

조건 a few, hobbies를 이용할 것

→ ______________________

(2) 병 속에 주스가 약간 있다.

조건 there, a little, bottle을 이용할 것

→ ______________________

대표 Point 35, 38

23 다음 ①~⑤ 중 틀린 부분을 두 군데 골라 바르게 고쳐 쓰시오.

My best friend Minji's birthday is next Friday. She is so ① kind and ② pretty. She ③ listens always to me ④ carefully. I want to give ⑤ special something to her. So, I will make a birthday cake for her. I will decorate it with her favorite fruit, strawberries.

( ) ______________

( ) ______________

고난도 Point 36

24 다음은 요리 재료를 적은 메모이다. 메모를 보고 〈조건〉에 맞게 〈보기〉와 같이 문장을 쓰시오.

Ingredients for French Toast

• bread: 약간 • eggs: 많이 • sugar: 조금

조건 many, some, a little을 이용할 것

보기
I need some bread

(1) ______________________

(2) ______________________

Point 35

25 다음은 친구들과 특징을 나타낸 표이다. 표를 참고하여 〈보기〉와 같은 형식으로 문장을 완성하시오.

Alice	cute
Paul	smart
Yuna	brave

보기
Alice is a cute girl.

(1) Paul ______________________.

(2) Yuna ______________________.

Point 38

26 다음은 지호가 평소에 하는 일과 빈도를 나타낸 표이다. 〈보기〉와 같이 표의 내용을 빈도부사를 사용하여 번호에 맞게 문장으로 쓰시오.

take a shower	매일
(1) jog in the morning	주 3-4회
(2) walk to school	주 5-6회
(3) wash the dishes	주 1-2회

보기
Jiho always takes a shower.

(1) ______________________

(2) ______________________

(3) ______________________

CHAPTER 09

비교 구문

Get Ready

원급 비교	**John is as tall as Andy.**	John은 Andy만큼 키가 크다.
비교급 비교	**John is taller than Sam.**	John은 Sam보다 키가 더 크다.
최상급 비교	**John is the tallest of his friends.**	John은 그의 친구들 중에서 가장 키가 크다.

형용사와 부사는 정도를 비교하는 표현을 할 수 있어요. 비교 표현에는 두 대상의 정도가 같거나 비슷함을 나타내는 **원급(동등) 비교**, 둘 중 어느 한 쪽이 더 정도가 강함을 나타내는 **비교급**, 셋 이상 중 어느 하나가 정도가 가장 강함을 나타내는 **최상급 비교**가 있어요.

Point

39 원급 비교

❶ 원급 비교는 정도가 같은 두 대상을 비교할 때 쓴다.

「as+형용사[부사]+as+비교대상」: ~만큼 …한[하게]

Sujin is **as pretty as** her sister. 수진이는 그녀의 자매만큼 예쁘다. » 형용사가 쓰일 때에는 '~만큼 …한'이라고 해석해요.

He can run **as fast as** a bullet. 그는 총알만큼 빨리 달릴 수 있다. » 부사가 쓰일 때에는 '~만큼 …하게'라고 해석해요.

❷ 원급 비교의 부정으로 두 대상의 차이를 나타낼 수 있다.

「not as[so]+형용사[부사]+as+비교대상」: ~만큼 …하지 않은[않게]

My room is **not as big as** yours. 내 방은 네 방만큼 크지 않다.
(= My room is **not so big as** yours.)
» 원급 비교의 부정문에서는 형용사나 부사 앞의 as 대신에 so를 쓸 수 있어요.

I **can't** speak English **as well as** Kevin. 나는 Kevin만큼 영어를 잘 말하지 못 한다.
(= Kevin speaks English **better than** me,)
» 원급 비교의 부정은 비교급의 의미가 돼요.

+

'가능한 한 ~한[하게]'라는 의미로 사용되는 as ~ as possible이라는 표현도 알아두세요.

I will come home **as** early **as possible.** 나는 가능한 한 집에 일찍 오겠다.
= I will come home **as** early **as I can.**
possible 대신 「주어+can」을 쓸 수도 있어요.

문법 확인 Ⓐ 문장 해석하기

▸ Answer p.27

1 Tom is **as funny as** a comedian. → Tom은 코미디언만큼 ______.

2 My smartphone is **not as new as** yours. → 내 스마트폰은 네 것만큼 ______.

3 These cookies are **as sweet as** chocolate. → 이 쿠키는 초콜릿만큼 ______.

4 The moon is **not so big as** the sun. → 달은 태양만큼 ______.

5 Call me **as soon as possible.** → ______ 나에게 전화해라.

6 Ann plays the violin **as well as** a violinist. → Ann은 바이올리니스트만큼 ______.

7 My business is **as important as** yours. → 내 사업은 너의 사업만큼 ______.

8 The plant was **as dry as** a brick. → 그 식물은 벽돌만큼 ______.

비교급 · 최상급 만들기

❶ 일반적으로 비교급은 -(e)r, 최상급은 -(e)st를 붙인다.

비교급	「형용사[부사]+(e)r+than+비교대상」	~보다 더 …한[하게]	I am **shorter than** my father. 나는 나의 아버지보다 키가 작다.
최상급	「the+형용사[부사]+(e)st+of[in] …」	~중에서 가장 …한[하게]	I am **the shortest in** my family. 나는 내 가족 중에서 가장 키가 작다.

❷ 비교급 · 최상급의 규칙변화

대부분의 경우	+-er / -est	short – short**er** – short**est**
-e로 끝나는 경우	+-r / -st	nice – nice**r** – nice**st**
「단모음+단자음」으로 끝나는 경우	자음을 한 번 더 쓰고+-er / -est	big – big**ger**– big**gest**
「자음+-y」로 끝나는 경우	y를 i로 바꾸고+-er / -est	easy – eas**ier** – eas**iest**
-ful, -ous, -ing, -ive 등으로 끝나는 2음절 단어나 3음절 이상 단어	앞에 more / most	famous – **more** famous – **most** famous

불규칙 변화 : 비교급 · 최상급을 만들 때 불규칙하게 변화하는 것들도 있어요.

good[well] – better – best	many[much] – more – most
bad – worse – worst	little – less – least

문법 확인 Ⓑ 문장 해석하기

▸ Answer p.27

1 A bus is **slower than** a train. → 버스는 기차보다 ______.

2 A watermelon is **bigger than** a melon. → 수박은 멜론보다 ______.

3 Today was **the coldest** day so far this winter. → 오늘은 이번 겨울 중 ______ 날이었다.

4 Honesty is **the best** policy. → 정직은 ______ 정책이다.

5 He is **the most famous** singer in Korea. → 그는 한국에서 ______ 가수이다.

6 Blood is **thicker than** water. → 피는 물보다 ______.

7 Science is **more difficult than** math for me. → 나에게 과학은 수학보다 ______.

8 It was **the worst experience** of my life. → 그것은 내 인생의 ______ 경험이었다.

문법 기본 Ⓐ 형용사/부사의 비교급 최상급 쓰기

▸ Answer p.27

	원급	비교급	최상급		원급	비교급	최상급
1	small			11	busy		
2	hot			12	little		
3	expensive			13	careful		
4	good			14	fat		
5	young			15	dangerous		
6	useful			16	wise		
7	low			17	creative		
8	sad			18	healthy		
9	loud			19	strong		
10	beautiful			20	large		

문법 기본 Ⓑ 알맞은 형태 고르기

1 소라는 가수만큼 노래를 잘한다. → Sora sings as better / well as a singer.

2 Andy는 Mike보다 더 빨리 달린다. → Andy runs fast / faster than Mike.

3 나는 보통 때보다 더 일찍 일어났다. → I got up early / earlier than usual.

4 너의 생각은 내 것만큼 좋다. → Your idea is as good / better as mine.

5 시장은 최악의 연설을 했다. → The mayor made the worst / baddest speech.
★mayor 시장

6 축구는 세계에서 가장 인기 있는 스포츠이다. → Soccer is the more / most popular sport in the world.

7 나의 아버지는 가장 최신형 디지털 카메라를 사셨다. → My father bought the newer / newest digital camera.

▸ Answer p.27

문법 쓰기 Ⓐ 문장의 어순 배열하기

Example 코끼리는 토끼보다 무겁다. (than / a / heavier / rabbit)
→ An elephant is *heavier* *than* *a* *rabbit*.

1 나는 여름보다 겨울을 더 좋아한다. (more / winter / summer / than)

→ I like ______________________.

2 그는 그의 반에서 키가 제일 크다. (tallest / his / in / the / class)

→ He is ______________________.

3 바나나는 딸기만큼 비싸지 않다. (as / so / expensive / strawberries)

→ Bananas are not ______________________.

4 시간은 금처럼 귀하다. (as / gold / as / precious)

→ Time is ______________________.

문법 쓰기 Ⓑ 틀린 부분 고치기

Example The classroom is not as spacious so the hall. *so* → *as*
교실은 강당만큼 넓지 않다.

1 Dogs are the cuter of all animals. ________ → ________
개는 모든 동물들 중에서 가장 귀엽다.

2 I like orange juice mucher than apple juice. ________ → ________
나는 사과주스보다 오렌지주스를 더 좋아한다.

3 Susan is the bright among her friends. ________ → ________
Susan은 그녀의 친구들 중에서 가장 똑똑하다.

4 I am not as good at sports than you. ________ → ________
나는 너만큼 운동을 잘하지 못한다.

5 This is the easyest recipe to make pizza. ________ → ________
이것은 피자를 만드는 가장 쉬운 조리법이다.

6 July is as longer as August. ________ → ________
7월은 8월만큼 길다.

문법 쓰기 C 주어진 단어를 활용하여 문장 완성하기

▸ Answer p.27

Example 그녀는 그녀의 어머니만큼 아름답다. (beautiful, her mother)
→ *She is as beautiful as her mother.*

1 그는 물고기만큼 빠르게 수영을 할 수 있다. (swim, fast, fish)

→ He can ______________________.

2 이 산은 저 산보다 더 높다. (high, that mountain)

→ This mountain is ______________________.

3 월요일은 일주일 중에서 가장 바쁜 날이다. (busy, day)

→ Monday is ______________________ of the week.

4 나는 Chao만큼 중국어를 잘하지 못한다. (Chinese, well)

→ I can't speak ______________________ Chao.

5 민수는 찬호만큼 높이 뛰었다. (Minsu, jump, high, Chanho)

→

6 좀 더 천천히 말해줄래요? (could, speak, slowly)

→

★slow의 비교급은 slower이지만 slowly의 비교급은 more slowly에요.

7 나는 가능한 한 빨리 너에게 답장을 보내겠다. (reply to you, soon, possible)

→

8 나는 다른 사람들보다 일찍 도착했다. (arrive, early, the others)

→

▸ Answer p.28

서술형 예제 1

다음 우리말을 〈조건〉에 맞게 영작하시오. Point 39

이 사과는 꿀만큼 달다.

조건	• apple, sweet, honey를 사용할 것 • 총 7단어로 쓸 것

→ ______________________________

Teacher's guide

STEP ❶
먼저 주어, 동사를 써요. sweet는 형용사이므로 be동사와 함께 써야 해요.

STEP ❷
사과가 달긴 단데 꿀만큼 달다고 했으므로 '…만큼 ~한'의 뜻을 가진 원급 비교 표현 「as ~ as …」를 써요.

정답 » This apple is as sweet as honey.

실전 연습 1

다음 우리말을 〈조건〉에 맞게 영작하시오. Point 39

그녀의 피부는 눈처럼 하얗다.

조건	• skin, white, snow를 사용할 것 • 총 7단어로 쓸 것

→ ______________________________

서술형 예제 2

다음 우리말과 일치하도록 괄호 안의 말을 이용하여 대화를 완성하시오. Point 40

A: 러시아와 중국 중 어디가 더 크니?
B: 러시아가 중국보다 더 크다. (big)

A : Which is larger, Russia or China?

B : ______________________________

Teacher's guide

STEP ❶
비교급 표현을 이용해야 해요. big을 사용하라고 했으니 big의 비교급을 써요. 「단모음+단자음」으로 끝나므로 끝 자음을 한 번 더 쓰고 -er을 붙여요.

STEP ❷
비교대상은 than과 함께 써서 나타내요.

정답 » Russia is bigger than China.

실전 연습 2

다음 우리말과 일치하도록 괄호 안의 말을 이용하여 대화를 완성하시오. Point 40

A: 어느 것이 배우기에 더 어려웠니, 영어니 프랑스어니?
B: 프랑스어가 영어보다 배우기에 더 어려웠어. (difficult)

A : Which was more difficult to learn, English or French?

B : ______________________________

Point
41 비교급 비교

❶ 비교급은 「형용사/부사의 비교급+than+비교대상」으로 쓴다.

「형용사 · 부사의 비교급+than+비교대상」: …보다 더 ~한[하게]

My classroom is **bigger than** my room. 내 교실은 내 방보다 더 크다.
>> 「단모음+단자음」으로 끝나는 경우 끝자음을 한 번 더 쓰고 -er을 붙여요.

I got a **better** grade than before. 나는 전보다 더 나은 성적을 받았다.
>> -er이나 more를 붙이지 않고 불규칙하게 변화하는 경우에 주의해야 해요.

❷ 비교급을 강조할 때 비교급 앞에 much, still, even, far, a lot 등을 쓴다.

「much, still, even, far, a lot+비교급」: 훨씬 더 ~한[하게]

Tony runs **a lot faster** than John. Tony는 John보다 훨씬 더 빨리 달린다.
>> 비교급을 강조할 때 '매우'의 뜻으로 많이 쓰이는 very를 쓰지 않도록 유의하세요.

My father is **much stronger than me.** 내 아버지는 나보다 훨씬 더 힘이 세다.
(My father is much stronger than **I am.**)
>> than 뒤에는 목적격 대명사, 혹은 주격 대명사 둘 다 쓸 수 있어요. 주격 대명사를 쓸 경우 주로 동사와 함께 써요.

Q 비교급의 의미를 원급 비교로 표현할 수 있나요?

A 앞서 본 것처럼 원급 비교의 부정은 비교급과 의미가 같아져요.
My shirt is **not as[so] new as** yours. 내 셔츠는 너의 것만큼 새것이 아니다.
= Your shirt is **newer than** mine. 너의 셔츠가 내 것보다 새것이다.

문법 확인 Ⓐ 문장 해석하기

▸ Answer p.28

1 A taxi arrived **earlier than** a bus. → 택시가 버스보다 ______ 도착했다.

2 My hair is **shorter than** my mother's. → 내 머리카락은 엄마의 것보다 ______.

3 Tomorrow will be **far colder than** today. → 내일은 오늘보다 ______ 것이다.

4 My foreign friend speaks Korean **better than** me. → 내 외국인 친구는 ______ 한국말을 잘한다.

5 A motorcycle is **more dangerous than** a bike. → 오토바이가 자전거보다 ______.

6 The earth is **still smaller than** the sun. → 지구는 태양보다 ______.

7 My little sister has **more** friends **than** I do. → 내 여동생은 나보다 ______ 친구를 가지고 있다.

8 The company hired **more people than** last year. → 그 회사는 작년보다 ______ 을 고용했다.

Point
42 최상급 비교

❶ 최상급은 「the+형용사[부사]의 최상급+of[in]+비교대상」으로 쓴다.

「the+형용사[부사]의 최상급+of[in]+비교대상」: …중에서 가장 ~한[하게]

Mike is **the smartest in** his class. Mike는 그의 반에서 가장 똑똑하다.

>> 일반적으로 비교대상이 복수일 때는 of나 among을 쓰고, 집단이나 장소처럼 단수일 때는 in을 써요.

Sora is **the shortest of** the four. 소라는 넷 중에 가장 키가 작다.

❷ 최상급 표현으로 「one of the+형용사의 최상급+복수 명사」가 있다.

「one of the+형용사의 최상급+복수 명사」: 가장 ~한 … 중 하나

Baseball is **one of the most exciting sports**. 야구는 가장 신나는 운동 중 하나이다.

>> 최상급 뒤에 반드시 복수 명사를 써야 해요.

She is **one of the most popular actresses** in Korea. 그녀는 한국에서 가장 인기 있는 여배우들 중 한 명이다.

Q 최상급 표현에서 **the**를 생략할 수 있나요?

A 네, 그렇습니다. 부사의 최상급 앞에 나오는 **the**는 생략할 수 있어요.
The African player ran (**the**) **fastest** among the athletes.
운동선수들 중에서 아프리카 선수가 가장 빨리 뛰었다.

문법 확인 Ⓑ 문장 해석하기

▸ Answer p.28

1 I want to be **the best** film director **in** Korea. → 나는 한국에서 ______ 되고 싶다.

2 He is **the youngest among** the staff. → 그는 직원들 중에서 ______.
★staff 직원

3 Today was **the hottest day of** this week. → 오늘이 이번 주 중 ______.

4 Health is **the most** important thing **in** life. → 건강은 인생에서 ______.

5 The tower is **the tallest** one **in** Seoul. → 그 탑은 서울에서 ______ 탑이다.

6 I got up **the earliest among** my family members. → 가족들 중 내가 ______ 일어났다.

7 The chimpanzee is **the smartest of** all animals. → 침팬지는 모든 동물들 중에서 ______.

8 Gold is **one of the most precious** metals. → 금은 ______ 금속 중 하나이다.
★precious 귀한

▸ Answer p.28

문법 기본 A 빈칸에 들어갈 말에 V 표시하기

1 Mom gave me ________ pocket money than last month. □ much □ more □ most
★pocket money 용돈

2 My father is ________ older than my mother. □ very □ much □ lot

3 Alaska is the ________ state in America. □ big □ bigger □ biggest

4 Alex is one of the ________ boys in my school. □ tall □ taller □ tallest

5 John is the ________ among my friends. □ funny □ funnier □ funniest

6 A smartphone is even ________ useful than a telephone. □ much □ more □ most

7 Taking the subway would be ________ than taking the bus. □ good □ gooder □ better

8 I have ________ toys than my little brother. □ much □ more □ most

문법 기본 B 알맞은 말 고르기

1 코끼리는 가장 무거운 육지 동물이다. → An elephant is the heavier / heaviest land animal.

2 박 선생님은 나의 학교에서 가장 친절한 선생님 중 한 명이시다. → Mr. Park is one of the nicer / nicest teachers in my school.

3 나는 어제보다 훨씬 더 피곤하다. → I feel a lot / a lot of more tired than yesterday.

4 제주도는 세계에서 가장 아름다운 섬 중 하나이다. → Jejudo is one of the most beautiful island / islands in the world.

5 그녀는 그녀의 엄마만큼 요리를 잘하지 못한다. → She is not as good at cooking as / than her mom.

6 그들은 한국에서 가장 큰 쇼핑몰을 지을 예정이다. → They're going to build the largest shopping mall in / of Korea.

▸ Answer p.28

문법 쓰기 A 문장의 어순 배열하기

Example 그는 나보다 훨씬 어리다. (me / younger / than / much)
→ He is *much* *younger* *than* *me*.

1 역사 교과서는 미술 교과서보다 훨씬 더 두껍다. (thicker / much / than)

→ The history textbook is ________________ the art textbook.

2 흰 돌고래는 이 수족관에서 가장 인기 있는 해양 동물이다. (most / the / popular)

→ The white dolphin is ________________ ocean animal in this aquarium.

3 그 절은 중국에서 가장 오래된 절 중 하나이다. (of / the / oldest / one / temples)

→ The temple is ________________ in China.

4 나는 과일 중에서 키위를 가장 좋아한다. (among / most / fruits)

→ I like kiwis ________________.

문법 쓰기 B 틀린 부분 고치기

Example Your room is clean than my room. *clean* → *cleaner*
네 방은 내 방보다 더 깨끗하다.

1 Oak is one of the stronger woods. ________ → ________
오크는 가장 튼튼한 나무 중 하나이다.

2 Tom is very more handsome than his brother. ________ → ________
Tom은 그의 형보다 훨씬 더 잘생겼다.

3 Sujin is the lightest in her classmates. ________ → ________
수진이는 학급 친구들 중에서 가장 가볍다.

4 The situation was even bad than I expected. ________ → ________
상황은 내가 예상했던 것보다 훨씬 더 나빴다.

5 Myeongdong is the most crowded place of Seoul. ________ → ________
명동은 서울에서 가장 붐비는 장소이다.

▸ Answer p.28

문법 쓰기 C 주어진 단어를 활용하여 문장 완성하기

Example 은은 금보다 더 싸다. (silver, cheap, gold)
→ *Silver is cheaper than gold.*

1 2월은 일 년 중 가장 짧은 달이다. (short, month)

→ February is ____________ of the year.

★year는 비록 단수 명사이지만, 그 안에 12개월이 있으므로 전치사 of를 써요.

2 그는 세계에서 최고의 축구선수 중 한 명이다. (good, soccer player,)

→ He is ____________ in the world.

3 이 가방이 저것보다 훨씬 더 비싸다. (far, expensive)

→ This bag is ____________ that one.

4 나는 유럽에서 가장 오래된 성들 중 한 곳을 방문했다. (old, castle)

→ I visited ____________ in Europe.

★castle 성

5 나는 어제보다 덜 먹었다. (eat, little, yesterday)

→

6 이 소설은 영화보다 훨씬 더 재미있다. (novel, much, interesting, movie)

→

7 불고기는 가장 유명한 한국 음식 중 하나이다. (bulgogi, famous, Korean foods)

→

8 이 소파는 저 의자보다 훨씬 더 편하다. (sofa, even, comfortable, chair)

→

▸ Answer p.28

서술형 예제 1

다음 우리말과 일치하도록 괄호 안의 말을 이용하여 대화를 완성하시오. Point 41

A: 봄과 가을 중에 너는 어느 쪽을 더 좋아하니?
B: 나는 봄보다 가을을 훨씬 더 좋아해. (a lot, better)

A : Which do you like better, spring or fall?

B : ______________________________

조건	• a lot을 이용할 것

STEP ❶
'B보다 A를 더 좋아한다'는 비교급을 사용하여 「like A better than B」로 표현할 수 있어요.

STEP ❷
'훨씬 더'라고 비교급을 강조하고 있으므로 비교급 앞에 강조 표현을 써야 해요. much, still, even, far 등도 가능하지만 조건에 a lot을 쓰라고 했으므로 이 표현을 써요.

정답 ›› I like fall a lot better than spring.

실전 연습 1

다음 우리말과 일치하도록 괄호 안의 말을 이용하여 대화를 완성하시오. Point 41

A: 고양이와 개 중 어느 쪽을 더 좋아하니?
B: 나는 고양이보다 개를 훨씬 더 좋아해.
(much, better)

A : Which do you like better, cats or dogs?

B : ______________________________

조건	• much를 이용할 것

서술형 예제 2

다음 우리말을 〈조건〉에 맞게 영작하시오. Point 42

그것은 세계에서 가장 높은 건물 중 하나이다.

조건	• tall, building, in the world를 이용할 것 • 총 10단어로 쓸 것

→ ______________________________

Teacher's guide

STEP ❶
'세계에서 가장 높은 건물 중 하나'이므로 최상급 표현인 「one of the + 최상급 + 복수 명사」를 써야 해요.

STEP ❷
tall의 최상급은 tallest에요. 최상급 뒤에 꼭 복수 명사를 쓰는 것을 잊지 마세요.

정답 ›› It is one of the tallest buildings in the world.

실전 연습 2

다음 우리말을 〈조건〉에 맞게 영작하시오. Point 42

스위스는 세계에서 가장 아름다운 나라 중 하나이다.

조건	• Switzerland, beautiful, country, in the world을 이용할 것 • 총 11단어로 쓸 것

→ ______________________________

CHAPTER 09 비교 구문

내신 대비 실전 TEST

▸ Answer p.28

객관식 (01~10)

Point 40

01 다음 중 형용사의 원형과 비교급의 연결이 바르지 않은 것은?

① nice - nicer ② cheap - cheaper
③ heavy - heavyer ④ good - better
⑤ much - more

[02~03] 다음 빈칸에 들어갈 말로 알맞지 않은 것을 고르시오.

Point 40

02 Susan is ________er than Cathy.

① tall ② old ③ smart
④ creative ⑤ young

Point 41

03 China is ________ larger than Korea.

① very ② much ③ still
④ even ⑤ a lot

[04~05] 다음 빈칸에 들어갈 말로 가장 알맞은 것을 고르시오.

Point 39

04 This pancake is as ________ as a pizza.

① big ② biger ③ bigger
④ bigest ⑤ biggest

Point 42

05 A cheetah is the ________ land animal.

① fast ② faster ③ more fast
④ fastest ⑤ most fast

Point 39

06 다음 주어진 문장과 의미가 같은 것은?

A snake is not as slow as a snail.

① A snake is slower than a snail.
② A snail is slower than a snake.
③ A snail is as slow as a snake.
④ A snail is not as slow as a snake.
⑤ A snake is as slow as a snail.

Point 42

07 다음 우리말을 영어로 바르게 옮긴 것은?

배구는 가장 흥미로운 운동 중 하나이다.

① Volleyball is the excitingest sport.
② Volleyball is one the most exciting sports.
③ Volleyball is one of the most exciting sport.
④ Volleyball is one of the excitingest sport.
⑤ Volleyball is one of the most exciting sports.

Point 39, 40, 41

08 다음 중 어법상 틀린 것은?

① It was the best movie of this year.
② My room is not as clean so yours.
③ Health is more important than wealth.
④ This is the longest river in this country.
⑤ This car is much faster than yours.

Point 41, 42

09 다음 빈칸에 들어갈 말이 순서대로 짝지어진 것은?

> • I got better grades ________ before.
> • John is the laziest ________ his brothers.

① than – in ② as – in ③ than – of
④ as – of ⑤ than – for

Point 42

10 다음 밑줄 친 the 중 생략이 가능한 것은?

① Mike answered the most quickly.
② When is the earliest train for Busan?
③ This song is the most popular these days.
④ It was the most difficult question on the exam.
⑤ The church is one of the oldest churches in the world.

서술형 기본 (11~19)

[11~13] 다음 문장의 밑줄 친 부분을 어법상 바르게 고쳐 쓰시오.

Point 39

11 Ms. Baker is as kinder as her husband.
→ Ms. Baker is as ________ as her husband.

Point 40

12 Today is hoter than yesterday.
→ Today is ________ than yesterday.

Point 42

13 Tony is the humorousest boy in his class.
→ Tony is the ________ boy in his class.

대표 Point 39

14 다음 빈칸에 공통으로 알맞은 말을 쓰시오.

> My computer doesn't work ________ fast ________ yours.

→ ________

[15~16] 다음 문장에서 어법상 틀린 부분을 찾아 바르게 고쳐 쓰시오.

Point 40

15

> The final exam was easyer than the midterm exam.

________ → ________

Point 42

16

> The Taj Mahal is one of the most beautiful building in the world.

________ → ________

[17~18] 다음 두 문장의 의미가 같도록 빈칸에 알맞은 말을 쓰시오.

Point 41

17

> I can't dance as well as Sora.
> = Sora can dance ________ ________ I can.

고난도 Point 42

18

> There are some beautiful beaches in Korea. Haeundae Beach is one of them.
> = Haeundae Beach is one of the ________ ________ beaches in Korea.

Point 41

19 다음 우리말과 일치하도록 괄호 안의 말을 배열할 때 네 번째 오는 단어를 쓰시오.

> 그의 자전거는 나의 것보다 훨씬 오래되었다.
> (old, even, than, is his, bike, mine)

→ ________

서술형 심화 (20~25)

Point 39, 41

20 다음 주어진 문장을 지시에 맞게 바꿔 쓰시오.

(1) Yujin is 160cm tall. Mina is 160cm tall.

→ Yujin을 주어로 원급 표현 이용:

____

(2) Yujin weighs 50 kilograms. Mina weighs 55 kilograms.

→ Yujin을 주어로 비교급 표현 이용:

____

Point 39, 42

21 다음 우리말을 〈조건〉에 맞게 영작하시오.

(1) 화장실은 거실만큼 크지 않다.

조건 bathroom, living room, large를 이용할 것

→ ______________________

(2) Einstein은 세계에서 가장 똑똑한 사람 중 한 명이었다.

조건 smart, people, in the world을 이용할 것

→ ______________________

대표 Point 41

22 다음 ①~④ 중 어법상 틀린 부분을 골라 바르게 고쳐 쓰시오.

Mr. and Mrs. Brown are ① the nicest couple in my village. Mrs. Brown is ② older than Mr. Brown. Mr. Brown is ③ very taller than Mrs. Brown. They are not very handsome or beautiful, but their smiles are ④ the best.

( ) ______________

Point 39, 42

23 다음 그림을 보고, 지시에 따라 문장을 쓰시오.

(1) 원급 비교를 이용하여 사과와 야구공의 크기를 비교할 것

____

(2) 최상급을 이용하여 농구공의 크기를 나머지 둘과 비교할 것

____

고난도 Point 41, 42

24 다음은 영어 시험 점수를 나타낸 표이다. 표를 참고하여 주어진 질문에 완전한 문장으로 답하시오.

Name	Score
Lisa	100
Eric	85
Mia	70

(1) Whose score is higher, Eric's or Mia's?

____

(2) Who got the highest score among the three?

____

Point 41

25 다음 메뉴판을 보고, 〈보기〉와 같이 주어진 단어를 활용하여 두 메뉴를 비교하시오.

Menu	Price	Popularity
Sandwich	₩ 8,000	★★★★★
Salad	₩ 5,000	★★★
Pasta	₩ 7,000	★★★★

• 보기 •
샐러드와 파스타 가격비교
→ The salad is cheaper than the pasta. (cheap)

(1) 샌드위치와 샐러드 인기도 비교

→ ______________________ (popular)

(2) 샌드위치와 파스타 가격 비교

→ ______________________ (expensive)

CHAPTER 10

접속사와 전치사

Get Ready

접속사	등위접속사	**Monica and I are best friends.**	Monica와 나는 가장 친한 친구이다.
	종속접속사	**I heard that he won the game.**	나는 그가 경기에서 이겼다는 것을 들었다.
전치사	시간	**School begins at 9 o'clock.**	학교는 9시에 시작한다.
	위치 · 장소	**The cat is lying on the ground.**	고양이가 땅에 누워 있다.

1. 단어와 단어, 어구와 어구, 문장과 문장을 연결해주는 말을 **접속사**라고 해요. 같은 문장 성분을 연결하는 접속사를 **등위접속사**라고 하고, 명사절이나 부사절을 이끄는 접속사를 **종속접속사**라고 해요. **that, when, because, if** 등이 있어요.
2. **전치사**는 명사나 대명사 앞에 놓여 시간, 위치, 장소 등을 나타내는 말이에요.

Point
43 등위접속사

❶ 등위접속사에는 and, but, or가 있다.

and: 그리고, but: 그러나, or: 또는

Tom **and** Jake are brothers. Tom과 Jake는 형제이다.
English, math, **and** music are my favorite subjects.
영어, 수학, 그리고 음악은 내가 가장 좋아하는 과목들이다
» 세 개 이상을 나열할 때에는 「A, B, ... and C」와 같이 마지막에만 and를 써요.

Mike is short **but** strong. Mike는 키가 작지만 힘이 세다.
» but은 서로 상반되는 내용을 연결해요.

Is the rumor true **or** false? 그 소문은 사실이니 아니면 거짓이니?
» or는 선택의 의미를 나타내요.

❷ 등위접속사는 같은 성격의 문장 성분을 연결한다. (문장과 문장, 구와 구, 절과 절 등)

A and B: A와 B, A but B: A 그러나 B, A or B: A 또는 B

It is **cold and windy**. 춥고 바람이 분다.
» 등위접속사의 앞, 뒤에 같은 품사인 형용사가 온 경우에요.

He **ran but missed** the bus. 그는 뛰었지만 버스를 놓쳤다.
» 등위접속사가 동사(구)를 연결할 때는 동사의 수와 시제가 일치해야 함에 유의하세요.

Q 등위접속사가 문장을 연결하는 경우 주어는 한번만 쓰나요?

A 주어가 같을 경우 주어를 또 써줘도 되고 생략해도 되지만, 주어가 다른 경우에는 꼭 다시 써줘야 해요.
We sang **and** (we) danced. 우리는 노래하고 춤췄다.
I sang **and** my friends danced. 나는 노래를 했고, 내 친구들은 춤을 췄다.

문법 확인 Ⓐ 문장 해석하기

▸ Answer p.30

1 My father **and** I play badminton on Saturdays. → ________ 토요일마다 배드민턴을 친다.

2 This soup is cold **but** tasty. → 이 수프는 ________ 맛이 있다.

3 Minji **or** Sujin will take the job. → ________ 그 일을 맡을 것이다.

4 They were happy **and** excited. → 그들은 ________ 신이 났다.
★excited 신이 난, 흥분한

5 This novel is long **but** interesting. → 이 소설은 ________ 재미있다.

6 It was raining hard, **but** we went out. → 비가 세차게 ________ 우리는 외출을 했다.

7 I stayed home **and** watched TV. → 나는 집에 ________ TV를 시청했다.

8 Would you like to watch a movie, **or** play computer games? → 너는 영화를 보고 싶니, ________ 컴퓨터 게임을 하고 싶니?

Point
44 접속사 that

❶ 접속사 that이 이끄는 명사절은 문장에서 주어로 쓰인다.

「**that+주어+동사**」: ~가 …하다는 것은

That he has many fans is not surprising. » 주어로 쓰인 that절은 항상 단수 취급해요.
그에게 팬이 많다는 것은 놀랍지 않다.

It is true **that I like her.** » that이 이끄는 명사절을 문장의 뒤로 보내고 주어 자리에 it을 쓸 수 있어요. 이 때 it을 가주어, that절을 진주어라고 해요.
내가 그녀를 좋아한다는 것은 사실이다.

❷ 접속사 that이 이끄는 절은 문장에서 보어로 쓰인다.

「**that+주어+동사**」: ~이[가] …하다는 것(이다)

The problem is **that I don't speak Chinese.** » that절은 be동사 뒤에서 보어로 쓰여요.
문제는 내가 중국어를 못한다는 것이다.

❸ 접속사 that이 이끄는 절은 문장에서 목적어로 쓰인다.

「**that+주어+동사**」: ~가 …하다고[한다는 것을]

Did you know **that Mr. Kim was single**? » that절을 목적어로 취하는 동사에는 think, believe, hope, know, say 등이 있어요.
너는 김 선생님이 미혼이신 것을 알고 있었니?

I think (**that**) Jane is smart. » that이 이끄는 접속사절이 목적어로 쓰인 경우 접속사 that은 생략 가능해요.
나는 Jane이 똑똑하다고 생각한다.

문법 확인 Ⓑ 문장 해석하기

▸ Answer p.30

1 **That a dolphin is a mammal** is true. → 돌고래가 ＿＿＿＿ 사실이다.
★mammal 포유동물

2 The rumor is **that Bill and Ally are dating.** → 소문은 Bill과 Ally가 ＿＿＿＿ 이다.

3 I know **that I made a huge mistake.** → 나는 내가 ＿＿＿＿ 알고 있다.

4 The truth is **that he didn't steal anything.** → 진실은 ＿＿＿＿ 이다.
★steal 훔치다

5 The important thing is **that we did our best.** → 중요한 것은 ＿＿＿＿ 이다.

6 I believe **nothing is impossible.** → 나는 아무것도 ＿＿＿＿ 믿는다.

7 **That everyone likes Cathy** is natural. → ＿＿＿＿ 은 당연하다.

8 **It** is unbelievable **that he can speak four languages.** → 그가 4개 국어를 ＿＿＿＿ 믿기 어렵다.

▸ Answer p.30

문법 기본 Ⓐ 빈칸에 들어갈 말에 V 표시하기

1 Yuri __________ I are best friends. □ and □ but □ or

2 Volunteer work is hard __________ rewarding. □ and □ but □ or
★rewarding 보상이 되는

3 __________ Edison was a genius is well known. □ To □ This □ That

4 Is __________ true that a new ice-cream store opened? □ to □ it □ that

5 Which do you like better, baseball __________ basketball? □ and □ but □ or

6 They say __________ time is gold. □ to □ this □ that

7 I like to sit around __________ listen to music. □ and □ but □ or
★sit around 빈둥거리다

8 The good news is __________ we have no class tomorrow. □ to □ it □ that

문법 기본 Ⓑ 알맞은 말 고르기

1 나는 아팠지만, 학교에 갔다. → I was sick, and / but went to school.

2 너는 커피나 차를 마실 수 있다. → You can drink coffee and / or tea.

3 너는 그가 축구선수였던 것을 알고 있었니? → Did you know it / that he was a soccer player?

4 그녀의 아기는 귀엽고 건강하다. → Her baby is cute and / but healthy.

5 나의 염려는 나에게 돈이 없다는 것이다. → My concern is it / that I have no money.

6 그가 일등을 했다는 것은 놀랍다. → It / That is surprising that he won first place.
★win first place 일등하다

7 너는 바닥을 청소하거나 설거지를 하면 된다. → You can clean the floor, and / or wash the dishes.

8 내일 비가 올 것은 확실하다. → To / It is certain that we will have rain tomorrow.

▸ Answer p.30

문법 쓰기 A 문장의 어순 배열하기

Example 나는 배고프고 졸리다. (and / sleepy / hungry)
→ I am *hungry* *and* *sleepy* .

1 스마트폰은 비싸지만 유용하다. (useful / but / expensive)

→ A smartphone is ______ .

2 사실은 그가 거짓말쟁이라는 것이다. (is / a / he / that / liar)

→ The fact is ______ .

3 당신은 검은색이나 흰색 가방을 선택할 수 있어요. (or / bag / black / white)

→ You can choose a ______ .

4 감자튀김에 지방에 많은 것은 사실이다. (is / It / that / true)

→ ______ French fries have lots of fat.

문법 쓰기 B 틀린 부분 고치기

Example Bibimbap is a healthy and taste food. *taste* → *tasty*
비빔밥은 건강하고 맛있는 음식이다.

1 Will you take a rest, but play outside? ______ → ______
너는 쉬겠니, 아니면 밖에서 놀겠니?

2 The point is to I will quit the job. ______ → ______
요점은 내가 일을 그만두겠다는 것이다.

3 He was very tired, but he continue to work. ______ → ______
그는 매우 피곤했지만, 계속해서 일했다.

4 That is interesting that you like ginseng. ______ → ______
네가 인삼을 좋아한다니 흥미롭다.

5 It is rainy and wind now. ______ → ______
지금은 비가 오고 바람이 불고 있다.

6 Do you think it they will win the game? ______ → ______
너는 그들이 경기에서 이길 거라고 생각하니?

문법 쓰기 Ⓒ 주어진 단어를 활용하여 문장 완성하기

▸ Answer p.30

Example	나는 그녀가 나를 속였다고 생각하지 않는다. (think, that, cheat) → *I don't think that she cheated me.*

1 그녀는 온화하고, 예쁘고, 똑똑하다. (gentle, pretty, smart)

→ She is ______________________.

2 너는 학교에 버스를 타고 가니, 아니면 지하철을 타고 가니? (by bus, subway)

→ Do you go to school ______________________?

3 내가 만점을 받은 것은 거짓말이 아니다. (get a perfect score)

→ It is not a lie ______________________.

★get a perfect score 만점 받다

4 문제는 나에게 충분한 시간이 없다는 것이다. (have, enough time)

→ The trouble is ______________________.

5 그들은 떠났지만, 나는 남았다. (remain)

→ They left, ______________________.

6 나는 그가 이기적이라고 생각한다. (think, selfish)

→ ______________________

★selfish 이기적인

7 그 영화는 재미있고 감동적이었다. (movie, fun, touching)

→ ______________________

★touching 감동적인

8 그의 집은 아주 크지만 낡았다. (house, huge, old)

→ ______________________

▸ Answer p.30

서술형 예제 1

다음 우리말과 일치하도록 괄호 안의 말을 이용하여 대화를 완성하시오. Point 43

A: 너의 영어 선생님은 어떠시니?
B: 그녀는 친절하고 똑똑하셔. (kind, intelligent)

A : What's your English teacher like?

B : ______________________________

Teacher's guide

STEP ❶
문장의 뼈대인 주어와 동사를 먼저 써요. '그녀는 ~하다'이므로 be동사를 써서 She is ~가 되어야 해요.

STEP ❷
'친절하고 똑똑하다'는 나열이므로 등위접속사 and를 이용해요. 앞, 뒤 품사는 같은 것을 써야 하는 것을 명심해요.

정답 ›› She is kind and intelligent.

실전 연습 1

다음 우리말과 일치하도록 괄호 안의 말을 이용하여 대화를 완성하시오. Point 43

A: 너희 아버지는 어떠시니?
B: 그는 유머러스하지만 엄격하셔. (humorous, strict)

A : What's your father like?

B : ______________________________

서술형 예제 2

다음 우리말을 〈조건〉에 맞게 영작하시오. Point 44

나는 과학이 재미있다고 생각한다.

조건	• think, science, interesting을 사용할 것 • 총 6단어로 쓸 것

→ ______________________________

Teacher's guide

STEP ❶
'나는 생각한다'를 영어로 써보세요. I think ~라고 써야 해요.

STEP ❷
'~라고 생각하다'라는 문장으로 think의 목적어로 문장, 즉 절이 오는 경우 동사인 think와 목적어 역할을 하는 절 사이에는 접속사인 that을 써요. 목적어절을 이끄는 that은 생략이 가능하지만, 조건의 단어 수를 보면 생략하지 않아야겠죠?

정답 ›› I think that science is interesting.

실전 연습 2

다음 우리말을 〈조건〉에 맞게 영작하시오. Point 44

나는 펭귄이 날지 못한다는 것을 안다.

조건	• know, penguins, can't fly를 사용할 것 • 총 6단어로 쓸 것

→ ______________________________

Point
45 시간의 접속사

❶ 접속사 when은 특정한 시점이나 때를 나타낸다.

when: ~할 때

When I came back from school, my mom was not at home.
내가 학교에서 돌아왔을 때, 나의 엄마는 집에 계시지 않았다.

Please call me **when** you see this message.
이 메시지를 보면 나에게 전화해 줘.

>> when이 접속사일 때는 뒤에 「주어+동사」 형태의 절이 와요. '언제'라는 뜻의 의문사 when과의 구분에 주의해야 해요. (When is your birthday? 너의 생일은 언제이니?)

>> 시간을 나타내는 부사절은 주절의 앞과 뒤에 모두 올 수 있어요. 부사절이 주절의 앞에 올 경우에는 부사절 뒤에 콤마(,)를 써주어요.

❷ 접속사 before와 after는 시간의 전, 후 관계를 나타낸다.

before: ~전에, after: ~후에

Wash your hands **before** you have a meal. 식사하기 전에 손을 닦아라.

After I exercised, I took a shower. 나는 운동을 한 후에, 샤워를 했다.

>> before와 after는 전치사로도 쓰여요. 이것에 대해서는 point 47에서 학습할꺼에요.

when, before, after 등 시간을 나타내는 부사절에서는 의미가 미래라 해도 현재 시제로 표현해요.

When I **become** an adult, I **will get** a driver's license. 나는 성인이 되면, 운전면허를 딸 것이다.
I'll come back **after I buy** something to drink. 마실 것을 산 후에 올게.

문법 확인 Ⓐ 문장 해석하기

▸ Answer p.31

1 **When** he was young, he was very shy. → 그가 ______, 그는 부끄러움이 많았다.

2 **Before** you go to bed, brush your teeth. → 네가 ______, 양치질을 해라.

3 It gets cold **after** the sun sets. → 해가 ______ 날이 추워진다.

4 Think twice **before** you speak. → 말을 ______ 두 번 생각해라.

5 **After** the rain stops, I will play outside. → 비가 ______, 나는 밖에서 놀 것이다.

6 **Before** we saw the musical, we ate lunch. → 우리는 ______ 점심식사를 했다.

7 His mother died **when** he was seven years old. → 그가 ______ 그의 어머니가 돌아가셨다.

8 Animals store food **before** winter comes. → 겨울이 ______ 동물들은 음식을 저장한다.

이유 · 조건의 접속사

❶ because는 이유를 나타낸다.

because: ~ 때문에, ~이므로, ~해서

We didn't go on a picnic **because** it rained.
비가 와서 우리는 소풍을 가지 않았다.

>> because는 접속사로 because 다음에 「주어+동사」가 와요.
because of는 의미는 같지만 전치사구로 뒤에 명사나 동명사가 와요.
(We didn't go on a picnic **because of rain**.)

Because I studied hard, I did well on the test.
공부를 열심히 했기 때문에, 나는 시험을 잘 봤다.

>> 이유를 나타내는 부사절은 주절의 앞과 뒤에 모두 올 수 있어요.

❷ if는 조건을 나타낸다.

if: 만일 ~하면[한다면]

If you have a question, raise your hands.
만일 질문이 있으시면, 손을 드세요.

>> 조건을 나타내는 부사절은 주절의 앞과 뒤에 모두 올 수 있어요.

If it **is** nice tomorrow, I **will go** to the park.
만일 내일 날씨가 좋으면, 나는 공원에 갈 것이다.

>> 조건을 나타내는 부사절에서 의미가 미래여도 현재 시제로 표현해요.

If ~ not은 unless로 바꿔 쓸 수 있으며 '만약 ~하지 않는다면'의 의미예요.

You'll get fat **if** you do**n't** exercise. 너는 운동을 하지 않는다면 살이 찔것이다.
= You'll get fat **unless** you exercise.

문법 확인 B 문장 해석하기

▸ Answer p.31

1 **Because** it was cloudy, I brought my umbrella. → 날씨가 ________, 나는 우산을 가져갔다.

2 I will see the Eiffel Tower **if** I visit Paris. → 만일 내가 ________, 나는 에펠탑을 볼 것이다.

3 **Unless** we hurry, we will miss the train. → 만약 우리가 ________, 우리는 기차를 놓칠 것이다.

4 We were late **because** the traffic was heavy. → 차가 ________ 우리는 늦었다.
★heavy (차가) 막히는

5 **If** it's not too late, I want to apologize to you. → 만일 너무 ________, 나는 너에게 사과하고 싶다.
★apologize 사과하다

6 **If** you don't get better, you should go to see a doctor. → 만일 ________, 당신은 병원에 가셔야 합니다.

▸ Answer p.31

문법 기본 Ⓐ <보기>에서 알맞은 접속사 골라 쓰기

보기

When[when]   Before[before]   After[after]   Because[because]   If[if]

1 ________ I woke up, I washed my face.

나는 일어난 후에, 세수를 했다.

2 Jiho was very hungry ________ he didn't eat anything.

지호는 아무것도 먹지 않았기 때문에 매우 배가 고팠다.

3 ________ the bell rang, the students came out of their classrooms.

벨이 울렸을 때, 학생들이 교실 밖으로 나왔다.

4 Minsu did his homework ________ he watched TV.

민수는 TV를 보기 전에 숙제를 했다.

5 ________ you meet Jenny, please say hello to her for me.

만일 Jenny를 만나면, 나 대신 안부를 전해줘.

문법 기본 Ⓑ 알맞은 말 고르기

1 날씨가 추웠기 때문에, 나는 코트를 입었다. → Because / If it was cold, I wore a coat.

2 나는 영어를 공부할 때, 종종 사전을 이용한다. → Before / When I study English, I often use a dictionary.

3 수진이는 잠자리에 들기 전에, 일기를 쓴다. → Sujin writes in her diary after / before she goes to bed.

4 만일 네가 빨리 걷지 않는다면, 너는 제 시간에 도착하지 못할 것이다. → If / Unless you walk quickly, you won't arrive in time.

5 엄마는 요리를 끝낸 후에, 상을 차리셨다. → Mom set the table after / before she finished cooking.

★set the table 상을 차리다

6 나는 자라면, 패션 디자이너가 될 것이다. → When I grow / will grow up, I will be a fashion designer.

▸ Answer p.31

문법 쓰기 A 지시에 맞게 주어진 문장 바꿔쓰기

Example I was sick, so I didn't go to school. (because를 이용해서)
→ *Because* *I* *was* *sick*, I didn't go to school.

1 We watched the movie, and we went shopping. (after를 이용해서)
→ ____ ____ ____ ____ ____, we went shopping.

2 I got home, and then it started raining. (when을 이용해서)
→ It started raining ____ ____ ____ ____.

3 If you don't work hard, you can't succeed. (unless를 이용해서)
→ ____ ____ ____ ____, you can't succeed

4 Because of the cold, they didn't go out. (because를 이용해서)
→ They didn't go out ____ ____ ____ ____.

문법 쓰기 B 틀린 부분 고치기

Example After you swim, you should do warm-up exercises. *After* → *Before*
너는 수영을 하기 전에, 준비운동을 해야 한다.

1 My father drinks coffee before he has breakfast. ____ → ____
나의 아버지는 아침 식사를 하신 후에 커피를 마신다.

2 I eat sweets after I feel tired. ____ → ____
나는 피곤함을 느낄 때, 단것을 먹는다.

3 If I will pass the test, I will be very happy. ____ → ____
만일 내가 시험에 합격한다면, 나는 매우 행복할 것이다.

4 Because poor health, he quit the job. ____ → ____
허약한 건강 때문에, 그는 일을 그만뒀다.

5 Because of I wasn't hungry, I skipped dinner. ____ → ____
나는 배가 고프지 않아서 저녁 식사를 건너뛰었다.

▸ Answer p.31

문법 쓰기 Ⓒ 주어진 단어를 활용하여 문장 완성하기

Example 그녀는 세수를 한 후에 머리를 감는다. (wash her face, wash her hair)
→ *After she washes her face, she washes her hair.*

1 내가 집에 도착했을 때, 나의 부모님은 주무시고 계셨다. (arrive, home)

→ My parents were sleeping ______________________________.

2 나는 컴퓨터를 끄기 전에 이메일을 확인했다. (turn off, the computer)

→ ______________________________, I checked my email.

3 만일 비가 온다면, 우리는 여행을 취소할 것이다. (rain)

→ ______________________________, we will cancel the trip.

4 민호는 이가 너무 아팠기 때문에 치과에 갔다. (have a terrible toothache)

→ Minho went to the dentist ______________________________.

5 우리는 주요리를 먹은 후에 디저트를 먹었다. (have the main dish)

→ ______________________________, we ate dessert.

6 만일 네가 피곤하지 않다면, 나는 너와 함께 산책을 할 수 있다. (unless, be tired, take a walk)

→ ______________________________, I can take a walk with you.

7 방을 나가기 전에 너는 불을 꺼야 한다. (leave the room)

→ ______________________________, you should turn off the light.

8 너는 신발을 벗은 후에 방에 들어가야 한다. (take off your shoes)

→ You should enter the room ______________________________.

▸ Answer p.31

서술형 예제 1

다음 두 문장을 괄호 안의 접속사를 이용하여 한 문장으로 바꿔 쓰시오. Point 45

I bought popcorn and Coke. Then the movie started. (before)

→ ______________________

Teacher's guide

STEP ❶
시간의 전후를 나타내는 접속사 before를 써야하므로 먼저 일어난 일과 나중에 일어난 일이 무엇인지 살펴봐요.

STEP ❷
먼저 일어난 일을 주절에, 나중에 일어난 일을 when으로 시작하는 종속절에 써요.

정답 » I bought popcorn and Coke before the movie started.
또는 Before the movie started, I bought popcorn and Coke.

실전 연습 1

다음 두 문장을 괄호 안의 접속사를 이용하여 한 문장으로 바꿔 쓰시오. Point 45

He won the gold medal. Then he became famous (after).

→ ______________________

서술형 예제 2

다음 우리말을 〈조건〉에 맞게 영작하시오. Point 46

만일 내가 부자가 된다면, 나는 가난한 사람들을 도울 것이다.

조건	• become rich, help poor people을 사용할 것 • 총 9단어로 쓸 것

→ ______________________

Teacher's guide

STEP ❶
'만일 내가 부자가 된다면'을 영어로 쓰세요. 조건을 나타내는 접속사 if를 이용해 현재시제로 써야 해요. 조건을 나타내는 부사절은 미래의 의미여도 현재로 쓰는 것 잊지 않았죠?

STEP ❷
'나는 가난한 사람들을 도울 것이다'를 영어로 쓰세요. 주절이므로 미래시제로 써야 해요. 미래를 나타내는 조동사 will을 이용해요.

정답 » If I become rich, I will help poor people.

실전 연습 2

다음 우리말을 〈조건〉에 맞게 영작하시오. Point 46

만일 네가 그 기차를 타면, 너는 정시에 올 것이다.

조건	• catch the train, be on time을 사용할 것 • 총 10단어로 쓸 것

→ ______________________

시간을 나타내는 전치사

❶ 특정한 때나 시간을 나타내는 전치사에는 at, on, in이 있다.

at (~에)	구체적인 시간이나 특정한 시점	The movie begins **at** 7 o'clock. 그 영화는 7시에 시작한다.
on (~에)	날짜, 요일, 특정한 날	Koreans eat *tteokguk* **on** January 1. 한국 사람들은 1월 1일에 떡국을 먹는다.
in (~에)	때, 월, 연도, 계절 등 비교적 긴 시간	It is very hot **in** summer. 여름에는 매우 덥다.

❷ 기간을 나타내는 전치사에는 for와 during이 있다.

for (~동안)	지속 시간을 나타내는 말 앞에	I slept **for** eight hours last night. 나는 어젯밤에 여덟 시간 동안 잤다.
during (~동안)	특정 기간을 나타내는 말 앞에	Mina stayed at her grandmother's house **during** the holidays. 미나는 휴가 기간 동안 할머니 댁에 있었다.

+

기타 시간을 나타내는 전치사

before	~전에	by	~까지 (행동이나 상태가 특정 시점까지 완료됨)
after	~후에	until	~까지 (행동이나 상태가 어느 시점까지 계속됨)

※ 전치사로 쓰인 before나 after 뒤에 동사를 쓰고 싶으면 동명사로 써야 해요.
I don't eat anything **after brushing** my teeth. 나는 이를 닦은 후에는 아무 것도 먹지 않는다.

문법 확인 Ⓐ 문장 해석하기

▸ Answer p.31

1 My father usually finishes work **at** seven. → 나의 아버지는 보통 ________ 일이 끝나신다.

2 Children sang carols **on** Christmas Eve. → 아이들이 ________ 캐럴을 불렀다.

3 He plans to learn swimming **during** the vacation. → 그는 ________ 수영을 배울 계획이다.

4 It's still cold **in** the morning and **in** the evening. → ________ 아직 춥다.

5 The baby cried **for** almost an hour. → 그 아기는 거의 ________ 울었다.

6 Please hand in your homework **by** this Friday. → 숙제를 ________ 제출해주세요.

7 Everyone fell asleep **before** midnight. → 모두가 ________ 잠이 들었다.

8 **After** hiking, we ate bibimbap. → ________, 우리는 비빔밥을 먹었다.

위치 · 장소를 나타내는 전치사

❶ 위치나 장소를 나타내는 전치사에는 at, on, in이 있다.

at (~에)	구체적인 장소나 비교적 좁은 장소	Let's meet **at** the bus stop. 버스 정류장에서 만나자.
in (~에, ~안에)	도시, 국가와 같이 비교적 넓은 장소 또는 어떤 장소의 안에 있을 때	There are fifty states **in** the USA. 미국에는 50개의 주가 있다.
on (~위에)	표면에 접속해 있을 때	I hung a picture **on** the wall. 나는 벽에 그림을 걸었다.

❷ 목적지를 나타내는 전치사에는 to와 for가 있다.

to (~로, ~까지)	명확한 도착 지점을 나타냄	I am going **to** the mall. 나는 쇼핑몰에 가고 있다.
for (~를 향해)	목적지나 행선지를 나타냄	This train is **for** Busan. 이 기차는 부산행이다.

+ 기타 위치를 나타내는 전치사

above	~보다 위에	out of	~ 밖으로	next to	~ 옆에
below	~보다 아래에	across	~을 가로질러	in front of	~ 앞에
over	(접촉하지 않고) ~ 위에	along	~을 따라서	behind	~ 뒤에
under	(접촉하지 않고) ~ 아래에	through	~을 통과하여	between	~ 사이에
up	~ 위로	around	~ 주위에	among	~ 중에
down	~ 아래로	by	~ 옆에	across from	~ 맞은편에
into	~ 안으로	beside	~ 옆에	near	~ 근처에

문법 확인 Ⓑ 문장 해석하기

▸ Answer p.31

1 Are you **at** school now? → 너는 지금 ______ 있니?

2 There are some sandwiches **on** the table. → ______ 샌드위치가 있다.

3 We took a walk **along** the river bank. → 우리는 ______ 산책했다.
★river bank 강둑

4 Cars ran fast **through** the tunnel. → 차들이 ______ 빠르게 달렸다.

5 There is an old temple **in** the mountain. → ______ 오래된 절이 하나 있다.

6 The airplane is heading **for** Barcelona. → 그 비행기는 ______ 가고 있다.

7 The ball rolled **down** the hill. → 그 공은 언덕 아래로 ______.
★roll 굴러가다[오다]

8 Can I sit **next to** you? → 제가 ______ 앉아도 될까요?

▸ Answer p.31

문법 기본 Ⓐ 빈칸에 들어갈 말에 V 표시하기

1 There are many historical places __________ Korea. □ at □ in □ on

2 I was born __________ 2007. □ at □ on □ in

3 We stayed in Gwangju __________ three days. □ in □ for □ during

4 People plant trees __________ April 5. □ in □ on □ at

5 The magic show begins __________ six o'clock. □ at □ in □ on

6 I'll prepare dinner __________ seven in the evening. □ by □ on □ until

7 How long does it take from your home __________ school? □ to □ for □ by
★「from ~ to…」는 '~부터 …까지'의 뜻으로 시간과 장소에 모두 쓸 수 있어요.

8 The shoe store is __________ the third floor. □ at □ in □ on

문법 기본 Ⓑ 알맞은 전치사 고르기

1 그 아이는 길을 가로질러 뛰었다. → The child ran across / along the street.

2 점심시간 동안 나는 낮잠을 잤다. → I took a nap for / during lunchtime.
★take a nap 낮잠 자다

3 두 팔을 머리 위로 뻗어라. → Stretch your arms on / over your head.

4 퍼레이드는 밤늦게까지 계속되었다. → The parade went on until / by late at night.

5 한 무리의 새떼가 남쪽을 향해 날고 있다. → A flock of birds is flying into / for the south.

6 쇼핑몰과 학교 사이에 공원이 있다. → There's a park beside / between the mall and the school.

7 박물관 뒤에 호수가 하나 있다. → There's a lake behind / in front of the museum.

8 엄마는 일하러 가기 전에 나를 안아주셨다. → Mom hugged me after / before going to work.

▸ Answer p.31

문법 쓰기 Ⓐ 문장의 어순 배열하기

Example 수진이는 Andy와 나 사이에 앉았다. (and / me / Andy / between)
→ Sujin sat *between* *Andy* *and* *me* .

1 우체국은 은행 맞은편에 있다. (the / from / bank / across)

→ The post office is ________ ________ ________ ________ .

2 그들은 몇 주간 춤 연습을 했다. (a / few / for / weeks)

→ They practiced dancing ________ ________ ________ ________ ?

3 우리는 점심을 먹기 전에 영화를 봤다. (lunch / having / before)

→ We watched the movie ________ ________ ________ .

4 나의 가족은 도시 밖으로 이사할 예정이다. (of / the / out / city)

→ My family is going to move ________ ________ ________ ________ .

문법 쓰기 Ⓑ 틀린 부분 고치기

Example Some children are skating at the ice rink. *at* → *on*
몇몇 아이들이 얼음 위에서 스케이트를 타고 있다.

1 It was five degrees above zero last night. ________ → ________
어젯밤에는 영하 5도였다.

2 You should stay in the hospital by tomorrow. ________ → ________
너는 내일까지 병원에 머물러야 한다.

3 I'm going for the library now. ________ → ________
나는 지금 도서관에 가고 있다.

4 Minho sometimes eats *ramyeon* on midnight. ________ → ________
민호는 가끔 밤 12시에 라면을 먹는다.

5 A crowd gathered among the actor. ________ → ________
군중이 그 배우 주위로 모였다.

6 My friends and I went down the mountain last weekend.
내 친구들과 나는 지난 주말에 산을 올라갔다. ________ → ________

▸ Answer p.31

문법 쓰기 Ⓒ 주어진 단어를 활용하여 문장 완성하기

Example 태양이 지평선 위로 떠오르고 있다. (sun, rise, horizon)
→ *The sun is rising over the horizon.*

1 나는 일요일에는 일찍 일어나지 않는다. (Sundays)

→ I don't get up early ______________ .

2 너는 여름 방학 동안에 무엇을 할 계획이니? (summer vacation)

→ What are you going to do ______________ ?

3 그 여자는 자신의 개를 슈퍼마켓 밖으로 데리고 나갔다. (supermarket)

→ The woman took her dog ______________ .

4 이 근처에 약국이 있나요? (here)

→ Is there a pharmacy ______________ ?

★pharmacy 약국

5 Jenny는 그녀의 학급 친구들 사이에서 인기가 있다. (classmates)

→ Jenny is popular ______________ .

6 그 가게는 오전 10시에 문을 연다. (store, open, 10 o'clock, morning)

→

7 Tom은 자신의 방 안으로 들어갔다. (go, his room)

→

8 그 비행기는 정오까지 도착할 것이다. (airplane, arrive, noon)

→

▸ Answer p.32

서술형 예제 1

다음 우리말과 일치하도록 괄호 안의 말을 이용하여 대화를 완성하시오. Point 47

A: 너는 보통 몇 시에 잠자리에 드니?
B: 나는 보통 11시에 잠자리에 들어.
(usually, go to bed)

A : What time do you usually go to bed?

B : ______________________

Teacher's guide

STEP ❶
주어진 단어인 usually와 go to bed를 사용하여 '나는 보통 잠자리에 들어'를 써보세요.

STEP ❷
'11시에'를 써보세요. 구체적인 시간이므로 전치사 at을 이용해야 해요.

정답 ›› I usually go to bed at 11[eleven].

실전 연습 1

다음 우리말과 일치하도록 괄호 안의 말을 이용하여 대화를 완성하시오. Point 47

A: 너는 보통 몇 시에 저녁 식사를 하니?
B: 나는 보통 7시에 저녁 식사를 해.
(usually, eat dinner)

A : What time do you usually eat dinner?

B : ______________________

서술형 예제 2

다음 우리말을 〈조건〉에 맞게 영작하시오. Point 48

탁자 위에 많은 책들이 있다.

조건	• there, many books, table을 사용할 것 • 총 7단어로 쓸 것

→ ______________________

Teacher's guide

STEP ❶
'~가 있다'를 써보세요. 앞서 배웠던 「There is[are] ~」를 기억하고 있죠? 주어가 복수이므로 There are~를 쓰고 주어인 many books를 써요.

STEP ❷
'탁자 위에'를 영어로 쓰세요. '~위에'를 나타내는 전치사는 on이에요.

정답 ›› There are many books on the table.

실전 연습 2

다음 우리말을 〈조건〉에 맞게 영작하시오. Point 48

호수 위에 많은 오리들이 있다.

조건	• there, many ducks, lake를 사용할 것 • 총 7단어로 쓸 것

→ ______________________

CHAPTER 10 접속사와 전치사

내신 대비 실전 TEST

Answer p.32

객관식 (01~10)

[01~03] 다음 빈칸에 들어갈 말로 가장 알맞은 것을 고르시오.

Point 43

01 The steak was tough ________ tasty.

① and ② or ③ but
④ so ⑤ for

Point 47

02 I like to make snowmen ________ the winter.

① in ② on ③ for
④ by ⑤ until

Point 48

03 It is two kilometers ________ here to the subway station.

① on ② from ③ near
④ across ⑤ between

대표 Point 45, 46

04 다음 중 밑줄 친 부분이 어색한 것은?

① When I was a baby, I was often sick.
② Look before you leap.
③ After the rain stopped, the sun shone.
④ Help me with the housework if you're free.
⑤ Because I was so full, I ate two hamburgers.

Point 43, 46

05 다음 빈칸에 알맞은 말이 순서대로 짝지어진 것은?

• You can use the desktop ________ the laptop computer.
• ________ you turn left, you can find the bank.
• They canceled the event ________ the bad weather.

① or - Because - if ② but - Because - if
③ or - If - because ④ but - If - because
⑤ or - If - because of

[06~07] 다음 대화의 빈칸에 들어갈 말로 알맞은 것을 고르시오.

Point 47

06 A: When is your piano lesson?
B: I take the lesson ________ Tuesdays.

① on ② in ③ at
④ for ⑤ during

Point 48

07 A: Where did the rabbit go?
B: It hid ________ the tree.

① to ② over ③ around
④ behind ⑤ between

Point 44~48

08 다음 ⓐ~ⓔ 중 어법상 옳은 문장의 개수는?

ⓐ It is certain that he is foolish.
ⓑ After wash my hair, I dried it.
ⓒ There's a restaurant by the river.
ⓓ The festival will continue until tomorrow.
ⓔ If I'll become an adult, I will travel alone.

① 1개 ② 2개 ③ 3개 ④ 4개 ⑤ 5개

Point 45

09 다음 밑줄 친 부분과 쓰임이 다른 것은?

> I will call you when I arrive there.

① When the thief broke into my house, I wasn't at home.
② Do you know when my birthday is?
③ Minsu was sleeping under the tree when I saw him.
④ When I entered the hall, there was nobody.
⑤ What do you do when you're bored?

Point 44

10 다음 밑줄 친 부분 중 생략할 수 있는 것은?

① The trouble is that I don't know her phone number.
② It was sad that there were no survivors of the accident.
③ That Jinsu won first place is amazing.
④ Did you know that Sora moved to another school?
⑤ It is a myth that hair grows after death.

서술형 기본 (11~19)

[11~13] 다음과 같이 문장을 바꿔쓸 때 빈칸에 알맞은 말을 쓰시오.

Point 46

11 Jiho exercised all afternoon, so he was very tired.
→ Jiho was very tired ________ he exercised all afternoon.

Point 45

12 The doorbell rang. At that time, I was taking a shower.
→ ________ the doorbell rang, I was taking a shower.

Point 45

13 I did warm-up exercises. And then, I swam.
→ I did warm-up exercises ________ I swam.

대표 Point 44

14 다음 빈칸에 공통으로 알맞은 말을 쓰시오.

> • I hope ________ there are no sick children.
> • It is a fact ________ oil floats on water.

→ ________

Point 46

15 다음 문장의 밑줄 친 부분을 어법에 맞게 고치시오.

> If you will come to the party, I will be very happy.

→ ________

[16~17] 다음 대화의 빈칸에 들어갈 알맞은 말을 쓰시오.

Point 47

16
> A: What time do you get up?
> B: I get up ________ 7 every day.

Point 48

17
> A: Where do koalas live?
> B: They live ________ Australia.

Point 45

18 다음 밑줄 친 우리말과 일치하도록 괄호 안의 말을 바르게 배열하시오.

> 내가 더 나이가 들면, 나는 현명해질 것이다.

→ ________, I will become wiser.
(I, become, when, older)

고난도

Point 43

19 다음 우리말을 영작할 때, 밑줄 친 부분을 어법에 맞게 고쳐 쓰시오.

> 비가 오지만, 따뜻하다.
> → It rains but warm.

→ ____________________

서술형 심화 (20~24)

Point 43

20 다음 주어진 문장을 지시에 맞게 한 문장으로 바꿔 쓰시오.

> My mom is a good cook. She is a great teacher, too.

→ and를 이용하여

____

Point 44, 46

21 다음 우리말을 〈조건〉에 맞게 영작하시오.

> (1) 너에게 꿈이 있다는 것이 중요하다.

조건
- It을 주어로 할 것
- 총 8단어로 쓸 것

→ ____________________________________

> (2) 만일 네가 배가 고프다면, 너는 그 샌드위치를 먹을 수 있다.

조건
- hungry, eat, sandwich를 이용할 것
- 총 9단어로 쓸 것

→ ____________________________________

대표

Point 45

22 다음은 Kevin의 오후 일과표이다. 일과표를 참고하여 대화를 완성하시오. (단, 완전한 문장으로 쓸 것)

3:30	come home after school
3:30 ~ 4:30	take a break
5:00 ~ 7:00	review the lessons
7:00 ~ 8:00	eat dinner

A: What does Kevin do before he eats dinner?

B: ____________________________________

Point 47

23 다음은 Yuna의 시간표이다. 시간표를 참고하여 대화를 완성하시오.

	Monday	Tuesday	Wednesday
9:00~9:45	Korean	Math	English
9:55~10:45	History	Science	History
10:55~11:35	English	Korean	Korean
12:30~13:30	*Lunch Time*		
13:30~14:15	Math	P.E.	Science

A: When does Yuna have an English class?

B: ____________________________________

Mondays and Wednesdays.

Point 48

24 다음 교실 자리표를 보고, 〈보기〉와 같이 지시에 맞게 각 사람의 위치를 문장으로 쓰시오.

	교탁	
Ann	Mike	Susan
Chris	Kate	Paul

• 보기 •

> Mike is sitting in front of Kate.
> (Kate를 이용할 것)

(1) Kate ____________________________.

(Chris와 Paul을 이용할 것)

(2) Chris ____________________________.

(Ann을 이용할 것)

CHAPTER 11

의문사

Get Ready

의문대명사	who	**Who is she?**	그녀는 누구지?
	what	**What is it?**	그것은 무엇이니?
의문형용사	what	**What color is it?**	그것은 무슨 색이니?
	which	**Which way is east?**	어느 쪽이 동쪽이니?
의문부사	where	**Where do you live?**	당신은 어디에 사세요?
	why	**Why did you do that?**	너는 왜 그렇게 했니?

'누가', '무엇을', '언제', '어디서', '어떻게', '왜' 등의 구체적인 정보를 물을 때 쓰는 말을 **의문사**라고 해요. 의문사는 의문문의 제일 앞에 위치해요. 의문사로 시작하는 의문문은 Yes나 No로 답하지 않고 구체적인 대답을 해야 해요. 의문사에는 대명사 역할을 하는 **의문대명사**, 형용사 역할을 하는 **의문형용사**, 부사 역할을 하는 **의문부사**가 있어요.

Point
49 who, what, which

❶ who는 사람에 대해서 물을 때 쓴다.

who: 누가, 누구, 누구를

Who is your favorite singer? 네가 가장 좋아하는 가수는 누구니?

Who teaches you English? 누가 너에게 영어를 가르쳐주니? ≫ 의문사가 주어로 쓰이면 단수 취급해요.

Who will you invite? 너는 누구를 초대할 거니?
(= Whom will you invite?) ≫ who가 목적어로 '누구를'이라는 뜻으로 쓰일 때는 whom으로 바꿔 쓸 수 있어요.

❷ 막연히 사물에 대해서 물을 때는 what을, 정해진 범위가 있을 때는 which를 쓴다.

what: 무엇, 무슨 which: 어느 것[쪽], 어느

What's your name? 네 이름은 무엇이니?

What animal do you like? 너는 무슨 동물을 좋아하니? ≫ what은 '무슨'이라는 뜻의 의문형용사로도 쓰일 수 있어요.

Which do you prefer, coffee or tea? 커피나 차 중 어느 쪽이 더 좋나요?

Which season do you like most? 너는 어느 계절을 가장 좋아하니? ≫ which는 '어느'라는 뜻의 의문형용사로도 쓰일 수 있어요.

의문사로 시작하는 의문문의 형태

be동사가 쓰일 때	「의문사+be동사+주어 ~?」
일반동사가 쓰일 때	「의문사+조동사(do, will, can 등)+주어+동사원형 ~?」
의문사가 주어일 때	「의문사+동사 ~?」

문법 확인 Ⓐ 문장 해석하기

▸ Answer p.34

1 **Who** is the boy with a yellow cap? → 노란 모자를 쓴 저 소년은 ______?

2 **Who** goes first? → ______ 먼저지?
★go first 먼저 가다[하다]

3 **Which** is yours? → ______ 네 것이니?

4 **What** did you do last weekend? → 너는 지난 주말에 ______ 했니?

5 **Whom** did you meet at the park? → 너는 공원에서 ______ 만났니?

6 **What color** do you like most? → 너는 ______ 가장 좋아하니?

7 **Who** drew this painting? → ______ 이 그림을 그렸니?

8 **Which one** will you buy, a skirt or jeans? → 너는 ______ 살 거니, 스커트니 아니면 청바지니?

Point

50 when, where

❶ when은 시간이나 때에 대해서 물을 때 쓴다.

when: 언제

When is your parents' wedding anniversary? 네 부모님의 결혼기념일은 언제니?

When does the movie start? 영화는 언제 시작하니?

What time does the movie start? 영화는 몇 시에 시작하니? ›› 구체적인 시간을 물어볼 때는 what time을 쓰기도 해요.

❷ where는 장소에 대해서 물을 때 쓴다.

where: 어디에서, 어디에

Where is he from? 그는 어디 출신이니?

Where are you going? 너는 어디에 가는 중이니?

›› 의문사 when과 where는 부사의 성격을 가지는 의문부사이므로 문장에서 주어로 쓰이지 않아요.

Q **when**이 접속사로 쓰일 때도 있는데 의문사와 어떻게 구분하죠?

A **When**이 접속사로 쓰일 때는 **When** 다음에 「주어+동사」가 오고, '~할 때'로 해석이 돼요.

When will you come home? 너는 집에 언제 올 거니? (의문사)

When I came home, there was nobody here. 내가 집에 왔을 때 아무도 없었다. (접속사)

문법 확인 Ⓑ 문장 해석하기

▸ **Answer** p.34

1 **When** will they move to Canada? → 그들은 ________ 캐나다로 이사할 거니?

2 **Where** is the nearest subway station? → 가장 가까운 지하철역은 ________ 있나요?

3 **What time** shall we meet tomorrow? → 우리 내일 ________ 만날까?

4 **Where** does the polar bear live? → 북극곰은 ________ 살지?

5 **When** does the final exam begin? → 기말고사는 ________ 시작하지?

6 **Where** did you buy your shoes? → 너는 ________ 신발을 샀니?

7 **When** is the next flight to New York? → 뉴욕행 다음 비행기는 ________ ?

8 **What time** are you leaving tomorrow morning? → 너는 내일 아침 ________ 떠날 예정이니?

▸ Answer p.34

문법 기본 Ⓐ 빈칸에 들어갈 말에 V 표시하기

1 ________ is his boss? □ Who □ What □ Whom

2 ________ is your favorite sport? □ Who □ What □ Whom

3 ________ is your bag, this one or that one? □ Who □ What □ Which

4 ________ is the summer vacation? □ When □ Where □ What

5 ________ will you go on your next vacation? □ When □ Where □ What

6 ________ time does the concert end? □ When □ Where □ What

7 ________ will you go to Jejudo with? □ When □ Where □ Whom

8 ________ do you exercise? □ Who □ Where □ What

문법 기본 Ⓑ 알맞은 의문사 고르기

1 너는 어느 동아리에 가입할 거니? → Whom / Which club are you going to join?

2 너는 오늘 언제 한가하니? → When / Where are you free today?

3 이 시는 누가 썼지? → Who / Whom wrote this poem?

4 그녀는 무엇을 찾고 있니? → What / who is she looking for?

5 주차장은 어디에 있나요? → When / Where is the parking lot?

★parking lot 주차장

6 지금은 몇 시인가요? → When / What time is it now?

7 그는 어디에서 태어났니? → When / Where was he born?

★be born 태어나다

8 우체국은 어느 쪽이죠? → Which / Where way is the post office?

▸ Answer p.34

문법 쓰기 Ⓐ 문장의 어순 배열하기

Example 네 생일은 언제이니? (is / birthday / when / your)
→ *When* *is* *your* *birthday* ?

1 오늘은 무슨 요일이지? (it / is / day / what)
→ today?

2 누가 한글을 발명했니? (Hangeul / invented / who)
→ ?

3 가장 좋아하는 과목은 무엇이니? (is / your / what / subject / favorite)
→ ?

4 너는 어디에서 프랑스어를 배웠니? (did / where / learn / you)
→ French?

문법 쓰기 Ⓑ 틀린 부분 고치기

Example What is the next player? *What* → *Who*
다음 선수는 누구지?

1 Whom used the computer? →
누가 컴퓨터를 썼지?

2 When is the nearest ATM? →
가장 가까운 현금인출기는 어디에 있나요?

3 Who are you writing about? →
너는 무엇에 관해서 쓰고 있니?

4 Who she went to high school? →
그녀는 어느 고등학교를 다녔니?

5 What his nickname is? →
그의 별명은 무엇이니?

6 When time does the bank close today? →
은행은 오늘 몇 시에 닫나요?

▸ Answer p.34

문법 쓰기 Ⓒ 주어진 단어를 활용하여 문장 완성하기

Example 서점은 어디에 있나요? (bookstore)
→ *Where is the bookstore?*

1 너는 저녁 식사로 무엇을 먹고 싶니? (want, eat)

→ for dinner?

2 어제 어느 팀이 이겼니? (win the game)

→ yesterday?

3 너는 전화로 누구와 이야기하고 있었니? (talk to)

→ on the phone?

4 그들은 잃어버린 개를 어디서 찾았니? (find)

→ their missing dog?

★missing 없어진, 실종된

5 너는 어젯밤에 언제 잠자리에 들었니? (go to sleep, last night)

→

6 누가 최고 배우상을 받았니? (win, the best actor award)

→

★award 상

7 너는 어떤 종류의 영화를 좋아하니? (kind of movie, like)

→

★'어떤 종류'라고 할 때는 일반적으로 which kind보다 what kind를 많이 써요.

8 그의 고향은 어디니? (hometown)

→

▸ Answer p.34

서술형 예제 1

다음 우리말을 〈조건〉에 맞게 영작하시오. Point 49

누가 창문을 깼니?

조건 • break the window를 사용할 것
• 총 4단어로 쓸 것

→ ______________________

Teacher's guide

STEP ❶
'누가'에 해당하는 의문사를 써요.

STEP ❷
나머지 동사 부분을 써요. 의문사가 주어로 쓰인 경우이므로 따로 조동사를 쓰지 않고 동사를 바로 써야 해요.

정답 >> Who broke the window?

실전 연습 1

다음 우리말을 〈조건〉에 맞게 영작하시오. Point 49

누가 연설을 했나요?

조건 • give the speech를 사용할 것
• 총 4단어로 쓸 것

→ ______________________

서술형 예제 2

다음 우리말과 일치하도록 〈조건〉에 맞게 대화를 완성하시오. Point 50

A: 네 생일은 언제니?
B: 7월 7일이야.

A : ______________________
B : It's July 7.

조건 • birthday를 사용할 것

Teacher's guide

STEP ❶
언제인지 때를 묻고 있으므로 의문사 when으로 시작해야 해요.

STEP ❷
be동사를 이용해야 하므로 「의문사+be동사+주어 ~?」 어순으로 써야 해요.

정답 >> When is your birthday?

실전 연습 2

다음 우리말과 일치하도록 〈조건〉에 맞게 대화를 완성하시오. Point 50

A: 식목일은 언제지?
B: 4월 5일이야.

A : ______________________
B : It's April 5.

조건 • Arbor Day를 사용할 것

Point 51

why, how

❶ why는 이유나 원인에 대해서 물어볼 때 쓴다.

why: 왜

Why were you late for school? 너는 학교에 왜 지각했니?
» 'Why ~ ?'에 대한 대답은 보통 'Because ~ '로 해요. (Because I got up late. 늦게 일어났기 때문이야.)

Why is she upset? 그녀는 왜 화가 났니?

❷ how는 상태나 안부, 방법이나 수단 등을 물어볼 때 쓴다.

how: 어떻게, 어떤

How is the weather today? 오늘 날씨가 어떠니?
What is the weather **like** today?
» 날씨에 대해 물을 때는 「What ~like?」로도 많이 말해요.

How do you **go** to school? 너는 학교에 어떻게 가니?
» how가 수단을 나타낼 때는 보통 by를 이용해 대답해요. (I go to school by bike. 나는 자전거를 타고 학교에 가.)

➕ **why를 이용한 권유 · 제안의 표현**

Why don't you ~? (= How about ~ing?)	너는 ~하는 게 어때? (권유)	Why don't you go to bed early? (= How about going to bed early?) 너는 잠자리에 일찍 드는 게 어때?
Why don't we ~? (= Let's ~.)	우리 ~하는 게 어때? (제안)	Why don't we hurry? (= Let's hurry.) 우리 서두르는 게 어때?

문법 확인 Ⓐ 문장 해석하기

▸ Answer p.34

1 **Why** did you come home early? → 너는 집에 ______ ?

2 **How** do I get to the airport? → 공항에는 ______ ?

3 **Why** did Susan cry yesterday? → Susan은 어제 ______ ?

4 **How** do you spend your free time? → 너는 여가 시간을 ______ ?

5 **Why** do you want to be a lawyer? → 너는 ______ 변호사가 ______ ?

6 **How** is the project going? → 프로젝트는 ______ 되어가고 있니?

7 **Why** did the police visit his home? → ______ 경찰이 그의 집을 ______ ?

8 **How** does the cake taste? → 케이크는 맛이 ______ ?

Point
52 How+형용사[부사] ~?

how 뒤에 형용사나 부사가 와서 '얼마나 ~한[~하게]'라는 뜻으로 정도를 물어볼 때 쓴다.

how old	몇 살의	**How old** are you? 너는 몇 살이니?
how tall[high]	얼마나 키가 큰[높이가 높은]	**How tall** is he? 그는 키가 얼마나 되니?
how long	얼마나 긴, 얼마 동안	**How long** will it take? 시간이 얼마나 걸릴까?
how far	얼마나 먼	**How far** is the station from here? 역은 여기에서 얼마나 머니?
how often	얼마나 자주	**How often** do you exercise? 너는 얼마나 자주 운동을 하니?
how big	얼마나 큰	**How big** is the concert hall? 콘서트장은 얼마나 크니?
how fast	얼마나 빠른	**How fast** is your car? 네 차는 얼마나 빠르니?
how much	(가격이) 얼마의	**How much** is this bag? 이 가방은 얼마인가요?
how many + 셀 수 있는 명사	얼마나 많은 수의 ~	**How many people** are there in your family? 너의 가족은 몇 명이니?
how much + 셀 수 없는 명사	얼마나 많은 양의 ~	**How much sugar** do you need? 얼마나 많은 설탕이 필요하니?

+

how long의 두 가지 의미

how long	얼마나 긴 (길이)	How long is the snake? 그 뱀은 길이가 얼마나 되니?
	얼마 동안 (기간)	How long is the winter vacation? 겨울방학은 기간이 얼마나 되니?

문법 확인 B 문장 해석하기

▸ Answer p.34

1 **How many** pencils do you have? → 너는 연필이 ________?

2 **How far** is your house from school? → 학교에서 너희 집은 ________?

3 **How much** allowance do you get a month? → 너는 한 달에 용돈을 ________?
★allowance 용돈

4 **How long** did you live in Busan? → 너는 부산에서 ________ 살았니?

5 **How often** do you visit your grandparents? → 너는 조부모님을 ________ 찾아뵙니?

6 **How long** is the Han River? → 한강은 ________?

7 **How much** will it cost to repair the bike? → 자전거를 수리하는데 ________?
★repair 수리하다

8 **How big** was the balloon? → 그 풍선은 ________?

문법 기본 Ⓐ 빈칸에 들어갈 말에 V 표시하기

▸ Answer p.34

1 ________ didn't you call me yesterday? □ Why □ How □ When

2 ________ old is the man? □ Why □ How □ Who

3 ________ don't we meet at 4 o'clock instead? □ Why □ How □ What

4 ________ often do you get a haircut? □ Why □ How □ What

5 How ________ rooms are there in this apartment? □ many □ much □ long

6 How ________ does it take to go to the department store? □ old □ far □ long
★take (얼마의 시간이) 걸리다

7 How ________ does the KTX travel? □ old □ big □ fast

8 How ________ coffee does she drink a day? □ many □ much □ often

문법 기본 Ⓑ 알맞은 의문사 고르기

1 허리는 어떠세요? → Why / How is your back?

2 그는 왜 경주를 포기했지? → Why / How did he give up the race?

3 내가 도대체 몇 번이나 말해야 하니? → How many / much times do I have to tell you?

4 에베레스트산은 높이가 얼마나 되지? → How long / high is Mt. Everest?

5 추석 연휴는 기간이 얼마나 되지? → How long / far is the Chuseok holiday?

6 너는 치과에 가보는 게 어떠니? → Why / How don't you go see a dentist?

7 너는 이 쿠키들을 어떻게 만들었니? → Why / How did you make these cookies?

8 이 사과는 얼마인가요? → How many / much are these apples?

▸ Answer p.34

문법 쓰기 Ⓐ 문장의 어순 배열하기

Example 나는 왜 이렇게 배가 고프지? (I / am / why)
→ *Why* *am* *I* so hungry?

1 너는 오늘 기분이 어떠니? (are / how / feeling / you)

→ ________ ________ ________ ________ today?

2 너는 산에서 쓰레기를 줍는 게 어떠니? (you / why / don't)

→ ________ ________ ________ pick up the trash on the mountain?

3 네가 가장 좋아하는 농구선수는 키가 얼마나 되니? (tall / is / how)

→ ________ ________ ________ your favorite basketball player?

4 너는 왜 네 남동생과 싸웠니? (did / you / fight / why)

→ ________ ________ ________ ________ with your younger brother?

문법 쓰기 Ⓑ 틀린 부분 고치기

Example How much shoes do you have? *much* → *many*
너는 신발이 몇 켤레나 있니?

1 How many sugar do you put in your coffee? ________ → ________
당신은 커피에 설탕을 얼마나 넣나요?

2 How far was the shark? ________ → ________
그 상어는 길이가 얼마나 됐나요?

3 Why do we take the subway instead of the bus? ________ → ________
우리 버스 대신 지하철을 타는 게 어때?

4 Why is the weather in London? ________ → ________
런던의 날씨는 어떠니?

5 How long is your school? ________ → ________
너희 학교는 얼마나 오래됐니?

6 How high is the sun from the earth? ________ → ________
태양은 지구에서 얼마나 멀지?

문법 쓰기 C 주어진 단어를 활용하여 문장 완성하기

▸ Answer p.34

Example 이 카메라는 얼마인가요? (much, be, camera)
→ *How much is this camera?*

1 그는 어제 회의에 왜 오지 않았니? (come to the meeting)

→ yesterday?

2 너는 피자를 좀 더 먹는 게 어떠니? (don't, have)

→ some more pizza?

3 너는 지금 지갑에 돈이 얼마나 있니? (money, have)

→ in your wallet right now?

4 그 건물에는 사무실이 몇 개나 있나요? (offices, there)

→ in the building?

5 여기에서 너의 학교까지 얼마나 머니? (here)

→ to your school?

6 네 거북이는 나이가 어떻게 되니? (your turtle)

→

7 나는 오늘 어때 보이니? (look, today)

→

8 그 스포츠카는 얼마나 빠르지? (the sports car)

→

▸ Answer p.35

서술형 예제 1

다음 우리말과 일치하도록 〈조건〉에 맞게 대화를 완성하시오. Point 51

A: 너는 어제 왜 집에 머물렀니?
B: 나는 매우 아팠기 때문이야.

A : ______________________

B : Because I was very sick.

조건
• stay home yesterday를 이용할 것
• 총 6단어로 쓸 것

Teacher's guide

STEP ❶
'왜'라고 이유를 묻고 있으므로 의문사 why로 시작해요.

STEP ❷
의문사로 시작하는 일반동사의 의문문의 어순은 「의문사+do[does, did]+주어+일반동사 ~?」이므로 이 어순에 맞게 나머지 부분을 써주면 돼요.

정답 ≫ Why did you stay home yesterday?

실전 연습 1

다음 우리말과 일치하도록 〈조건〉에 맞게 대화를 완성하시오. Point 51

A: 너는 왜 병원에 갔니?
B: 나의 할머니께서 그곳에 계셨기 때문이야.

A : ______________________

B : Because my grandmother was there.

조건
• go to the hospital을 이용할 것
• 총 7단어로 쓸 것

서술형 예제 2

다음 우리말을 〈조건〉에 맞게 영작하시오. Point 52

너는 얼마나 자주 외식을 하니?

조건
• eat out을 이용할 것
• 총 6단어로 쓸 것

→ ______________________

Teacher's guide

STEP ❶
'얼마나 자주'로 묻고 있으므로 how often으로 시작해요.

STEP ❷
「How+형용사[부사]」로 시작하는 일반동사의 의문문의 어순은 「How+형용사[부사]+do[does, did]+주어+일반동사 ~?」이므로 이 어순에 맞게 나머지 부분을 써주면 돼요.

정답 ≫ How often do you eat out?

실전 연습 2

다음 우리말을 〈조건〉에 맞게 영작하시오. Point 52

너는 얼마나 자주 목욕을 하니?

조건
• take a bath를 이용할 것
• 총 7단어로 쓸 것

→ ______________________

CHAPTER 11 의문사

내신 대비 실전 TEST

▸ Answer p.35

객관식 (01~10)

[01~02] 다음 밑줄 친 부분과 바꿔 쓸 수 있는 것을 고르시오.

Point 49

01 Who will you go to the party with?

① What ② Which ③ Whom
④ When ⑤ Where

Point 50

02 What time does the movie start?

① Who ② What ③ Why
④ When ⑤ Where

[03~05] 다음 빈칸에 들어갈 말로 알맞은 것을 고르시오.

Point 49

03 ________ do you like better, pizza or spaghetti?

① Who ② Which ③ How
④ When ⑤ Where

Point 49

04 ________ kind of music do you usually listen to?

① Who ② What ③ When
④ Why ⑤ How

Point 51

05 ________ is the weather today?

① Who ② Why ③ When
④ What ⑤ How

Point 49

06 다음 빈칸에 들어갈 말로 알맞지 않은 것은?

________ did you meet Mike?

① Why ② What ③ How
④ When ⑤ Where

Point 49

07 다음 우리말을 영어로 바르게 옮긴 것은?

누가 그 질문에 답했나요?

① Who answered the question?
② Whom answered the question?
③ Who do answer the question?
④ Whom did answer the question?
⑤ Who did you answer the question?

Point 52

08 다음 밑줄 친 부분 중 어법상 틀린 것은?

① How much caps do you have?
② How is everything going with you?
③ Where is your English teacher from?
④ How far is it from here to the mall?
⑤ Why don't we meet in front of the museum?

Point 51

09 다음 대화의 빈칸에 들어갈 말로 알맞은 것은?

A: __________ are you in a hurry?
B: I am late for my class.

① What ② Where ③ When
④ Why ⑤ How

고난도 Point 52

10 다음 중 대화가 자연스럽지 않은 것은?

① A: Who are they?
B: They are my cousins.
② A: What does your mother do?
B: She is a nurse.
③ A: Why did you get up so early?
B: Because today is the picnic day.
④ A: How often do you work out?
B: About three or four times a week.
⑤ A: How long is the Han River Bridge?
B: It takes about an hour.

서술형 기본 (11~20)

[11~13] 다음 문장의 밑줄 친 부분을 어법상 바르게 고쳐 쓰시오.

Point 49

11 What is your role model?
→ __________ is your role model?

Point 50

12 Where is Memorial Day?
→ __________ is Memorial Day?

Point 52

13 How many is the red backpack?
→ How __________ is the red backpack?

대표 Point 49

14 다음 빈칸에 공통으로 알맞은 말을 쓰시오.

• __________ is the weather like in Seoul today?
• __________ is your favorite dessert?

→ __________

[15~16] 다음 문장에서 어법상 틀린 곳을 찾아 바르게 고쳐 쓰시오.

Point 52

15 How much books do you read a month?

__________ → __________

Point 52

16 How long is it from Seoul to Busan?

__________ → __________

[17~19] 다음 대화의 흐름에 맞도록 빈칸에 알맞은 말을 쓰시오.

Point 52

17
A: __________ __________ is your sister?
B: She is 20 years old.

Point 49

18
A: __________ do you prefer, comedy or action movies?
B: I prefer comedy movies.

고난도 Point 49, 51

19
A: (1) __________ is wrong? Your face is all red.
B: I am so embarrassed now.
A: (2) __________ are you feeling embarrassed?
B: Because I slipped in the classroom. Everyone saw me.

Point 50

20 다음 우리말과 일치하도록 괄호 안의 말을 바르게 배열할 때 네 번째로 오는 단어를 쓰시오.

> 버스 정류장은 어디에 있나요?
> (can, the bus stop, I, where, find)

→ ____________________

서술형 심화 (21~25)

Point 49

21 다음 대화의 흐름에 맞도록 빈칸에 알맞은 말을 쓰시오.

> A: ________________________________?
> B: My hobbies are watching movies and reading novels.

Point 51

22 다음 우리말을 〈조건〉에 맞게 영작하시오.

> 너는 지금 출발하는 게 어떠니?

조건 why, leave를 이용할 것

→ ____

Point 50, 52

23 다음은 경주 불국사에 있는 다보탑에 관한 보고서의 일부이다. it을 주어로 하여 빈칸에 각각 알맞은 질문을 쓰시오.

> (1) Q: ______________________________
> A: It is in Bulguksa in Gyeongju.
> (2) Q: ______________________________
> A: It is 10.29 m tall.

Point 50, 52

24 다음은 Minho의 월요일 시간표이다. 시간표를 참고하여 우리말과 일치하도록 각 대화를 완성하시오.

Period 1	9:00~9:45	Art
Period 2	9:55~10:45	Science
Period 3	10:55~11:35	English
Period 4	11:45~12:30	Korean
lunchtime	*12:30~13:30*	
Period 5	13:30~14:15	Math
Period 6	14:25~15:10	P.E.

(1)
> A: Minho는 월요일에 수업이 몇 개 있나요?
> B: 그는 월요일에 6개의 수업이 있어요.

→ A: ______________________________
B: He has six classes on Mondays.

(2)
> A: 점심시간은 몇 시에 시작하나요?
> B: 점심시간은 12시 30분에 시작해요.

→ A: ______________________________
B: It starts at 12:30.

고난도

Point 49, 50, 52

25 다음 신상 정보표를 보고, 각 항목에 대한 알맞은 질문을 〈조건〉에 맞게 괄호 안의 말을 이용하여 쓰시오.

Name	Sora Park
Age	14
Address	Nowongu, Seoul

조건 she나 her를 이용할 것

(1) ________________________________? (name)

(2) ________________________________? (old)

(3) ________________________________? (live)

CHAPTER 12

여러 가지 문장

Get Ready

명령문	Be **quiet in the library.**	도서관에서 조용히 해라.
청유문	Let's **have lunch together.**	점심을 같이 먹자.
감탄문	**What a small world it is!**	세상 정말 좁구나!
	How deep the sea is!	바다는 정말 깊구나!
부가의문문	**Mr. Kim is a great teacher,** isn't he**?**	김 선생님은 훌륭한 선생님이셔, 그렇지 않니?

문장에는 일반적으로 쓰이는 평서문과 의문문 이외에도 여러 종류의 문장이 있어요. 상대방에게 명령을 내리는 **명령문**, 함께 뭔가를 할 것을 제안하는 **청유문**, 기쁨, 슬픔, 놀람 등의 강한 감정을 나타내는 **감탄문**, 동의를 구하거나 사실을 확인하기 위한 **부가의문문**이 있어요. 이번 Chapter에서는 이런 여러 가지 문장들에 대해 공부할거에요.

Point

53 명령문과 청유문

❶ 상대방에게 명령이나 요청을 할 때 쓰는 명령문은 동사원형이나 Don't~로 시작한다.

「동사원형 ~」: ~해라 / 「Don't+동사원형 ~」: ~하지 마라

Get the door. 문 좀 열어줘.
>> 명령문은 주어를 쓰지 않고 동사원형으로 시작해요.

Please get the door. 문 좀 열어주세요.
(Get the door **please**.)
>> 앞이나 뒤에 please를 붙이면 좀 더 부드러운 명령문이 돼요.

Don't make any noise. 시끄럽게 하지 마라.
Never make any noise. 절대 소음을 내지 마라.
>> '~하지 마라'는 뜻의 부정 명령문은 「Don't+동사원형 ~」으로 써요. 강조할 때는 Don't 대신 Never를 쓰기도 해요.

❷ 상대방에게 제안이나 권유를 하는 청유문은 「Let's+(not)+동사원형 ~」으로 쓴다.

「Let's+동사원형 ~」: (우리) ~하자 / 「Let's not+동사원형 ~」: (우리) ~하지 말자

Let's take a taxi. 택시를 타자.
(= **Why don't we** take a taxi? 우리 택시 타는 게 어때?)
>> Let's 는 Let us를 줄인 말이에요. 일반적으로 Let's라고 하지 Let us라고 하지 않아요. point 11에서 학습한 Why don't ~we?와 의미가 같아요.

Let's not waste time. 시간 낭비하지 말자.
>> '~하지 말자'는 뜻의 부정 청유문은 「Let's not+동사원형 ~」으로 써요.

Q 명령문은 원래 주어가 없는 건가요?

A 아니오, 그렇지 않아요. 명령문은 기본적으로 '너, 너희'의 2인칭에게 말하는 것이므로 주어 **you**가 생략된 것이에요. 그렇기 때문에 뒤에서 보게 되듯이 부가의문문을 붙일 때 **you**를 주어로 쓰는 거에요.
Close the door, **will you**? 문 좀 닫아줘, 그래 줄래?

문법 확인 Ⓐ 문장 해석하기

▸ Answer p.36

1 **Turn off** the light, please. → 불 좀 ______.
★turn off 끄다

2 **Open** your books to page ten. → 책 10페이지를 ______.

3 **Don't be** late again. → 다시는 늦지 ______.

4 **Let's go** to the movies. → 영화 보러 ______.

5 **Let's not give up** now. → 지금 포기하지 ______.

6 **Never put** things off. → 일을 절대 ______.
★put off 미루다

7 **Let's call** the ambulance. → 구급차를 ______.

8 **Don't watch** TV until late at night. → 밤 늦게까지 TV를 ______.

감탄문

❶ 형용사나 부사를 강조할 때는 how로 시작하는 감탄문을 쓴다.

「How+형용사[부사] (+주어+동사)!」: 정말 ~하구나!

How cute (the baby is)! (그 아기는) 정말 귀엽구나!
>> The baby is very cute.라는 문장에서 형용사를 강조한 경우에요. 감탄문에서 주어와 동사는 생략이 가능해요.

How fast he runs! 그는 정말 빨리 달리는구나!
>> He runs very fast.라는 문장에서 부사를 강조한 경우에요.

❷ 명사를 강조할 때는 what으로 시작하는 감탄문을 쓴다.

「What+(a/an)+형용사+명사 (+주어+동사)!」: 정말 ~한 …구나!

What a nice woman (she is)! (그녀는) 정말 좋은 여자구나!
>> She is a very nice woman.이라는 문장에서 명사를 강조한 경우에요.

What beautiful eyes she has! 그녀는 정말 아름다운 눈을 가졌구나!
>> She has very beautiful eyes.라는 문장에서 명사를 강조한 경우에요. 이렇게 명사가 복수형일 때는 a(an)을 쓰지 않아요.

감탄문과 의문문의 어순 비교

감탄문	「How+형용사+주어+동사!」	How tall **you are**! 너는 정말 키가 크구나!
의문문	「How+형용사+동사+주어?」	How tall **are you**? 너는 키가 몇이니?

문법 확인 Ⓑ 문장 해석하기

▸ Answer p.36

1 **How** sour the pineapple is! → 그 파인애플은 ________!

2 **How** stupid he was! → 그는 얼마나 ________!
★stupid 어리석은

3 **What** an amazing story! → 정말 ________!

4 **How** carefully you drive! → 너는 정말 ________!

5 **What** nice shoes these are! → 이것은 ________!

6 **What** long trunks the elephants have! → 코끼리들은 ________!

7 **How** hard Tom studies! → Tom은 ________!

8 **What** an expensive ring! → 반지가 ________!

▸ Answer p.36

문법 기본 Ⓐ 빈칸에 들어갈 말에 V 표시하기

1 ________ polite to elderly people. □ Do □ Be □ Let's

2 ________ open the box yet. □ No □ Not □ Don't

3 ________ meet at the bus stop. □ Do □ Let □ Let's

4 Let's ________ hurry. □ no □ not □ don't

5 ________ kind you are! □ How □ What □ Do

6 ________ a wonderful world! □ How □ What □ Let's

7 ________ beautiful songs they sang! □ How □ What □ Be

8 ________ slowly the snail moves! □ How □ What □ Don't

문법 기본 Ⓑ 알맞은 말 고르기

1 우리 뭔가 따뜻한 것을 마시자. → Do / Let's drink something hot.

2 칼을 조심하세요. → Please be / do careful with the knife.

3 얼마나 화창한지 날인지! → How / What a sunny day it is!

4 다리 좀 떨지 마라. → Don't / Let's not shake your leg.

5 패스트푸드를 먹지 말자. → Don't / Let's not eat fast food.

6 그 건물은 얼마나 높던지! → How / What tall the building was!

7 정말 흥미로운 경기로구나! → How / What an exciting game!

8 네 손은 정말 차갑구나! → How / What cold your hands are!

▸ Answer p.36

문법 쓰기 Ⓐ 문장의 어순 배열하기

Example 게으름 피우지 마라. (be / lazy / don't)
→ *Don't* *be* *lazy* .

1 나에게 진실을 말해줘. (me / tell / the / truth)

→ ________ .

2 절대 나쁜 말을 하지 마라. (say / never / words / bad)

→ ________ .

3 그 성은 얼마나 크던지! (was / big / the / how / castle)

→ ________ !

4 너는 정말 멋진 모자를 쓰고 있구나! (a / hat / nice / what)

→ ________ you're wearing!

문법 쓰기 Ⓑ 틀린 부분 고치기

Example Let sing together. *Let* → *Let's*
함께 노래하자.

1 Not park here. ________ → ________
여기에 주차하지 마라.

2 Let's no stop here. ________ → ________
여기에서 멈추지 말자.

3 How a bright idea! ________ → ________
정말 기발한 생각이구나!

4 Please helps me with my homework. ________ → ________
내 숙제 좀 도와줘요.

5 What well Minji speaks English! ________ → ________
민지는 정말 영어를 잘하는구나!

6 Don't do nervous. Calm down. ________ → ________
긴장하지 마라. 침착해라.

▸ Answer p.36

문법 쓰기 Ⓒ 주어진 단어를 활용하여 문장 완성하기

Example	네 친구들에게 친절해라. (kind, your friends)
	→ *Be kind to your friends.*

1 그 케이크는 정말 달콤했어! (sweet))

→ ______________________ the cake was!

2 수업 중에 휴대 전화를 사용하지 마라. (use, your cell phone)

→ ______________________ during class.

3 정말 높은 산이구나! (high, mountain)

→ ______________________ it is!

4 오늘 농구 연습을 하지 말자. (practice, basketball)

→ ______________________ today.

5 그는 정말 고급스러운 차를 가지고 있구나! (fancy car, he)

→ ______________________

6 방과 후에 도서관에 가자. (go to the library, after school)

→ ______________________

7 정말 이상하구나! (strange)

→ ______________________

★감탄문은 주어와 동사를 생략해서 쓰기도 해요.

8 슬퍼하지 마라. (sad)

→ ______________________

▸ Answer p.36

서술형 예제 1

다음 우리말을 〈조건〉에 맞게 영작하시오. Point 53

화내지 마라.

조건	• upset을 사용할 것 • 총 3단어로 쓸 것

→ ______________________________

Teacher's guide

STEP ❶
'~하지 마라'는 부정 명령문이므로 「Don't + 동사원형~」으로 써요.

STEP ❷
upset을 이용해야 하므로 be동사와 함께 써요. Don't 뒤에 be동사와 나머지 형용사를 쓰면 돼요.

정답 ›› Don't be upset.

실전 연습 1

다음 우리말을 〈조건〉에 맞게 영작하시오. Point 53

어리석게 굴지 마.

조건	• silly를 사용할 것 • 총 3단어로 쓸 것

→ ______________________________

서술형 예제 2

다음 대화를 읽고, 밑줄 친 우리말을 〈조건〉에 맞게 영작하시오. Point 54

A: 너는 이순신 장군을 아니?
B: 물론이지. 그는 얼마나 위대한 장군이었는지!

A : Do you know General Yi Sunsin?
B : Sure. ______________________________

조건	• great, general을 사용할 것

Teacher's guide

STEP ❶
느낌표(!)로 끝나므로 감탄문으로 써요.

STEP ❷
강조하는 것이 명사이므로 「What + (a/an) + 형용사 + 명사!」 어순으로 써요.

정답 ›› What a great general he was!

실전 연습 2

다음 대화를 읽고, 밑줄 친 우리말을 〈조건〉에 맞게 영작하시오. Point 54

A: 너는 테레사 수녀를 아니?
B: 물론 알지. 그녀는 얼마나 위대한 성인이었는지!

A : Do you know Mother Teresa?
B : Of course I do. ______________________________

조건	• great, saint를 사용할 것

긍정문 뒤의 부가의문문

❶ 상대방의 동의를 구하거나 사실을 확인할 때 긍정문 뒤에 부정형 부가의문문을 쓴다.

「주어+동사, 동사의 부정형+주어?」: ~하지, 그렇지 않니?

You're hungry, **aren't you**? 》 긍정문에 붙는 부가의문문은 부정형으로 써요.
너는 배가 고프지, 그렇지 않니?

Suji and Minji are sisters, **aren't they**? 》 부가의문문에서 동사의 부정형은 반드시 축약형으로 쓰고 주어는 대명사로 써야 해요.
수지와 민지는 자매지, 그렇지 않니?

❷ 부가의문문의 동사는 앞 문장에 따라 다르다.

앞문장	부가의문문	예문
be동사나 조동사	be동사나 조동사	She is a teenager, **isn't she**? 그녀는 십 대지, 그렇지 않니?
일반동사	주어의 인칭과 수, 시제에 따라 do / does / did	You like soccer, **don't you**? 너는 축구를 좋아하지, 그렇지 않니?

Q 명령문의 부가의문문은 어떻게 쓰나요?

A 명령문의 부가의문문은 긍정문이나 부정문에 관계없이 뒤에 '**will you?**'를 붙여요.
Turn down the music, **will you**? 음악 소리 좀 줄여줘, 그래 줄래?

문법 확인 Ⓐ 문장 해석하기

▸ Answer p.37

1 You were sick yesterday, **weren't you**? → 너는 어제 아팠지, ______?

2 Einstein was a genius, **wasn't he**? → 아인슈타인은 천재였어, ______?

3 Be careful with the glass, **will you**? → 유리컵을 조심해, ______?

4 John and Amy like each other, **don't they**? → John과 Amy는 서로 좋아해, ______?

5 We will have a test tomorrow, **won't we**? → 우리는 내일 시험이 있지, ______?

6 Wash your hands first, **will you**? → 우선 손을 씻어라, ______?

7 You have worries, **don't you**? → 너 고민이 있구나, ______?

8 Your dog bit my shoes, **didn't it**? → 네 개가 내 신발을 물어 뜯었지, ______?
★bite 물어뜯다 (bite – bit – bitten)

Point
56 부정문 뒤의 부가의문문

❶ 상대방의 동의를 구하거나 사실을 확인할 때 부정문 뒤에 긍정형 부가의문문을 쓴다.

「주어+동사, 동사의 긍정형+주어?」: ~하지 않아, 그렇지?

You weren't at home yesterday, **were you**?
너는 어제 집에 없었지, 그렇지?
» 부정문에 붙는 부가의문문은 긍정형으로 써요.

The movie was not fun, **was it**?
그 영화는 재미없었어, 그렇지?
» 부가의문문에서 주어는 대명사로 바꿔 써요. This나 That도 it으로 바뀌어요.

❷ 부가의문문에서 대답은 의문문의 긍정이나 부정과 관계없이 사실 여부에 따라 대답한다.

긍정문 뒤의 부가의문문	She is your sister, isn't she? 그녀는 네 여동생이잖아, 그렇지 않니?	Yes, she is. 맞아, 내 동생이야. No, she isn't. 아니, 그렇지 않아.(내 여동생이 아니야.)
부정문 뒤의 부가의문문	She isn't your sister, is she? 그녀는 네 여동생이 아니야, 그렇지?	Yes, she is. 아니야, 내 동생이야. No, she isn't. 응, 그렇지 않아.(내 여동생이 아니야.)

Q 청유문의 부가의문문은 어떻게 쓰나요?

A 청유문의 부가의문문은 긍정문이나 부정문에 관계없이 문장 뒤에 '**shall we**?'를 써요.
Let's take a rest, **shall we**? 우리 좀 쉬자, 그럴래?

문법 확인 Ⓑ 문장 해석하기

▸ Answer p.37

1 The roller coaster wasn't scary, **was it**? → 롤러코스터는 무섭지 않았어, ______?

2 Let's eat something first, **shall we**? → 우선 뭐 좀 먹자, ______?

3 The steak isn't delicious, **is it**? → 그 스테이크는 맛이 없어, ______?

4 You can't ride a bike, **can you**? → 너는 자전거를 못 타지, ______?

5 Let's not walk there, **shall we**? → 거기까지 걸어가지 말자, ______?

6 You didn't miss me, **did you**? → 너는 내가 그립지 않았지, ______?

7 A: This is not your notebook, **is it**? → A: 이것은 네 공책이 아니야, ______?
B: No, it isn't. → B: ______, 그렇지 않아.

▸ Answer p.37

문법 기본 Ⓐ 빈칸에 들어갈 말에 V 표시하기

1 Tom is lazy, ________ he? □ is □ isn't □ doesn't

2 You came home late yesterday, ________ you? □ do □ don't □ didn't

3 Let's visit Sujin in the hospital, ________ we? □ shall □ will □ won't

4 Things are not going well, ________ they? □ are □ isn't □ aren't
★go well 잘되어가다

5 Set the table, ________ you? □ shall □ will □ won't

6 Sally didn't win the game, ________ she? □ do □ did □ didn't

7 They will hold the next Olympic Games, ________ they? □ will □ don't □ won't

8 Don't mess up your room ________ you? □ will □ don't □ won't
★mess up 어지럽히다

문법 기본 Ⓑ 알맞은 말 고르기

1 날씨가 너무 춥지, 그렇지 않니? → The weather is so cold, is / isn't it?

2 수미는 춤을 매우 잘 춰, 그렇지 않니? → Sumi dances very well, does / doesn't she?

3 너 소식 못 들었구나, 그렇지? → You didn't hear the news, did / didn't you?

4 내 말 좀 들어봐, 그래 줄래? → Please listen to me, will / won't you?

5 너 몸이 좋지 않구나, 그렇지? → You're not feeling well, are / aren't you?

6 그것에 대해서는 이야기하지 말자, 그럴래? → Let's not talk about it, will / shall we?

7 John은 한국말을 못 해, 그렇지? → John can't speak Korean, can / can't he?

8 너와 나는 내일 해변에 갈 거야, 그렇지 않니? → You and I will go to the beach tomorrow, will / won't we?

▸ Answer p.37

문법 쓰기 Ⓐ 문장의 어순 배열하기

Example 너 졸리지, 그렇지 않니? (you / are / aren't / sleepy)
→ *You* *are* *sleepy* , *aren't* you?

1 너 울고 있구나, 그렇지 않니? (are / you / aren't / crying)

→ ______ ______ ______ , ______ you?

2 캠핑 가자, 그럴래? (go / shall / camping / let's)

→ ______ ______ ______ , ______ we?

3 그건 네 휴대 전화가 아니지, 그렇지? (your / is / cellphone / not / it)

→ That's ______ ______ ______ , ______ ______ ?

4 쓰레기를 치워라, 그래 줄래? (will / the / trash / you)

→ Clean up ______ ______ , ______ ______ ?

문법 쓰기 Ⓑ 틀린 부분 고치기

Example You are not tired, aren't you? *aren't* → *are*
너는 피곤하지 않지, 그렇지?

1 You were hurt, were you? ______ → ______
너 다쳤구나, 그렇지 않니?

2 Mom made curry and rice, didn't Mom? ______ → ______
엄마는 카레라이스를 만드셨구나, 그렇지 않니?

3 Behave yourself, won't you? ______ → ______
바르게 행동해라, 그래 줄래?

4 Let's get some fresh air, will we? ______ → ______
우리 바람 좀 쐬자, 그럴래?

5 Minsu didn't do well on the test, does he? ______ → ______
민수는 시험을 잘 못 봤구나, 그렇지?

6 You two are brothers, are you? ______ → ______
너희 둘은 형제구나, 그렇지 않니?

문법 쓰기 C 주어진 단어를 활용하여 문장 완성하기

▸ Answer p.37

Example	그것은 사실이 아니지, 그렇지? (true)
	→ *It is not true, is it?*

1 그 아이들은 아무 것도 먹지 못했구나, 그렇지? (eat anything)

→ The children ______________________ ?

2 네 가방을 잃어버렸구나, 그렇지 않니? (lose your bag)

→ You ______________________ ?

3 TV를 꺼줘, 그래 줄래? (turn off the TV)

→ ______________________ you?

4 쇼핑 목록을 작성하자, 그럴래? (make a shopping list)

→ ______________________ we?

5 너 기분이 좋지 않구나, 그렇지? (happy)

→

6 시험은 어려웠어, 그렇지 않니? (the test, difficult)

→

7 너무 빨리 운전하지 마, 그래 줄래? (drive too fast)

→

8 에너지를 낭비하지 말자, 그럴래? (waste energy)

→

▸ Answer p.37

서술형 예제 1

다음 우리말을 〈조건〉에 맞게 영작하시오. Point 55

Emily는 외동이지, 그렇지 않니?

조건	• the only child를 이용할 것 • 총 7단어로 쓸 것

→ ____________________

Teacher's guide

STEP ❶
'Emily는 외동이다'를 영어로 써요. be동사를 이용하여 긍정문으로 써야 해요.

STEP ❷
앞의 문장이 be동사의 긍정문이므로 부가의문문은 be동사를 이용한 부정문으로 써야 해요. 또 부가의문문의 주어는 적절한 대명사로 바꿔줘야 해요.

정답 » Emily is the only child, isn't she?

실전 연습 1

다음 우리말을 〈조건〉에 맞게 영작하시오. Point 55

Chris는 야구 선수지, 그렇지 않니?

조건	• a baseball player를 이용할 것 • 총 7단어로 쓸 것

→ ____________________

서술형 예제 2

다음 우리말과 일치하도록 괄호 안의 말을 이용하여 대화를 완성하시오. Point 56

A: 너는 어제 학교에 오지 않았지, 그렇지?
B: 응, 나는 학교에 안 갔어. (go to school)

A : You didn't come to school yesterday, did you?
B : __________, ____________________

Teacher's guide

STEP ❶
부정문으로 물어봤으므로 우리말로 대답은 '응'이지만 실제 그 행동을 했는지 안 했는지를 생각해봐요.

STEP ❷
학교에 가지 않은 것이므로 영어 대답은 Yes가 아닌 No로 해야 해요. 이어서 '나는 학교에 안 갔어.' 역시 부정문으로 써주면 돼요.

정답 » No, I didn't go to school.

실전 연습 2

다음 우리말과 일치하도록 괄호 안의 말을 이용하여 대화를 완성하시오. Point 56

A: 너는 아침 식사를 하지 않았지, 그렇지?
B: 응, 나는 아무것도 먹지 않았어. (eat anything)

A : You didn't eat breakfast, did you?
B : __________, ____________________

CHAPTER 12 여러 가지 문장

내신 대비 실전 TEST

▸ Answer p.37

객관식 (01~10)

[01~03] 다음 빈칸에 들어갈 말로 알맞은 것을 고르시오.

Point 53

01

_________ move. There's a bee right next to you.

① No ② Not ③ Don't
④ Be not ⑤ Won't

Point 54

02

You got a perfect score. _________ smart you are!

① How ② Who ③ Why
④ What ⑤ When

Point 55

03

Mijin is a good singer, _________ she?

① is ② isn't ③ do
④ does ⑤ doesn't

Point 53

04 다음 주어진 문장과 의미가 같은 것은?

Why don't we eat out?

① Eat out.
② Let's eat out.
③ Don't eat out.
④ Will you eat out?
⑤ Let's not eat out.

대표 Point 54

05 다음 중 감탄문으로 바꾼 것이 틀린 것은?

① Your room is very clean.
→ How clean your room is!
② It is a very expensive car.
→ What an expensive car!
③ The kite is flying very high.
→ How high the kite is flying!
④ We saw a very fantastic show.
→ What a fantastic show we saw!
⑤ It was a very hot day.
→ How a hot day it was!

Point 55, 56

06 다음 빈칸에 들어갈 말이 순서대로 짝지어진 것은?

• Wake me up in an hour, _________ you?
• Let's meet at six, _________ we?

① will – won't ② shall – will
③ will – don't ④ shall – don't
⑤ will – shall

Point 54

07 다음 우리말을 영어로 바르게 옮긴 것은?

정말 낭만적인 이야기로구나!

① How romantic story is it!
② How a romantic story it is!
③ What romantic story it is!
④ What romantic story is it!
⑤ What a romantic story it is!

Point 55, 56

08 다음 중 밑줄 친 부분이 어법상 틀린 것은?

① It's going to be fun, isn't it?
② Take out the trash, won't you?
③ Don't turn up the music, will you?
④ Yuna can't play the violin, can she?
⑤ Let's eat chicken and pizza, shall we?

Point 53

09 다음 대화의 빈칸에 들어갈 말로 알맞은 것은?

A: ___________ careful, the road is icy.
B: Thanks. I didn't know that.

① Be ② Are ③ Do
④ Let's ⑤ Never

고난도

Point 56

10 다음 중 대화가 자연스럽지 않은 것은?

① A: Do your homework now.
B: OK, I will.
② A: Let's go to the movie this weekend.
B: That sounds good.
③ A: Look at the kittens.
B: How cute they are!
④ A: What a good smell!
B: I'm baking bread now.
⑤ A: You didn't come to the party yesterday, did you?
B: Yes, I didn't go there.

서술형 기본 (11~20)

[11~13] 다음 주어진 문장을 감탄문으로 바꿀 때 빈칸에 알맞은 말을 쓰시오.

Point 54

11 He is a very handsome guy.
→ ______________ a handsome guy he is!

Point 54

12 The children sing very beautifully.
→ ______________ beautifully the children sing!

Point 54

13 The pandas are very cute.
→ ______________ cute the pandas are!

대표

Point 53

14 다음 빈칸에 공통으로 알맞은 말을 쓰시오.

• Please ___________ realistic.
• Let's ___________ honest.

→ ___________________

[15~16] 다음 우리말을 영작했을 때 어법상 틀린 곳을 찾아 바르게 고쳐 쓰시오.

Point 53

15 여기서 기다리지 말자.
Let's don't wait here.

___________________ → ___________________

Point 55

16 공부에 집중해, 그래 줄래?
Focus on your study, don't you?

___________________ → ___________________

[17~19] 다음 대화의 흐름에 맞도록 빈칸에 알맞은 말을 쓰시오.

Point 53

17 A: I will be on the stage in a minute. I'm so nervous.
B: ___________ worry. You'll do great.

Point 54

18 A: How do you like my new jacket?
B: ___________ a nice jacket!

고난도

Point 53, 54, 55

19 A: The food was great, (1) _______ _______?
B: Yes, I especially liked the dessert.
(2) ___________ sweet the ice cream was!
A: Oh, we're running late. The movie starts in 30 minutes.
B: Let's take a taxi, (3) ________ ________?
A: OK. That sounds good.

Point 56

20 다음 우리말과 일치하도록 괄호 안의 말을 바르게 배열할 때 다섯 번째로 오는 단어를 쓰시오.

수미는 성적표를 받지 못했지, 그렇지?
(Sumi, her, did, get, she, didn't, report card, ?)

→ ____________

서술형 심화 (21~25)

Point 53

21 다음 주어진 문장을 같은 의미의 명령문으로 바꿔 쓰시오.

(1) You should take a shower.
→ ____________

(2) You should not copy others' homework.
→ ____________

대표 Point 53, 56

22 다음 우리말을 〈조건〉에 맞게 영작하시오.

(1) 축구 하자.

조건 let's를 이용할 것

→ ____________

(2) 우리가 실수한 거 아니지, 그렇지?

조건 make a mistake를 이용할 것

→ ____________

Point 55, 56

23 다음은 상점 도난 사건 용의자에게 검사가 한 질문 내용의 일부이다. 우리말을 괄호 안의 말을 이용하여 영작하시오.

(1) 당신은 어제 그 상점에 있었죠, 그렇지 않나요?
→ ____________ (at the shop)

(2) 당신은 진실을 말하고 있지 않아요, 그렇죠?
→ ____________ (tell the truth)

고난도 Point 54

24 다음은 Vincent van Gogh의 *Starry Night*를 본 학생들의 반응이다. 주어진 문장을 감탄문으로 바꿔 쓰시오.

(1) Kate: He painted very beautiful stars
→ ____________

(2) Andy: The moon is very bright.
→ ____________

Point 53

25 다음 금지 표시판에 쓰여 있는 문구를 각각 명령문으로 바꿔 쓰시오.

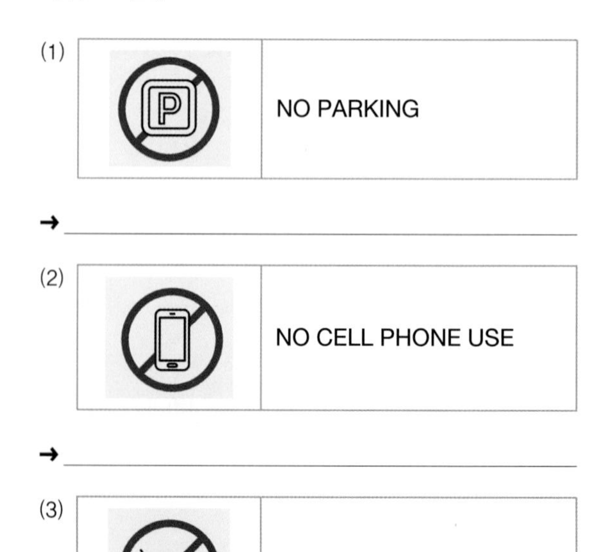

(1) NO PARKING
→ ____________

(2) NO CELL PHONE USE
→ ____________

(3) NO SMOKING
→ ____________

★ 일반동사의 불규칙 변화표 ★

A－A－A형 (원형, 과거형, 과거분사형이 같은 형)

원형	과거형	과거분사형
put (두다)	put	put
read (읽다)	read	read
hit (치다)	hit	hit
let (허락하다)	let	let
set (놓다, 맞추다)	set	set
hurt (다치다)	hurt	hurt
cut (자르다)	cut	cut
cast (던지다)	cast	cast
quit (그만두다)	quit	quit
shut (닫다)	shut	shut
cost ((비용이) 들다)	cost	cost
spread (펴다)	spread	spread

A－B－B형 (과거형과 과거분사형이 같은 형)

원형	과거형	과거분사형
buy (사다)	bought	bought
sit (앉다)	sat	sat
win (이기다)	won	won
sell (팔다)	sold	sold
tell (말하다)	told	told
teach (가르치다)	taught	taught
think (생각하다)	thought	thought
keep (유지하다)	kept	kept
lend (빌려주다)	lent	lent
send (보내다)	sent	sent
build (짓다)	built	built
feel (느끼다)	felt	felt
spend (소비하다)	spent	spent
flee (달아나다)	fled	fled
bleed (피흘리다)	bled	bled
leave (떠나다)	left	left
make (만들다)	made	made
meet (만나다)	met	met
sleep (자다)	slept	slept
find (발견하다)	found	found
hear (듣다)	heard	heard
hang (걸다, 매달다)	hung	hung
shoot (쏘다)	shot	shot
dig (파다)	dug	dug
hold (잡다)	held	held
lose (지다, 잃다)	lost	lost
fight (싸우다)	fought	fought
have (가지다)	had	had
catch (잡다)	caught	caught
feed (먹이를 주다)	fed	fed
lead (이끌다)	led	led
bring (가져오다)	brought	brought
mean (의미하다)	meant	meant
get (얻다)	got / gotten	got / gotten
say (말하다)	said	said
pay ((값을) 지불하다)	paid	paid
lay (놓다, (알을) 낳다)	laid	laid
seek (구하다)	sought	sought
spill (쏟다)	spilt / spilled	spilt / spilled
light (불을 켜다)	lit / lighted	lit / lighted
stand (서다)	stood	stood
bend (굽히다)	bent	bent

A-B-A형 (원형과 과거분사형이 같은 형)

원형	과거형	과거분사형
come (오다)	came	come
become (~이 되다)	became	become
run (뛰다)	ran	run

A-B-C형 (원형, 과거형, 과거분사형이 다른 형)

원형	과거형	과거분사형
go (가다)	went	gone
see (보다)	saw	seen
take (가지고 가다)	took	taken
give (주다)	gave	given
eat (먹다)	ate	eaten
write (쓰다)	wrote	written
swim (수영하다)	swam	swum
break(부수다)	broke	broken
choose (선택하다)	chose	chosen
forget (잊다)	forgot	forgotten
speak (말하다)	spoke	spoken
show (보여주다)	showed	shown / showed
sing (노래하다)	sang	sung
ring ((벨이) 울리다)	rang	rung
know (알다)	knew	known
fall (떨어지다)	fell	fallen
forgive (용서하다)	forgave	forgiven
ride (타다)	rode	ridden
grow (자라다)	grew	grown
begin (시작하다)	began	begun
drink (마시다)	drank	drunk
drive (운전하다)	drove	driven
throw (던지다)	threw	thrown
draw (그리다)	drew	drawn
blow (불다)	blew	blown
wear (입다)	wore	worn
steal (훔치다)	stole	stolen
freeze (얼다)	froze	frozen
rise (오르다)	rose	risen
lie (눕다)	lay	lain
bear (낳다, 견디다)	bore	born / borne
bite (물다)	bit	bitten
hide (숨다)	hid	hidden
fly (날다)	flew	flown
do (하다)	did	done

혼동되는 동사의 불규칙 변화

원형	과거형	과거분사형
lie (거짓말하다)	lied	lied
lie (눕다)	lay	lain
lay (놓다)	laid	laid
find (발견하다)	found	found
found (설립하다)	founded	founded
die (죽다)	died	died
dye (염색하다)	dyed	dyed
wind ((태엽 등을) 감다)	wound	wound
wound (상처를 입히다)	wounded	wounded
see (보다)	saw	seen
saw (톱질하다)	sawed	sawn / sawed
sow ((씨를) 뿌리다)	sowed	sown / sowed
sew (바느질하다)	sewed	sewn / sewed

MEMO

MEMO

MEMO

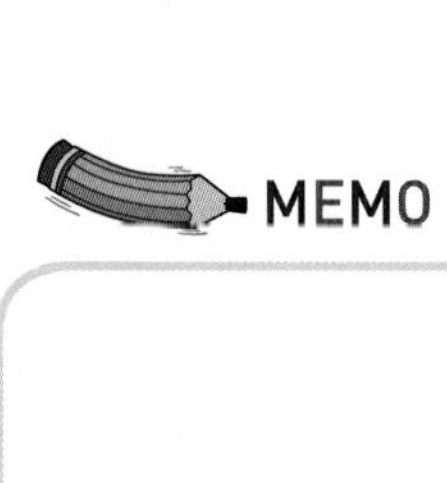
MEMO

이름이앤비의 특별한 중등 국어교재 시리즈

쏙마 주니어® 중학국어 어휘력 시리즈

중학교 국어 실력을 완성시키는 **국어 어휘 기본서** (전 3권)

- 중학국어 **어휘력** ❶
- 중학국어 **어휘력** ❷
- 중학국어 **어휘력** ❸

쏙마 주니어® 중학국어 비문학 독해 연습 시리즈

모든 공부의 기본! 글 읽기 능력을 향상시키는
국어 비문학 독해 기본서 (전 3권)

- 중학국어 **비문학 독해 연습** ❶
- 중학국어 **비문학 독해 연습** ❷
- 중학국어 **비문학 독해 연습** ❸

쏙마 주니어® 중학국어 문법 연습 시리즈

중학국어 **주요 교과서** 종합!
중학생이 꼭 알아야 할 **필수 문법서** (전 2권)

- 중학국어 **문법 연습 1** 기본
- 중학국어 **문법 연습 2** 심화

숨마 주니어®

정답 및 해설

쏨마 주니어®

정답 및 해설

CHAPTER 01 인칭대명사와 be동사

Point 01 인칭대명사

Point 02 재귀대명사

문법 확인 pp. 12~13

Ⓐ
1 나는 2 우리는
3 내[나의] 것 4 그것의[자신의]
5 그를 / 그는 6 그들은
7 너의 8 그들의

Ⓑ
1 저를 2 자신
3 우리 자신을 4 나 자신을
5 너 자신 6 (그녀) 자신
7 자신 8 자기 자신

문법 기본 p. 14

Ⓐ

1 Mr. Brown	
2 My sister	He
3 I and my friends	She
4 You and your sister	It
5 Mr. and Mrs. White	We
6 The bird	You
7 James	They
8 The cats and dogs	

Ⓑ
1 our 2 him 3 mom's
4 yourself 5 herself 6 mine
7 They 8 themselves

문법 쓰기 pp. 15~16

Ⓐ
1 She 2 his
3 himself 4 yours

Ⓑ
1 hers → her 2 my → mine
3 he → him 4 Us → We
5 me → myself 6 her → hers

Ⓒ
1 his room 2 their homework
3 my best friend 4 about myself
5 He is my uncle.
6 You should love yourself.
7 Take good care of yourself.
8 They fight for their country.

실전 연습 p. 17

1 (1) They are brothers.
(2) These are their toys.

해설 Bill and Steve는 3인칭 복수 주격이므로 They로 바꾸어준다. Bill and Steve's는 3인칭 복수 소유격을 나타내므로 Their로 바꾸어준다.

2 Don't hide yourself.

해설 부정명령문은 「Don't+동사원형 ~.」으로 쓴다. '~자신'은 재귀대명사로 표현한다. 명령문에서 생략된 주어는 you이므로 목적어로 쓰인 재귀대명사로 yourself를 써야 한다.

어휘 hide 숨다, 숨기다

Point 03 be동사 현재형

Point 04 be동사 과거형

문법 확인 pp. 18~19

Ⓐ
1 한국인이다 2 열 살이다
3 잘 한다 4 계신다
5 친구이다 6 쌍둥이다
7 나뭇가지에 있다 8 비싸다

Ⓑ
1 태어났다 2 있었다
3 더러웠다 4 어렸다
5 결석했다 6 제주도에 있었다
7 있었다 8 반 친구들이었다

문법 기본 p. 20

Ⓐ
1 are 2 was 3 is 4 are 5 are
6 is 7 were 8 was

Ⓑ
1 is 2 am 3 are 4 was 5 is
6 is 7 He was 8 were

문법 쓰기 pp. 21~22

Ⓐ
1 are in the cage / were in the cage
2 am in New York / was in New York
3 are the champions / were the champions
4 is attractive / was attractive

Ⓑ
1 am → are 2 is → was
3 was→ is 4 Its → It's[It is]
5 are → were 6 were → was

Ⓒ
1 is clean 2 was angry
3 was new 4 are well known
5 She is tall and pretty. 6 The milk was bad.
7 The old man is a famous poet.
8 The students are in the art room now.

실전 연습 p. 23

1 We are at the market now.

해설 '(~에) 있다'는 「be동사+장소의 전치사구」로 표현한다. '우리,'에 해당하는 인칭대명사는 we, be동사는 are이다.
어휘 market 시장

2 They were happy at that time.
해설 at that time은 '그때'라는 뜻으로 과거를 나타내는 부사구이므로 be동사를 과거시제로 바꿔야 한다. are의 과거형은 were이다.

Point 05 be동사 부정문

Point 06 be동사 의문문

문법 확인 pp. 24~25

Ⓐ 1 않다 2 아니다 3 있지 않다
4 없었다 5 없었다 6 없다
7 아니다 8 아니다

Ⓑ 1 맞니 / 응 2 있었니 / 아니
3 음악이니 / 그래 4 엄마니 / 아니
5 친하니 / 친해

문법 기본 p. 26

Ⓐ 1 not, never 2 Are 3 isn't
4 was 5 Was
6 Are / I'm not, I am not 7 Is / is

Ⓑ 1 Is 2 Are you 3 wasn't
4 Was 5 isn't 6 am not
7 Was 8 weren't

문법 쓰기 pp. 27~28

Ⓐ 1 were not 2 Is she 3 am not
4 Are we

Ⓑ 1 The baby is → Is the baby
2 was → wasn't
3 isn't → is
4 amn't → am not
5 Is → Are
6 Are → Were

Ⓒ 1 was in the room 2 Was the movie
3 is not[isn't] heavy 4 Is your little brother
5 Are they in the computer room?
6 The weather was not[wasn't] good.
7 Is he a dentist?
8 It is not[It's not, It isn't] the right answer.

실전 연습 p. 29

1 He wasn't in Korea last year.
해설 '(~에) 있다[없다]'는 be동사로 표현한다. 주어 he에 맞는 be동사는 is이고, is의 과거형은 was이다. 단어수가 6개이므로 be동사와 not을 축약해서 wasn't로 쓴다.

2 Is it your bag?
해설 주어가 '그것은'으로 it이므로 이에 맞는 be동사는 is이다. be동사의 의문문의 어순은 「be동사+주어 ~?」이므로 Is it ~? 로 쓴다.

CHAPTER 01 내신 대비 실전 TEST pp. 30~32

01 ③ 02 ④ 03 ⑤ 04 ⑤ 05 ③
06 ④ 07 ① 08 ② 09 ③ 10 ①
11 am not 12 is not[isn't]
13 were not[weren't] 14 them → they
15 me → myself 16 mine
17 I wasn't
18 Hide yourself under the desk.
19 in
20 (1) My uncle is a pilot.
(2) My uncle was a pilot.
21 (1) The shoes are not his.
(2) I'm not free today.
22 (1) Yes, I am.
(2) No, I'm not.
23 ③, themselves
24 I was at[in] the library.
25 (1) She is Kim Minji.
(2) She is a nurse.
(3) She is 25 years old.

01 해설 Tom and John은 인칭대명사 they로 받아야 한다

02 수진이는 나의 가장 친한 친구이다. 그녀는 매우 친절하다.
해설 Sujin을 지칭하면서 주어 자리이므로 3인칭 단수 주격 인칭대명사 중 여성을 나타내는 she가 들어가야 한다.
어휘 best 가장 친한, 가장 좋은

03 ① 나는 어제 너무 슬펐다.
② 그들은 나이가 같았다.
③ 아이들은 예의가 바랐다.
④ 그 솜사탕은 달콤했다.
⑤ 그녀는 그 때 집에 있었다.
해설 나머지는 '~이다' '~하다'는 뜻으로 주어의 상태를 의미하는 반면 ⑤는 '(~에) 있다'는 뜻으로 주어의 위치를 나타낸다.
어휘 polite 예의 바른 cotton candy 솜사탕 sweet 달콤한

04 해설 hurt가 '다치게 하다'는 뜻이므로, '다치다'는 뜻으로

'hurt oneself'를 쓸 수 있다. 생략된 주어가 you이므로 재귀대명사는 yourself를 써야 한다.

어휘 careful 조심스러운, 주의 깊은 hurt 다치게 하다

05 • 나는 2007년에 태어났다.
• 나의 선생님은 지금 그녀의 사무실에 있다.
• 너는 어제 파티에 있었니?

해설 첫 번째와 세 번째 문장은 과거의 시점을 나타내는 부사(구)가 있으므로 과거 시제로 써야 하고, 두 번째 문장은 현재 상황을 말하고 있으므로 현재 시제로 써야 한다.

어휘 be born 태어나다 office 사무실

06 A: 그의 수업은 재미있니?
B: 응, 재미있어.

해설 his class에 해당하는 인칭 대명사는 it이다.

07 A: 너는 지금 배가 고프니?
B: 응, 그래. 우리 뭔가 먹자.

해설 대답을 하고 이어서 뭔가를 먹자고 했으므로 긍정의 대답이 들어가야 한다. 「Are you ~?」로 물었으므로 대답은 I am이어야 한다.

어휘 something 어떤 것, 무언가

08 ⓐ 사람들은 스스로를 쉽게 드러내지 않는다.
ⓑ 탁자 위의 선글라스는 그녀의 것이다.
ⓒ 너는 그 동아리의 일원이니?
ⓓ 나는 음악에 관심이 없다.
ⓔ 그 축구공은 너의 것이니?

해설 ⓐ에서 3인칭 복수의 재귀대명사는 themselves이다. ⓑ에서는 '그녀의 것'이 되어야 하므로 hers가 되어야 한다. ⓓ에서 am not은 축약할 수 없다. 따라서 옳은 문장의 개수는 ⓒ와 ⓔ 2개이다.

어휘 easily 쉽게 interested in ~에 관심(흥미)이 있는

09 ① A: 그녀는 너의 자매니?
B: 응, 맞아.
② A: 너는 목이 마르니?
B: 아니, 그렇지 않아.
③ A: 너의 형[오빠, 남동생]은 화가 났니?
B: 응, 나는 화가 났어.
④ A: 너희는 할머니댁에 있었니?
B: 네, 그랬어요.
⑤ A: 그 스파게티는 맛이 있었니?
B: 응, 너무 맛있었어.

해설 ③은 your brother가 화가 났는지 물었으므로 I가 아니라 he로 대답해야 한다.

어휘 thirsty 목마른 delicious 맛있는

10 ① 그 아기들은 너무 귀엽다[귀여웠다].
② 수학은 나에게 어렵다[어려웠다].
③ 내 친구 Jim은 매우 재미있다[재미있었다].
④ 네 전화기는 네 손에 있다[있었다].
⑤ 나의 엄마는 수의사이시다[수의사셨다].

해설 ①은 주어가 복수이므로 be동사로 are나 were가 들어가야 하지만 나머지는 주어가 단수이므로 be동사로 is나 was가 들어가야 한다.

어휘 cute 귀여운 funny 웃긴, 재미있는 vet 수의사

11 나는 영어를 잘한다. → 나는 영어를 잘하지 못한다.

해설 be동사의 부정문은 be동사 뒤에 not을 붙인다. 이 때 be동사와 not은 축약 가능하나 am not은 축약할 수 없다.

어휘 be good at ~을 잘하다

12 그 애니메이션은 재미있다. → 그 애니메이션은 재미가 없다.

해설 be동사의 부정문은 be동사 뒤에 not을 붙인다. 이 때 be동사 is와 not은 축약 가능하다.

어휘 animation 애니메이션 interesting 재미있는

13 그들은 야구 선수였다. → 그들은 야구 선수가 아니었다.

해설 be동사의 부정문은 be동사 뒤에 not을 붙인다. 이 때 be동사 were와 not은 축약 가능하다.

어휘 baseball player 야구 선수

14 그들은 너의 친구니?

해설 주어 자리이므로 주격 인칭대명사 they가 되어야 한다.

15 나는 내 자신이 너무 자랑스럽다.

해설 주어와 목적어가 같으므로 목적격 인칭대명사가 아닌 재귀대명사가 와야 한다. 1인칭 단수 재귀대명사는 myself이다.

어휘 proud of ~을 자랑스러워하는

16 저것은 나의 귀걸이가 아니다.
= 저 귀걸이는 나의 것이 아니다.

해설 my earrings는 소유대명사 mine으로 나타낼 수 있다.

어휘 earring 귀걸이

17 A: 너는 어제 직장에 있었니?
B: 아니, 그렇지 않았어. 나는 집에 있었어.

해설 부정의 대답이므로 not이 들어가야 한다. 과거시제로 물었으므로 대답도 과거로 해야 한다.

어휘 work 직장, 일터

18 해설 hide가 '숨기다'는 뜻이므로 '숨다'가 되려면 hide oneself가 되어야 한다. 생략된 주어가 you이므로 재귀대명사는 yourself를 쓴 것이다.

어휘 hide 숨다, 숨기다

19 너의 할아버지는 지금 병원에 계시니?

해설 주어가 your grandfather이고 현재시제인 be동사의 의문문이다. be동사의 의문문의 어순은 「be동사+주어 ~?」이므로 Is your grandfather in the hospital now?가 된다.

어휘 hospital 병원

20 해설 (1) 주어가 my uncle로 3인칭 단수이고 현재시제이므로 be동사 is를 쓴다.
(2) 주어가 my uncle로 3인칭 단수이고 과거시제이므로 be동사 was를 쓴다.

어휘 pilot 비행기 조종사

21 해설 (1) 주어는 the shoes이고, 부정문이므로 are not으로 나타낸다. 5단어로 써야하므로 aren't로 축약하지 않는다. '그의 것'은 소유대명사 his로 나타낸다.
(2) 주어가 I인 부정문이므로 I am not~으로 쓸 수 있는데 글자 수를 보면 축약을 해야 한다. am not은 축약할 수 없으므로 I am을 축약해서 쓴다.
어휘 free 한가한

22 A: 당신은 이 학교의 선생님인가요?
B: (1) 네, 그렇습니다. 저는 여기에서 영어를 가르칩니다.
A: 당신은 미국 출신인가요?
B: (2) 아니오, 그렇지 않아요. 저는 영국 출신입니다.
해설 대화의 내용상 (1)에는 긍정의 대답이, (2)에는 부정의 대답이 들어가야 한다. 'Are you ~? (당신은 ~입니까?)'로 물었으므로 I로 대답한다.
어휘 USA(United States of America) 미국
UK(United Kingdom) 영국

23 나에게는 고양이 두 마리가 있다. 그들의 이름은 Tom과 Jerry이다. 그들은 두 살이다. Tom과 Jerry는 종종 그들의 혀로 몸을 닦는다. 나는 그들을 매우 사랑한다.
해설 ③번 3인칭 복수 재귀대명사는 themselves이다.
어휘 wash 닦다 tongue 혀

24 A: 민수야, 너 어제 바빴니?
B: 응, 그랬어. 방과 후에 계획이 좀 있었어.
A: 오후 6시에 집에 있었니?
B: 아니, 그렇지 않아. 나는 도서관에 있었어.
해설 일과표에서 오후 6시에는 도서관에 있었으므로 주어 I와 be동사의 과거형 was를 사용하고, 장소 부사구 in[at] the library를 쓴다.
어휘 busy 바쁜 plan 계획 after school 방과 후에
library 도서관

25 (1) 그녀는 김민지이다.
(2) 그녀는 간호사이다.
(3) 그녀는 25살이다.
해설 주어의 이름, 직업, 나이 등 상태는 be동사로 표현한다. she에 뒤따르는 be동사의 현재형은 is이다.
어휘 job 직업 age 나이

CHAPTER 02 일반동사

Point 07 일반동사 현재형

Point 08 일반동사 현재형_부정문, 의문문

문법 확인 pp. 34~35

Ⓐ
1 걸어간다 2 있다
3 농구를 한다 4 한다
5 간다 6 가르치신다
7 공부한다 8 좋아한다

Ⓑ
1 읽지 않는다 2 드시지 않는다
3 가니 4 살지 않는다
5 뛰지 않는다 6 있니 / 없어
7 아니 / 알아

문법 기본 p. 36

Ⓐ
1 lives 2 tells
3 watches 4 works
5 says 6 finishes
7 uses 8 cries
9 mixes 10 reaches
11 knows 12 fixes
13 goes 14 copies
15 has 16 drinks
17 dances 18 wishes
19 misses 20 flies
21 discusses 22 gets
23 feels 24 carries
25 tastes 26 looks
27 begins 28 gives
29 leaves 30 brushes

Ⓑ
1 take 2 passes
3 don't 4 have
5 studies 6 Do
7 don't 8 Does

문법 쓰기 pp. 37~38

Ⓐ
1 Do they eat 2 doesn't fix
3 Does he go 4 don't have

Ⓑ
1 teachs → teaches 2 don't → doesn't
3 has → have 4 doesn't → don't
5 A: Do → Does / B: don't → doesn't

Ⓒ
1 Do you get up early
2 I don't[do not] wear socks

3 He enjoys local festivals.
4 We live
5 My uncle doesn't[does not] drive a car.
6 Do we have any free time?
7 My dog doesn't[does not] bark.
8 Does she eat seafood?

실전 연습 p. 39

1 She plays the piano.
해설 주어가 3인칭 단수이므로 일반동사에 -(e)s를 붙여야 한다. 「모음+y」로 끝나는 말은 끝에 -s를 붙인다.

2 Does Mike wash the dishes?
해설 일반동사의 의문문은 「Do[Does]+주어+동사의 원형 ~?」이다. 주어가 3인칭 단수이므로 Does로 시작해야 한다.
어휘 wash the dishes 설거지를 하다

Point 09 일반동사 과거형

Point 10 일반동사 과거형_부정문, 의문문

문법 확인 pp. 40~41

Ⓐ 1 전화하셨다 2 했다
3 내렸다. 4 끝냈다
5 멈춰 섰다 6 시험공부를 했다
7 풀었다 8 여행을 갔다

Ⓑ 1 듣지 않았다 2 봤니
3 하지 않았다 4 오지 않았다
5 했니 6 앉았다
7 넣었니 8 발명했니

문법 기본 p. 42

Ⓐ 1 hurried 2 dropped
3 passed 4 didn't
5 return 6 didn't
7 did 8 Did

Ⓑ 1 practiced 2 didn't
3 Did 4 read
5 skipped 6 didn't
7 climb 8 did

문법 쓰기 pp. 43~44

Ⓐ 1 Did Susan mix 2 didn't watch
3 Did they have 4 didn't do

Ⓑ 1 joined → join 2 steped → stepped
3 studyed → studied 4 Do → Did
5 doesn't did → didn't do 6 moved → move

Ⓒ 1 slipped 2 didn't get
3 Did you go 4 loved each other
5 didn't answer the phone
6 We lived in Gwangju five years ago.
7 Did you see the sunrise then?
8 Did Mike clean his room?

실전 연습 p. 45

1 We played board games together.
해설 play는 「모음+y」로 끝나므로 과거형을 만들 때 동사원형에 -ed를 붙인다.
어휘 together 함께

2 Did Sam and Josh play soccer yesterday?
해설 일반동사 과거형 의문문은 「Did+주어+일반동사의 원형 ~?」이다.

Point 11 일반동사 과거형_불규칙 변화(1)

Point 12 일반동사 과거형_불규칙 변화(2)

문법 기본 p. 48

Ⓐ 1 ate 2 broke
3 taught 4 cut
5 made 6 read
7 rode 8 knew
9 paid 10 lost
11 began 12 bought
13 put 14 took
15 spoke 16 heard
17 sent 18 drew
19 chose 20 swam
21 drove 22 let
23 fell 24 felt
25 came 26 brought
27 drank 28 kept
29 rang 30 meant

Ⓑ 1 saw 2 went
3 fought 4 showed
5 hurt 6 sang
7 fed 8 slept

문법 쓰기 pp. 49~50

Ⓐ 1 digs / dug 2 writes / wrote
3 becomes / became 4 rises / rose

Ⓑ 1 quitted → quit 2 catched → caught
3 spillt → spilled[spilt] 4 lied → lay

5 forgetted → forgot　　6 payed → paid

Ⓒ 1 lost his wallet
2 took my cell phone
3 brought pencils and paper
4 laid four eggs
5 The dog bit my hand.
6 She woke up before dawn.
7 I sold my clothes at the flea market.
8 The animal hid behind the bush.

실전 연습

p. 51

1 The bird spread its wings.
해설 spread는 불규칙 변화 동사로 과거와 과거 분사형이 모두 spread이다.
어휘 wing 날개

2 I swam in the swimming pool.
해설 swim은 불규칙 변화 동사로 과거형은 swam, 과거 분사형은 swum이다.

CHAPTER 02 내신 대비 실전 TEST

pp. 52~54

01 ④　02 ④　03 ⑤　04 ②　05 ③
06 ①　07 ④　08 ⑤　09 ⑤　10 ②
11 had　12 hurt　13 went
14 (1) Does (2) doesn't　15 stoped → stopped
16 ate → eat　17 Does he　18 Did it
19 didn't swim in the river
20 (1) Sumi doesn't[does not] wear a school uniform.
(2) Does Sumi wear a school uniform?
21 (1) I didn't[did not] bring my unbrella.
(2) She wrote a letter.
22 ②, washes ⑤, studies
23 (1) Yes, I do.
(2) Does he
24 (1) I didn't finish the science report.
(2) • I bought English novels.
• I did my art homework.
25 (1) He lives in Busan.
(2) He has two sisters.
(3) He likes English and social studies.
(4) He doesn't[does not] like math and science.

01 ① 나 ② 그들 ③ 사람들 ⑤ 언니와 나는[은] 여름을 좋아한다.
해설 일반동사의 원형이 쓰였으므로 주어 자리에는 1인칭, 2인칭, 3인칭 복수가 올 수 있다. 3인칭 단수는 올 수 없다.
어휘 summer 여름

02 주어가 3인칭 단수이므로 일반동사 현재형의 부정문은 「주어+doesn't[does not]+동사원형 ~.」으로 써야 한다.

03 ① 나는 일본어를 배우지 않는다.
② 너는 보통 일찍 일어나니?
③ 우리는 내일 수업이 없다.
④ 너의 자매와 너는 방을 같이 쓰니?
⑤ 너의 오빠[형, 남동생]는 바이올린을 연주하니?
해설 ①, ②, ③, ④는 주어가 1인칭, 2인칭, 또는 3인칭 복수로 일반동사의 부정문이나 의문문을 만들 때 do를 이용하는 반면에 ⑤는 주어가 3인칭 단수이므로 does를 이용해야 한다.
어휘 learn 배우다 Japanese 일본어 share 공유하다 come from ~ 출신이다

04 tell은 불규칙 변화 동사로 과거형과 과거분사형이 모두 told이다.

05 그는 오토바이를 탄다.
해설 일반동사에 -s를 붙였으므로 주어는 3인칭 단수여야 한다.
어휘 motorcycle 오토바이

06 ① Mike는 여자 형제가 있다.
② 박 선생님은 음악을 가르치신다.
③ 윤호는 매일 아침 서둘러 학교에 간다.
④ 나의 아버지는 매주 일요일에 세차를 하신다.
⑤ 소라는 가끔 늦게까지 자지 않고 있다.
해설 have는 주어가 3인칭 단수일 때 has로 바뀐다.
어휘 sometimes 가끔, 때때로 stay up 안자다[깨어 있다]

07 ① 이 가방은 2만원이 들었다.
② 진수는 그의 가장 친한 친구와 싸웠다.
③ 그녀는 나에게 그녀의 오랜 사진들을 보여줬다.
④ 그 콘서트는 두 시간 전에 시작했다.
⑤ 나는 지난달에 세 권의 책을 읽었다.
해설 begin은 불규칙하게 변화하는 동사로 과거형은 began이다. begun은 과거분사형이다.
어휘 last month 지난달

08 A: 수진이는 집에서 요리를 하니?
B: 아니, 그렇지 않아. 그녀는 보통 외식을 해.
해설 일반동사의 의문문에서 부정의 대답을 하고 있고 주어가 3인칭 단수이므로 동사 자리에는 doesn't가 와야 한다.
어휘 cook 요리하다 eat out 외식하다

09 나는 어제 영화를 봤다.
해설 일반동사 과거형의 부정문은 「주어+didn't[did not]+동사원형 ~.」으로 쓴다.

10 ① 그것은 숲에서 사니?
② 그는 방과 후에 숙제를 한다.
③ Chris는 힙합 음악을 좋아하지 않는다.
④ 너의 학교에는 매점이 있니?
⑤ 나의 가족은 차로 여행을 하지 않는다.
해설 나머지는 일반동사의 부정문이나 의문문을 만들기 위한 조동사인 반면에 ②는 '하다'의 뜻을 가진 일반동사이다.

어휘 forest 숲 hip hop 힙합 snack bar 매점
travel 여행하다

11 나는 아침식사로 빵과 우유를 먹는다. → 나는 아침식사로 빵과 우유를 먹었다.

해설 have의 과거형은 had이다.

어휘 bread 빵

12 나의 온몸이 아프다. → 나의 온몸이 아팠다.

해설 hurt의 과거형은 hurt이다.

어휘 whole body 온몸

13 우리는 캠핑을 간다. → 우리는 캠핑을 갔다.

해설 go의 과거형은 went이다.

어휘 go camping 캠핑을 가다

14 A: 토끼는 긴 꼬리를 가지고 있니?
B: 아니, 그렇지 않아.

해설 일반동사 의문문은 주어가 3인칭 단수일 때는 Does로 시작하고 대답은 「Yes, 주어+does.」 또는 「No, 주어+doesn't.」로 한다.

어휘 rabbit 토끼 tail 꼬리

15 엘리베이터가 갑자기 멈췄다.

해설 stop은 「단모음+단자음」으로 끝나므로 과거형을 만들 때 끝자음을 한 번 더 쓰고 -ed를 붙인다.

어휘 elevator 엘리베이터 suddenly 갑자기

16 나는 어제 저녁식사를 하지 않았다.

해설 일반동사 과거형의 부정문은 「주어+didn't[did not]+동사원형 ~.」이다. 따라서 동사원형인 eat를 써야 한다.

어휘 dinner 저녁식사

17 A: 그는 박물관에서 일하니?
B: 응, 맞아.

해설 일반동사 현재형의 의문문은 「Do[Does]+주어+일반동사 ~?」이다. 주어가 3인칭 단수이므로 Does로 시작해야 한다.

어휘 museum 박물관

18 A: 어제 비가 왔니?
B: 아니, 오지 않았어.

해설 일반동사 과거형의 의문문은 「Did+주어+일반동사 ~?」이다.

19 그들은 강에서 수영을 했다. → 그들은 강에서 수영을 하지 않았다.

해설 일반동사 과거형의 부정문은 「주어+didn't[did not]+동사원형 ~.」이다. swam의 원형은 swim이다.

어휘 river 강

20 (1) 주어가 3인칭 단수이므로 일반동사 현재형의 부정문은 「주어+doesn't[does not]+동사원형 ~.」으로 써야 한다.
(2) 주어가 3인칭 단수이므로 일반동사 현재형의 의문문은 「Does+주어+동사원형 ~?」으로 써야 한다.

어휘 school uniform 교복

21 (1) 일반동사 과거형의 부정문은 「주어+didn't[did not]+동사원형 ~.」이다.
(2) write는 불규칙하게 변화하는 동사로 과거형이 wrote이다.

22 수현이는 보통 아침 6시 30분에 일어난다. 그녀는 머리를 감고 가족들과 함께 아침식사를 한다. 그녀는 8시에 집을 나선다. 그녀는 오후 3시까지 학교에서 공부를 한다.

해설 ② wash는 -sh로 끝나므로 주어가 3인칭 단수일 때 -es를 붙인다.
⑤ study는 「자음+y」로 끝나므로 주어가 3인칭 단수일 때 y를 i로 바꾸고 -es를 붙인다.

어휘 hair 머리카락

23 A: 너는 운동을 좋아하니?
B: 응, 좋아해. 나는 모든 종류의 운동을 좋아해.
A: 너의 남자형제는 어때? 그도 운동을 좋아하니?
B: 아니, 그렇지 않아.

해설 (1) 일반동사 의문문에 대한 대답은 「Yes, 주어+do[does].」 또는 「No, 주어+don't[doesn't].」로 한다. 내용상 긍정의 대답이 알맞다.
(2) 주어가 3인칭 단수인 일반동사 현재형의 의문문이므로 「Does+주어+동사원형 ~?」으로 쓴다.

어휘 sport 운동, 스포츠 all kinds of 모든 종류의 ~

24 해야할 일 목록
• 과학 보고서 끝내기
• 영어 소설책 사기
• 미술 숙제 하기
(1) 하지 않은 일: 나는 과학 보고서를 끝내지 못했다.
(2) 한 일: • 나는 영어 소설책을 샀다.
• 나는 미술 숙제를 했다.

해설 (1) 일반동사 과거형의 부정문은 「주어+didn't[did not]+동사원형 ~.」이다.
(2) buy는 불규칙 변화 동사로 과거형이 bought이다.
(3) do는 불규칙 변화 동사로 과거형이 did이다.

어휘 science 과학 report 보고서 novel 소설 art 미술

25 이 사람은 나의 제일 친한 친구 준호입니다.
(1) 그는 부산에 삽니다.
(2) 그는 두 명의 여자 형제가 있습니다.
(3) 그는 영어와 사회를 좋아합니다.
(4) 그는 수학과 과학을 좋아하지 않습니다.

해설 (1) 주어가 3인칭 단수이므로 live에 -s를 붙인다.
(2) have는 주어가 3인칭 단수일 때 has로 바뀐다.
(3) 주어가 3인칭 단수이므로 like에 -s를 붙인다.
(4) 주어가 3인칭 단수이므로 일반동사 현재형의 부정문은 「주어+doesn't[does not]+동사원형 ~.」으로 쓴다.

어휘 social studies 사회

CHAPTER 03 시제

Point 13 현재시제와 과거시제

Point 14 미래시제

문법 확인 pp. 56~57

Ⓐ
1 잠자리에 든다 / 2 산다
3 4이다 / 4 창제했다
5 돌아가셨다 / 6 시작한다
7 했다 / 8 끝냈다

Ⓑ
1 올 것이다 / 2 하지 않을 것이다
3 살 계획이다 / 4 머무르지 않을 것이다
5 될 것이다 / 6 갈 거니
7 시작할

문법 기본 p. 58

Ⓐ
1 go / 2 visited
3 lands, will land / 4 is
5 is / 6 invented
7 will be / 8 won't

Ⓑ
1 was / 2 is
3 boils / 4 snowed
5 ate / 6 won't
7 to go / 8 will move

문법 쓰기 pp. 59~60

Ⓐ
1 will travel / 2 It is
3 are going to go / 4 He bought

Ⓑ
1 set → sets / 2 to clean → clean
3 watch → watched / 4 exercised → exercise
5 see → to see / 6 will → will not[won't]

Ⓒ
1 will be[become] / 2 held
3 is going to enter / 4 is round
5 goes to church
6 The test will start at 9[nine] (o'clock).
7 Many singers are going to sing on the stage.
8 Water freezes at 0℃.

실전 연습 p. 61

1 I saw a movie last week.

해설 영화를 본 시점이 지난주이므로 과거시제로 써야 한다. see의 과거형은 saw이다.

2 Is Jessica going to graduate

해설 '~할 계획[예정]이다'는 뜻으로 미래를 나타내는 표현은 「be going to+동사원형」이다. 의문문을 만들 때는 be동사를 주어 앞으로 보낸다. 주어가 Jesicca이므로 Is로 시작한다.

어휘 graduate 졸업하다

Point 15 현재진행형과 과거진행형

Point 16 진행형의 부정문과 의문문

문법 확인 pp. 62~63

Ⓐ
1 먹이를 주고 있다 / 2 거짓말을 하고 있다
3 배우고 있다 / 4 듣고 있다
5 보고 있었다 / 6 울고 있었다
7 베고 있었다 / 8 그리고 있었다

Ⓑ
1 하고 있지 않다 / 2 앉아 있지 않았다
3 잠을 자고 있지 않았다 / 4 하고 있니
5 쓰고 있었니 / 6 찾고 있니
7 하고 있었니

문법 기본 p. 64

Ⓐ
1 ② bringing / 2 ① saying
3 ① coming / 4 ② swimming
5 ② shopping / 6 ② doing
7 ① living / 8 ② taking
9 ② winning / 10 ① flying
11 ② sitting / 12 ② dying
13 ② running / 14 ② holding
15 ② making / 16 ① putting

Ⓑ
1 is reading / 2 were playing
3 am walking / 4 preparing
5 getting / 6 were not paying
7 wearing / 8 chatting

문법 쓰기 pp. 65~66

Ⓐ
1 is marking / was marking
2 lie[are lying] / are[were lying]
3 is not[isn't] shopping / Is, shopping
4 was not[wasn't] riding / Was, riding

Ⓑ
1 are → is / 2 rained → raining
3 is having → has / 4 makeing → making
5 tieing → tying

Ⓒ
1 am surfing / 2 was fixing
3 is dating / 4 are not having
5 Is she buying some fruits?
6 I was going to school.
7 They are not waiting for the bus.

8 Were you exercising at the gym then?

실전 연습 p. 67

1 She was cutting onions.

해설 과거진행형의 형태는 「was[were]+v-ing」이다. 동사에 ing를 붙일 때 cut과 같이 「단모음+단자음」으로 끝나는 동사는 끝의 자음을 한 번 더 쓰고 -ing를 붙인다.

2 (1) Are they watching TV

(2) They are playing computer games.

해설 '~하고 있니?'라는 뜻의 현재진행형 의문문의 형태는 「be동사의 현재형(Am / Are / is)+주어+v-ing~?」이다. 현재진행형은 「be동사의 현재형(am / are / is)+v-ing」 형태이다.

CHAPTER 03 내신 대비 실전 TEST

pp. 68~70

01 ①	02 ②	03 ②	04 ⑤	05 ①
06 ⑤	07 ②	08 ④	09 ③	10 ④

11 am cooking　12 Were, playing

13 (1) Were　(2) was

14 (1) Will　(2) won't

15 is

16 were dancing

17 will be

18 (1) Did, (2) take (3) will visit

19 studying

20 (1) Andy was not playing the guitar.

(2) Was Andy playing the guitar?

21 He takes a walk every day.

22 (1) it's not raining[it isn't raining]

(2) Will it rain

23 ②, are planning

24 (1) He is going to write a science report tomorrow.

(2) He is not going to play soccer with his friends tomorrow.

25 Was Tina[she] walking a dog

01 A: 너는 지금 중학생이니?

B: 응, 그래.

해설 현재의 상태에 대해 말하고 있으므로 현재시제로 써야 한다. 주어가 you와 I이므로 알맞은 be동사는 각각 are와 am이다.

02 Kate는 내일 ________.

① 집에 머물 것이다

② 일기를 쓴다

③ 한국을 떠날 것이다

④ 소풍을 갈 것이다

⑤ 오지 않을 예정이다

해설 미래를 나타내는 부사 tomorrow가 함께 쓰였으므로 미래시제로 써야 한다. ②는 현재시제이므로 알맞지 않다. ④와 같이 현재진행시제로 가까운 미래를 나타내기도 한다.

어휘 stay 머물다　keep a diary 일기를 쓰다

03 그 미술관은 다음 주 월요일에 문을 열지 않을 것이다.

해설 미래의 계획이나 예정을 나타내는 표현인 「be going to+동사원형」의 부정문은 be동사 뒤에 not을 붙여서 만든다.

어휘 art gallery 미술관

04 • 나는 아무 것도 먹지 않겠다.

• 그들은 내년에 고등학교에 갈 것이다.

해설 주어의 의지나 미래를 나타내는 말은 will(~할 것이다)이다.

어휘 high school 고등학교

05 ① 너는 쓰레기를 내놓았다. → 너는 쓰레기를 내놓니?

② 기차는 곧 떠날 예정이다. → 기차는 곧 떠날 예정이니?

③ 우리는 내일 3시에 만날 것이다. → 우리는 내일 3시에 만날 거니?

④ Tom은 구내식당에서 점심식사를 하고 있다. → Tom은 구내식당에서 점심식사를 하고 있니?

⑤ 그들은 교실을 청소하고 있었다. → 그들은 교실을 청소하고 있었니?

해설 ①은 과거시제 의문문이므로 Do가 아닌 Did로 시작해야 한다.

어휘 take out 내놓다　trash 쓰레기　cafeteria 구내식당

06 해설 과거진행형 의문문의 형태는 「Was[Were]+주어+v-ing~?」이다.

07 ① 너는 어제 도서관에 갔니?

② 소라는 지금 식물에 물을 주고 있니?

③ 나는 오늘 아침식사를 하지 않았다.

④ 작년 겨울에는 눈이 많이 왔니?

⑤ 나의 아버지는 어젯밤에 집에 오지 않으셨다.

해설 ①, ④는 과거시제 의문문, ③, ⑤는 과거시제 부정문으로 Did[did]가 들어가야 하는 반면에 ②는 현재진행형의문문으로 Is가 들어가야 한다.

어휘 water 물을 주다　plant 식물

08 A: 그들은 뉴스를 보고 있었니?

B: 응, 맞아.

① 그들은 쇼핑을 갈거니?

② 그들은 늦게까지 일했니?

③ 그들은 공항에 갈 예정이니?

④ 그들은 영어수업을 듣고 있니?

해설 be동사의 과거형으로 답하고 있으므로 be동사 과거형을 이용한 과거진행형 의문문이 질문으로 알맞다.

어휘 until late 늦게까지　airport 공항

09 ① 하루는 24시간이다.

② 내 남동생은 2015년에 태어났다.
③ 한국전쟁은 1950년에 일어났다.
④ 그는 유년기에 스웨덴에서 살았다.
⑤ 마술쇼는 15분 뒤에 시작한다.

해설 과거의 역사적인 사실은 과거시제로 쓴다.

어휘 hour 시간 be born 태어나다 childhood 유년기

10 ① 그는 그 밴드에 합류할 것이다.
② 미나는 중국어를 배울 계획이다.
③ 내일은 비가 많이 내릴 것이다.
④ 지호는 친구의 집에 가고 있다.
⑤ 야구경기는 5시 30분에 시작할 것이다.

해설 ①, ②, ③, ⑤는 「be going to+동사원형」으로 미래의 계획이나 예정을 나타내지만, ④는 「be동사+v-ing」로 현재진행형이다.

어휘 join 합류하다 band 밴드 Chinese 중국어

11 나는 저녁식사를 요리한다. → 저녁식사를 요리하는 중이다.

해설 현재진행형으로 주어가 I이므로 「am+v-ing」로 쓴다.

어휘 cook 요리하다 dinner 저녁식사

12 그 아이들은 숨바꼭질을 했니? → 그 아이들은 숨바꼭질을 하고 있었니?

해설 과거진행형의 의문문으로 주어가 the children이므로 「Were+주어+v-ing ~?」로 쓴다.

어휘 play hide and seek 숨바꼭질 하다

13 A: 너는 어제 3시에 학교에 있었니?
B: 아니. 나는 그때 집에 있었어.

해설 과거의 시점에 대해 말하고 있으므로 과거시제로 쓴다. 주어가 you와 I이므로 알맞은 be동사는 각각 were와 was이다.

14 A: 내일은 화창할까?
B: 아니, 그렇지 않을 거야. 비가 올 거야.

해설 미래의 시점에 대해 말하고 있으므로 will로 쓴다. 부정의 대답일 때에는 will not을 축약해서 won't로 쓴다.

15 • 서울은 한국의 수도이다.
• 밖이 어두워지고 있다.

해설 각각 현재시제와 현재진행형으로 공통으로 알맞은 be동사는 is이다.

어휘 capital 수도 dark 어두운 outside 밖에

16 해설 과거진행형으로 주어가 we이므로 「were+v-ing」로 쓴다.

어휘 dance to the music 음악에 맞춰 춤추다

17 해설 미래에 대해 말하고 있으므로 조동사 will을 이용해서 「will+동사원형」으로 쓴다.

18 A: 그 관광객들은 서울을 구경했나요?
B: 네, 했어요.
A: 그들은 다음으로 무엇을 할 건가요?
B: 그들은 민속박물관을 방문할 거예요.

해설 (1)과 (2)는 과거시제로 답하고 있으므로 과거시제 의문문 형태로 물어야하고, (2)는 미래시제로 물었으므로 미래시제로 답해야 한다.

어휘 tourist 관광객 take a tour ~ ~를 구경하다, 돌아보다 Folk Museum 민속박물관

19 민호는 시험공부를 하고 있다.

해설 현재진행형으로 의문문을 만들 때 be동사가 주어 앞으로 이동하므로 Is Minho studying for the test?가 된다.

20 Andy는 기타를 연주하고 있다.

해설 (1) 과거진행형으로 부정문을 만들 때 be동사 뒤에 not을 쓴다.
(2) 과거진행형으로 의문문을 만들 때 be동사가 주어 앞으로 이동한다.

어휘 guitar 기타

21 해설 반복되는 일을 말하므로 현재시제로 쓴다. 주어가 3인칭 단수이므로 동사 take에 -s를 붙인다.

22 A: 지금 비가 오고 있니?
B: 아니, 지금 비가 오고 있지 않아.
A: 내일 비가 올까?
B: 응, 올 거야.

해설 (1)은 현재의 진행 중인 상태에 대해 묻고 있으므로 현재진행형을 이용해 답해야 하고, (2)는 내일에 대해 말하고 있으므로 미래시제로 써야 한다.

23 내일은 나의 엄마의 생신이다. 내 여자형제와 나는 그녀를 위해 특별한 이벤트를 계획하고 있다. 우리는 아침식사를 만들 것이다. 우리는 또한 편지도 쓸 것이다. 엄마는 기뻐하실 것이다.

해설 진행형에서 동사의 -ing형을 만들 때 plan과 같이 「단모음+단자음」으로 끝나는 말은 끝의 자음을 한 번 더 쓰고 -ing를 붙인다.

어휘 plan 계획하다 special 특별한 event 이벤트, 행사

24 (1) 그는 내일 과학 보고서를 쓸 것이다.
(2) 그는 내일 친구들과 축구를 하지 않을 것이다.

해설 비교적 가까운 미래의 계획을 나타낼 때 「be going to+동사원형」으로 쓰고, 부정문을 만들 때는 be동사 뒤에 not을 붙인다.

어휘 science report 과학 보고서

25 A: Tina[그녀]는 어제 9시 30분에 개를 산책 시키고 있었니?
B: 응, 그랬어.

해설 과거의 한 시점에 진행 중인 일을 말하므로 과거진행형으로 쓴다. 주어가 3인칭 단수이므로 「was+v-ing」로 쓴다.

어휘 brunch 브런치, 아침 겸 점심

CHAPTER 04 조동사

Point 17 can

Point 18 may

문법 확인 pp. 72~73

Ⓐ 1 읽을 수 있다 2 일어날 수 있다
3 말할 수 없다 4 움직일 수 없었다
5 먹지 못했다[먹을 수 없었다.]
6 깨워주실 수 있나요 7 풀 수 있니

Ⓑ 1 안 된다 2 않을지도 모른다
3 가도 좋다 4 반복할지도 모른다
5 해도 될까요 6 주차해서는 안 된다
7 가지고 있어도 좋다 8 A: 입어봐도 될까요
B: 됩니다

문법 기본 p. 74

Ⓐ 1 can 2 Can 3 cannot
4 am 5 come 6 Can, May
7 couldn't 8 can, may

Ⓑ 1 cannot 2 Can 3 Can
4 is 5 may 6 May
7 Are 8 may

문법 쓰기 pp. 75~76

Ⓐ 1 can't make 2 may be
3 can use 4 May I

Ⓑ 1 can't → couldn't 2 can → may[might]
3 can → be able to 4 turning → turn
5 mayn't → may not 6 has → have

Ⓒ 1 is able to sing and dance
2 May I call
3 cannot[can't] swim
4 may be late
5 Can you turn off your cell phone?
6 You may take my pictures.
7 He will be able to fix the laptop soon.
8 They may not agree with my idea.

실전 연습 p. 77

1 (1) Can you play (2) Yes, I can.
해설 능력을 나타낼 때는 조동사 can이나 be able to를 쓴다. 제시된 단어수를 맞추려면 can을 써야 한다. can의 의문문은 「Can+주어+동사원형~?」으로 쓰고, 대답 역시 can을 이용해서 쓴다. 긍정의 대답이므로 「Yes, 주어+Can」으로 한다.

2 she may not be a teenager
해설 불확실한 추측을 나타내는 조동사는 may이다. may의 부정문은 may 뒤에 not을 쓰고 동사의 원형을 쓴다. 이때 may not은 축약할 수 없다.
어휘 teenager 십대

Point 19 must

Point 20 should

문법 확인 pp. 78~79

Ⓐ 1 주의해야 한다 2 운전을 해서는 안 된다
3 틀림없다 4 돌봐야 한다
5 갈 필요가 없다 6 해야만 했다
7 A: 보여줘야 하나요
B: 그러셔야 합니다

Ⓑ 1 해야 한다 2 싸우면 안 된다
3 지켜야 한다 4 확인하는 게 낫다
5 사용하면 안 된다 6 말하지 않는 게 낫다
7 청소해야 한다 8 있어야 하나요

문법 기본 p. 80

Ⓐ 1 have to, must 2 must
3 have to 4 must, should
5 had to 6 should, had better
7 will have to 8 Should

Ⓑ 1 should 2 cannot
3 had to 4 should
5 doesn't have to 6 must
7 had better 8 should

문법 쓰기 pp. 81~82

Ⓐ 1 must not make
2 must be in love
3 don't have to wait
4 had better take

Ⓑ 1 crossing → cross
2 are → be
3 don't have to → must[should] not
4 helps → help
5 have → had
6 should → must

Ⓒ 1 must not run
2 have to help
3 have to listen

4 should always do our best.
5 You must not[mustn't] step on the grass.
6 He must be a foreigner.
7 I had better skip dinner.
8 You should not[shouldn't] hurry.

실전 연습

p. 83

1 (1) Andy must not get on the bus.
(2) Does Andy have to get on the bus?
해설 부정문은 「주어+must not+동사원형 ~」로 나타낸다. 의문문은 「Does+주어+have to 동사원형 ~」로 나타낸다.
어휘 get on ~에 타다

2 You should believe the truth.
해설 '~해야 한다'는 표현은 조동사 should를 이용해서 나타낼 수 있다. '~을 믿다'는 believe이다.
어휘 truth 진실

CHAPTER 04 내신 대비 실전 TEST

pp. 84~86

01 ② 02 ③ 03 ④ 04 ② 05 ⑤
06 ② 07 ① 08 ③ 09 ① 10 ⑤
11 can
12 not be
13 May[may], 또는 Can[can]
14 may not → may
15 can't → must
16 must not
17 don't have to
18 You should wear a coat.
19 I am not able to carry the box.
20 (1) Kevin cannot[can't] speak Spanish.
(2) Kevin is able to speak Spanish.
21 I have to take a lunch box today.
22 (1) No, he can't.
(2) Yes, she can.
(3) Yes, they can.
23 (1) You must not[mustn't] take pictures here.
(2) You must not[mustn't] eat or drink here.
24 It might[could] be rainy.
25 (1) We should keep the books clean.
(2) We should not[shouldn't] make any noise.
(3) We should return the books in a week.

01 나의 엄마는 많은 종류의 음식을 요리하실 수 있다.
해설 can과 같은 조동사는 주어의 인칭과 수에 따라 변하지 않고 뒤에는 항상 동사원형이 온다.
어휘 many kinds of 많은 종류의

02 제가 당신의 펜을 빌릴 수 있을까요?
해설 can이 허가의 의미를 가질 때는 may와 바꿔 쓸 수 있다.
어휘 borrow 빌리다

03 A: 너는 배드민턴을 잘할 수 있니?
B: 아니, 잘 못 해. 나는 운동을 잘하지 못해.
해설 조동사 can을 이용한 의문문에 대한 대답은 can을 이용해서 「Yes, 주어+can.」 또는 「No, 주어+can't.」로 한다. 뒤에 이어지는 말을 보면 부정의 응답이 들어가야 한다.
어휘 be good at ~을 잘하다

04 유리는 장기자랑을 위해 춤 연습을 해야 한다.
해설 must가 필요나 의무의 뜻을 가질 때 have to로 바꿔 쓸 수 있다. 주어가 3인칭 단수이면 have 대신 has를 써야 한다.
어휘 practice 연습하다 talent show 장기자랑

05 해설 '~할 필요가 없다'는 don't have to이다.
어휘 worry about ~에 대해 걱정하다 exam 시험

06 ① 내가 틀릴지도 모른다.
② 너는 집에 일찍 가도 좋다.
③ 오늘 밤에 눈이 올지도 모른다.
④ 그들은 축구 경기에서 이기지 않을지도 모른다.
⑤ 그녀는 너의 전화번호를 모를 수도 있다.
해설 may는 '~해도 좋다'는 허가의 의미와 '~일지도 모른다'는 불확실한 추측의 의미를 가진다. ②만 허가의 의미이고, ①, ③, ④, ⑤는 불확실한 추측의 의미이다.
어휘 wrong 틀린 win 이기다 phone number 전화번호

07 ① 그는 지금 바쁜 것임에 틀림없다.
② 너는 수업을 빼먹으면 안 된다.
③ 우리는 자연을 보호해야 한다.
④ 나는 주말마다 설거지를 해야 한다.
⑤ 학생들은 교복을 입어야 한다.
해설 must는 '~해야 한다'는 의무와 '~임에 틀림없다'는 강한 추측의 의미를 가진다. ①은 강한 추측의 의미이고, ②, ③, ④, ⑤는 의무를 나타낸다.
어휘 protect 보호하다 skip 빼먹다 environment 자연 on weekends 주말마다 school uniform 교복

08 • 우리는 교통 법규를 따라야 한다.
• Ann은 슬픈 것임에 틀림없다. 그녀는 울고 있다.
해설 빈칸에는 '~해야 한다'는 의무와 '~임에 틀림없다'는 강한 추측의 의미를 동시에 가진 must가 들어가야 한다.

09 ① 너는 타인에게 친절해야 한다.
② 나는 선글라스를 끼는 게 낫겠다.
③ 우리는 경찰에 전화를 하는 게 낫겠다.
④ 제가 그 약을 매일 먹어야 하나요?
⑤ 운전자들은 학교 근처에서 속도를 내서는 안 된다.
해설 조동사 should와 형용사 kind 사이에 be동사의 원형이 위치해야 한다. (→ You should be kind to others.)
어휘 sunglasses 선글라스 police 경찰 medicine 약 driver 운전자 near ~근처에

10 당신의 이름을 알려주시겠어요?
① 물론이죠.
② 물론이죠.
③ 네, 그럼요.
④ 유감이지만 안 됩니다.
⑤ 아니오, 안돼요.
해설 may의 부정형인 may not은 축약이 불가능하다.

11 독수리는 높이 날 수 있다.
해설 조동사 can은 주어의 인칭과 수에 따라 변하지 않는다.
어휘 eagle 독수리

12 그것은 좋은 생각이 아닐지도 모른다.
해설 조동사 may의 부정문은 may 다음에 not을 쓰고 동사원형이 온다.
어휘 idea 생각

13 A: 제가 들어가도 될까요?
B: 네, 됩니다. 여기에 앉으세요.
해설 허가 여부를 물어볼 때는 May I~? 또는 Can I~?라고 말하고 '제가 ~해도 될까요?'라고 해석한다. 대답 역시 같은 조동사를 이용해서 한다.
어휘 have a seat 앉다

14 당신은 카페에 개를 데리고 오시면 안 됩니다.(→ (오실 수) 있습니다.) 그곳은 반려동물 주인들과 반려동물을 위한 장소입니다.
해설 이어지는 내용상 불허가 아닌 허가의 의미가 적절하므로 may not을 may로 고쳐야 한다.
어휘 place 장소 pet owner 애완동물 주인

15 그 영화는 재미있을 리가 없다.(→ (재밈있음에) 틀림없다.) 많은 사람들이 그것을 봤다.
해설 이어지는 내용상 '~일 리가 없다'는 의미의 강한 부정적인 추측이 아닌 '~임에 틀림없다'는 의미의 긍정적인 추측이 들어가야 하므로 can't를 must로 고쳐야 한다.
어휘 interesting 재미있는

16 A: 봐! 아름다운 호수가 있어. 수영을 하자.
B: 아니야. 우리는 그곳에서 수영을 하면 안 돼. 너무 위험해.
해설 금지의 표현인 must not을 이용해서 '수영을 하면 안 된다'는 내용이 들어가야 한다.
어휘 beautiful 아름다운 lake 호수 dangerous 위험한

17 A: 오, 늦었어. 벌써 8시야.
B: 오늘은 일요일이야. 너는 일찍 일어날 필요가 없어.
해설 '~할 필요가 없다'는 의미의 don't have to(~할 필요가 없다)가 들어가야 한다.
어휘 already 벌써 get up 일어나다

18 밖이 추워. 너는 코트를 입어야 해.
해설 '~해야 한다'는 충고의 표현으로 조동사 should를 쓸 수 있다.
어휘 cold 추운 outside 밖에 wear 입다 coat 코트, 외투

19 나는 이 상자를 들 수 없다. 그것은 너무 무겁다.
해설 능력을 나타내는 표현으로 be able to가 있다. 부정문은 「주어+be동사+not able to+동사원형~」으로 쓴다.
어휘 carry 들다 heavy 무거운

20 Kevin은 스페인어를 말할 수 있다.
해설 조동사 can의 부정문은 can 뒤에 not을 붙여서 만들고, can을 이용한 문장은 be able to로 바꿔 쓸 수 있다. 이때 be동사는 주어의 인칭과 수에 따라 달라진다.
어휘 Spanish 스페인어

21 해설 have to를 이용해서 의무를 나타낼 수 있다. have to 다음에는 동사원형이 온다.
어휘 lunch box 도시락

22 (1) 민호는 기타를 칠 수 있니?
(2) 윤하는 기타를 칠 수 있니?
(3) 민호와 윤하는 피아노를 칠 수 있니?
해설 can을 이용한 의문문에 대한 대답은 can을 이용해서 긍정이면 「Yes, 주어+can.」, 부정이면 「No, 주어+can't.」로 한다.
어휘 guitar 기타

23 (1) 여기에서 사진을 찍으면 안됩니다.
(2) 여기에서 먹거나 마시면 안됩니다.
해설 표지판은 각각 금지를 나타내고 있다. '~하면 안 된다'는 금지의 표현은 must not을 이용해서 할 수 있다. must not은 mustn't로 축약할 수 있다.
어휘 take a picture 사진을 찍다 drink 마시다

24 오늘은 월요일입니다. 오늘 밤의 날씨는 어떨까요?
오늘 밤 비가 올지도 몰라요.
해설 일이 일어날 가능성의 정도에 따라 조동사 might[could]나 must를 쓴다. 가능성이 희박한 일은 조동사 might[could]로, 가능성이 높다고 판단되는 일은 must로 쓴다. 오늘밤의 강수 확률은 10%로 비가 내릴 가능성이 희박하므로 조동사 might[could]를 사용하여 문장을 표현한다.

25 (1) 책을 깨끗하게 유지하시오.
(2) 시끄럽게 하지 마시오.
(3) 일주일 내에 책을 하시오.
해설 규칙은 '~해야 한다'는 뜻을 가진 should로 표현할 수 있다. 부정문의 경우 should 뒤에 not을 붙인다. should not은 shouldn't로 축약할 수 있다.
어휘 keep 유지하다 clean 깨끗한 make a noise 소음을 내다 return 반납하다 in a week 일주일 내에

CHAPTER 05 문장의 형식

Point 21 1형식

Point 22 2형식

문법 확인 pp. 88~89

Ⓐ
1 움직인다 2 멈추었다
3 있나요 4 끝난다
5 없었다 6 없다
7 잔다 8 일하신다

Ⓑ
1 영화배우이다 2 아름다워 보였다
3 유용하다 4 들린다
5 상했다 6 따뜻해졌다
7 향이 난다 8 보인다

문법 기본 p. 90

Ⓐ
1 heavily 2 soft 3 smart
4 different 5 silent 6 is
7 Is 8 are

Ⓑ
1 hard 2 slowly 3 was
4 open 5 friendly 6 Are
7 looked like 8 red

문법 쓰기 pp. 91~92

Ⓐ
1 is a math teacher 2 There were many fans
3 is too loud 4 turned brown

Ⓑ
1 quiet → quietly 2 are → is
3 looks → looks like 4 Is → Are
5 smoothly → smooth 6 tiredly → tired

Ⓒ
1 works at the museum
2 There is an apple tree
3 tastes like a banana
4 is popular
5 There were many stars in the night sky.
6 You look pale.
7 My shadow became long.
8 The children laughed merrily.

실전 연습 p. 93

1 There are five people

해설 '~이[가] 있다'는 「There is[are] ~.」로 쓴다. 이 때 be 동사는 바로 뒤에 나오는 주어에 따라 달라진다. 주어가 '다섯 명'으로 복수이므로 동사는 are를 쓴다.

어휘 people 사람들

2 The flower smells sweet.

해설 '냄새[향]가 ~하다'는 감각동사 smell로 표현하고, 뒤에는 형용사 보어가 온다.

어휘 sweet 달콤한

Point 23 3형식과 4형식

Point 24 5형식

문법 확인 pp. 94~95

Ⓐ
1 축구를 2 비밀 번호를
3 성적표를 4 물 좀
5 몇 가지 선물을 6 저에게
7 맛있는 음식을 8 많은 정보를

Ⓑ
1 윤이라고 2 행복하게
3 재미있다고 4 건강하게
5 혼자 6 천재라고
7 새 대통령으로 8 열어

문법 기본 p. 96

Ⓐ
1 her 2 me 3 for 4 him 5 dry
6 to us 7 fresh 8 of

Ⓑ
1 him 2 us 3 call 4 it 5 crazy
6 me 7 easily 8 to

문법 쓰기 pp. 97~98

Ⓐ
1 visited many old palaces
2 gave me a watch
3 the swing for his daughter
4 keep your feet warm

Ⓑ
1 we → us 2 to a chair → a chair
3 easy → easily 4 she → her
5 nervously → nervous 6 to → for

Ⓒ
1 like hip-hop (music)
2 gave advice to me
3 call the clock tower
4 her a good teacher
5 I watched a scary movie yesterday.
6 Chris lent me his camera. 또는 Chris lent his camera to me.
7 Coffee keeps me awake.
8 My grandmother showed me an old album. 또는 My grandmother showed an old album to me.

실전 연습 p. 99

1 He sent a letter to me

해설 직접 목적어 a letter와 간접 목적어 me의 순서를 바꾸고 me 앞에 to를 넣는다.

2 I found him honest.
해설 '~이[가] …하다고 생각하다'를 find 동사를 이용해서 5형식으로 쓸 수 있다. find 다음에는 「목적어+목적격 보어」 순으로 오고, 과거이므로 found로 쓴다.

CHAPTER 05

내신 대비 실전 TEST

pp. 100~102

01 ⑤	02 ④	03 ④	04 ①	05 ③
06 ②	07 ⑤	08 ③	09 ①	10 ③

11 silent
12 me an email 또는 an email to me
13 happy 14 there 15 to
16 for 17 He works at a car factory.
18 make my parents carnations
19 difficult
20 (1) The gentleman gave help to me.
(2) Can I ask you a favor?
21 She looked angry.
22 (1) bought me a bike[bicycle] 또는 bought a bike[bicycle] for me
(2) bought me a T-shirt 또는 bought a T-shirt for me
(3) gave me her new bag 또는 gave her new bag to me
23 (1) There is a slide in the playground.
(2) There are two swings in the playground.
(3) There are two benches in the playground.
24 (1) The fan makes her cool.
(2) The actor's picture makes her happy.

01 그녀는 ① 슬퍼 ② 피곤해 ③ 화나 ④ 친근해 보인다.
해설 look과 같은 감각동사는 보어로 형용사를 취한다. 따라서 prettily가 아니라 pretty가 맞다.
어휘 tired 피곤한 angry 화난 friendly 친근한 pretty 예쁜

02 ① 너는 조용히 말해야 한다.
② 어젯밤에는 눈이 많이 내렸다.
③ 댄서들은 아름답게 춤을 췄다.
④ 그의 얼굴은 그녀 앞에서 빨개졌다.
⑤ 그 아이들은 사탕 가게로 뛰어갔다.
해설 ①, ②, ③, ⑤는 1형식인 반면에 ④는 「주어+동사+주격 보어」 구조의 2형식이다.
어휘 quietly 조용히 heavily 많이 in front of ~앞에 candy shop 사탕 가게

03 ① 비가 땅을 젖게 만들었다.
② 그 영화는 나를 졸리게 만들었다.
③ 운동은 너를 건강하게 만들어 줄 것이다.
④ 엄마는 나에게 초콜릿 케이크를 만들어 주셨다.
⑤ 에어컨은 공기를 시원하게 만들어 준다.
해설 ①, ②, ③, ⑤는 「주어+동사+목적어+목적격 보어」의 5형식인 반면에 ④는 「주어+동사+간접목적어+직접목적어」의 4형식이다.
어휘 ground 땅 wet 젖은 sleepy 졸린
air conditioner 에어컨 air 공기 cool 시원한

04 ① 나의 옛 친구는 유명한 영화 스타가 되었다.
② 테레사 수녀는 인도에서 가난한 아이들을 도와주었다.
③ Kevin은 다른 나라들의 우표를 수집한다.
④ 나의 아버지는 아침에 신문을 읽으신다.
⑤ 그녀는 정원에서 많은 꽃들과 식물들을 기른다.
해설 ②, ③, ④, ⑤는 「주어+동사+목적어」의 3형식인 반면에 ①은 「주어+동사+주격 보어」의 2형식이다.
어휘 collect 수집하다 grow 기르다 garden 정원

05 미나는 그녀의 여동생에게 간식을 사주었다.
해설 수여동사 buy는 4형식에서 3형식으로 전환할 때 전치사 for를 필요로 한다.
어휘 snack 간식

06 해설 'A를 B로 이름 짓다'는 name A B이다.
어휘 name 이름 짓다

07 ① 책상 위에 책이 한 권 있다.
② 나의 마을에는 극장이 있다.
③ 그 건물에는 주차장이 있다.
④ 달에는 물이나 공기가 없다.
⑤ 길에는 사람들이 많다.
해설 ①, ②, ③, ④는 주어가 단수이므로 be동사 is가 들어가는 반면에 ⑤는 주어가 a lot of people로 복수이므로 be동사 are이 들어간다.
어휘 village 마을 parking lot 주차장 moon 달

08 ① 너는 나에게 물 한 잔을 줄 수 있니?
② Michael은 아내에게 꽃을 보냈다.
③ 엄마는 나의 친구들에게 쿠키를 만들어주셨다.
④ 유진은 미나에게 자신의 카메라를 빌려주었다.
⑤ 나는 사서에게 내 학생증을 보여주었다.
해설 ①, ②, ④, ⑤는 빈칸에 to가 들어가는 반면에 ③은 동사가 make이므로 빈칸에 for가 들어가야 한다.
어휘 lend 빌려주다 student ID (card) 학생증
librarian 사서

09 • 너는 나에게 나중에 전화해도 된다.
• 나의 부모님은 나를 천사라고 부르신다.
해설 '전화하다'와 '부르다'의 뜻을 모두 가진 동사는 call이다.
어휘 later 나중에

10 ① 나는 그 상자가 비어있는 것을 발견했다.
② 그의 목소리는 온화하게 들렸다.
③ 점원은 나에게 새 셔츠를 가져다주었다.
④ 그들은 그를 그들의 주장으로 선출했다.

⑤ 그 가게는 하루에 24시간 연다.

해설 수여동사 뒤에는 「간접목적어+직접목적어」 어순으로 오므로 got 다음에 a new shirt와 me의 위치가 바뀌어야 한다. 혹은 me 앞에 for를 쓴다.

어휘 empty 빈 voice 목소리 gentle 온화한 clerk 점원 mayor 시장 store 가게

11 너는 조용히 해야 한다.

해설 2형식 구문으로 보어로는 부사가 아닌 형용사가 와야 한다.

어휘 keep 유지하다 silent 조용한

12 내 친구가 나에게 이메일을 보냈다.

해설 4형식 문장은 「주어+동사+간접목적어+직접목적어」 어순이므로 두 목적어의 위치가 바뀌거나 간접목적어 앞에 전치사를 붙여야 한다.

13 그녀의 미소는 나를 행복하게 만든다.

해설 5형식 문장으로 목적격 보어로는 부사가 아닌 형용사가 와야 한다.

어휘 smile 미소

14 A: 이 근처에 약국이 있나요?
B: 네, 저 모퉁이 근처에 하나 있습니다.

해설 '(에) ~이[가] 있다'는 「There+be동사+주어 ~.」이고 의문문은 be동사를 맨 앞으로 보내서 만든다.

어휘 drugstore 약국

15 나의 삼촌은 여자 친구에게 반지를 줬다.

해설 4형식 문장을 3형식으로 전환할 때 give는 전치사 to를 필요로 한다.

어휘 uncle 삼촌 ring 반지

16 너는 나에게 우유 좀 사다줄 수 있니?

해설 4형식 문장을 3형식으로 전환할 때 buy는 전치사 for를 필요로 한다.

17 A: 너의 아버지는 어디에서 일하시니?
B: 자동차 공장에서 일하셔.

해설 1형식 문장으로 「주어+동사+전치사구」의 어순이 되어야 한다.

어휘 factory 공장

18 A: 너는 어버이날에 무엇을 할 거니?
B: 나는 부모님에게 카네이션을 만들어드릴 거야.

해설 4형식 문장은 「주어+동사+간접목적어+직접목적어」 어순이다.

어휘 Parents' Day 어버이날 carnation 카네이션

19 그는 나에게 어려운 질문을 했다.

해설 주어진 단어로 만드는 문장은 4형식 문장으로 He asked me a difficult question 이다.

20 (1) 그 신사는 나를 도와주었다.
(2) 너에게 부탁 하나 해도 될까?

해설 (1) 「주어+동사+간접목적어+직접목적어」의 4형식을 「주어+동사+(직접)목적어+전치사구(전치사+간접목적어)」의 3형식으로 전환할 때 give 동사는 전치사 to를 필요로 한다.
(2) 「주어+동사+(직접)목적어+전치사구(전치사+간접목적어)」의 3형식 문장에서 간접목적어를 직접목적어 앞으로 보내어 「주어+동사+간접목적어+직접목적어」의 4형식으로 전환할 수 있다.

어휘 gentleman 신사 favor 부탁, 호의

21 해설 「주어+동사+주격 보어」의 2형식 문장으로 형용사 보어가 쓰였다.

22 7월 7일 일요일
오늘은 나의 열네 번째 생일이었다. 나는 많은 멋진 선물들을 받았다. (1) 아빠는 나에게 자전거를 사주셨다. (2) 엄마는 나에게 티셔츠를 사주셨다. (3) 나의 언니는 나에게 그녀의 새 가방을 주었다. 나는 정말 행복하다.

해설 '~에게 …를 ~(해)주다'는 의미의 문장은 「주어+동사+간접목적어+직접목적어」의 4형식 또는 「주어+동사+(직접)목적어+전치사구(전치사+간접목적어)」의 3형식으로 쓸 수 있다.

어휘 wonderful 멋진 present 선물

23 질문: 놀이터에는 무엇이 있니?
〈보기〉 놀이터에는 큰 나무가 하나 있다.
(1) 놀이터에는 그네가 두 개 있다.
(2) 놀이터에는 벤치가 두 개 있다.

해설 '(에) ~이[가] 있다'는 「There+be동사+주어 ~.」이다. 이때 be동사는 주어에 따라 달라진다.

어휘 playground 놀이터, 운동장 slide 미끄럼틀 swing 그네 bench 벤치(긴 의자)

24 〈보기〉 비타민 C는 그녀를 건강하게 만들어 준다.
(1) 선풍기는 그녀를 시원하게 만들어 준다.
(2) 그 배우의 사진은 그녀를 행복하게 만들어 준다.

해설 '~가 …를 ~하게 만들다'는 「주어+make+목적어+목적격 보어(형용사)」의 5형식 문장으로 쓸 수 있다.

어휘 vitamin 비타민 fan 부채, 선풍기

CHAPTER 06 명사와 대명사

Point 25 셀 수 있는 명사

Point 26 셀 수 없는 명사

문법 확인 pp. 104~105

Ⓐ
1 많은 버스들이
2 달걀 두 개를
3 네 명의 남자들이
4 당근과 감자를
5 두 명의 아기를
6 빨간 지붕을 가진 집들을
7 사슴 세 마리를

Ⓑ
1 건강은
2 마음의 양식
3 커피 두 잔
4 안경 하나를
5 깨끗한 공기를
6 우유 한 잔을
7 충고 한 마디
8 밥 한 공기

문법 기본 p. 106

Ⓐ
1 pigs
2 girls
3 cats
4 hobbies
5 maps
6 dishes
7 benches
8 photos
9 cities
10 roofs
11 toys
12 watches
13 cookies
14 women
15 oxen
16 ladies
17 mice
18 blouses
19 countries
20 wives
21 wolves
22 babies
23 mouths
24 tomatoes
25 sheep
26 teeth
27 holidays
28 addresses
29 bananas
30 geese

Ⓑ
1 a pet
2 computers
3 Time
4 knives
5 tea
6 happiness
7 foot
8 jeans

문법 쓰기 pp. 107~108

Ⓐ
1 A child / Many children
2 a potato / two potatoes
3 a leaf / many leaves
4 a piano / three pianos

Ⓑ
1 moneys → money
2 sugars → sugar
3 a paper → a piece[sheet] of paper
4 piece of cakes → pieces of cake
5 pant → pants
6 times → time

Ⓒ
1 old boxes
2 Our friendship
3 An[One] hour, sixty minutes
4 sheep are eating
5 I ate two pieces of pizza.

5 I ate two pieces of pizza.
6 A cat is chasing two mice.
7 She put some honey in the tea.
8 Did you order three glasses of orange juice?

실전 연습 p. 109

1 He caught ten fish at the lake.

해설 fish는 셀 수 있는 명사이므로 단수, 복수를 구분해야 한다. 물고기 열 마리이므로 복수형을 써야 하는데 fish의 경우 단수와 복수가 형태가 같으므로 그대로 fish로 쓴다.

어휘 lake 호수

2 (to order) three glasses of grape juice.

해설 포도 주스는 액체이므로 셀 수 없는 물질명사이다. 따라서 수량 표현은 단위명사를 이용해야 해야 한다. 세 잔이므로 단위명사인 glass의 복수형태를 써서 문장을 쓴다.

어휘 grape 포도

Point 27 비인칭 주어 it

Point 28 부정대명사 one

문법 확인 pp. 110~111

Ⓐ
1 내리고 있다
2 오전 8시
3 1월 5일
4 봄이다
5 밝다
6 영상 5도이다
7 2 킬로미터이다
8 십 분 걸린다

Ⓑ
1 새 것이
2 다른 것을
3 저 파란 것이
4 사람은
5 초록 사과를
6 새 것을

문법 기본 p. 112

Ⓐ
1 one
2 It
3 one
4 ones
5 It
6 one
7 ones
8 it

Ⓑ
1 One
2 one
3 It
4 It
5 It
6 ones
7 it

문법 쓰기 pp. 113~114

Ⓐ
1 the left one
2 It gets dark
3 One should save for
4 Did you see it

Ⓑ
1 that → it
2 one → it
3 one → ones
4 This → It
5 That → It
6 One → It

Ⓒ
1 have one
2 It takes ten minutes
3 have a red one
4 find it
5 It is rainy outside
6 It is April 5th.
7 He wears black ones.

8 Will you recommend one?

실전 연습 p. 115

1 It is March 15th.

해설 날짜는 비인칭 주어 it으로 표현한다.

어휘 date 날짜

2 I bought two red ones and a green one.

해설 앞서 나온 명사인 bell pepper는 부정대명사 one으로 받을 수 있다. 복수의 경우에는 ones를, 단수의 경우에는 one을 쓴다.

어휘 bell pepper 피망

CHAPTER 06 내신 대비 실전 TEST

pp. 116~118

01 ①	02 ③	03 ②	04 ④	05 ③
06 ③	07 ④	08 ②	09 ①	10 ④

11 two main dishes
12 three teeth
13 four flies
14 it[It]
15 happinesses → happiness
16 spoonful → spoonfuls
17 small one
18 yellow ones
19 It takes about ten minutes on foot.
20 There are three men and two women in the movie theater.
21 I ate a piece[slice] of bread and a glass of milk.
22 (1) It is April 14th.
(2) It is Monday.
(3) It is cloudy.
23 ④, sunglasses
24 three pink ones and two yellow ones.
25 (1) She needs four pieces[slices] of bread.
(2) She needs a piece[slice] of cheese.
(3) She needs two tomatoes.

01 ① 황소 ② 아내 ③ 사진 ④ 양 ⑤ 활동

해설 ox의 복수형은 oxen이다.

어휘 wife 아내 activity 활동

02 나에게는 ① 사랑 ② 돈 ④ 명예 ⑤ 경험이(가) 중요하다.

해설 부정관사 a나 an이 없이 쓰이고 있으므로, 셀 수 없는 명사가 들어가야 한다. 복수형으로 쓰인 friends는 빈칸에 알맞지 않다.

어휘 honor 명예 experience 경험

03 ① 너에게 전해 줄 좋은 소식이 있다.
② 나의 사촌들은 캐나다에 산다.
③ 그는 다락에서 쥐 세 마리를 찾았다.
④ 그녀는 커피에 설탕을 넣지 않는다.
⑤ 운동장에는 많은 아이들이 있었다.

해설 Canada는 지명으로 고유명사이므로 첫 철자를 대문자로 써야 한다.

어휘 cousin 사촌 playground 운동장

04 해설 pizza는 셀 수 없는 물질명사이므로 단위명사를 이용해서 수량 표현을 한다. 복수형을 만들 때에는 단위명사만 복수로 써야 한다.

어휘 for dinner 저녁 식사로

05 ① 아직은 비가 오지 않는다.
② 11시 10분이다.
③ 그것은 너의 문제가 아니다.
④ 오늘은 10월 30일이다.
⑤ 여기에서 30분 걸린다.

해설 ①, ②, ④, ⑤는 뜻이 없는 주어인 비인칭 주어인 반면 ③의 It은 '그것'이라고 해석이 되는 대명사이다.

어휘 yet 아직 past (시간이) 지나서 problem 문제 October 10월

06 A: 오, 이런! 나 연필을 안 가지고 왔어.
B: 걱정 마. 내가 너에게 하나 빌려줄게.

해설 앞서 말한 것과 같은 종류의 '것', '하나'를 지칭하는 부정대명사 one이 들어가야 한다.

어휘 bring 가져오다 worry 걱정하다

07 A: 청바지가 잘 맞나요?
B: 저에게는 너무 크네요. 더 작은 것을 가져다주실래요?

해설 앞서 말한 것과 같은 종류의 것을 지칭하는데 jeans라고 하는 복수 명사를 받으므로 ones가 알맞다.

어휘 jeans 청바지 fit (옷이) 맞다

08 ① 나 달걀이 하나 필요해. 하나 갖다 줘.
② 나 지갑을 잃어버렸어. 그것을 봤니?
③ 사람은 타인에게 친절해야 한다.
④ 그것은 내 스타일이 아니에요. 다른 것을 보여주세요.
⑤ 이 셔츠가 저것보다 더 마음에 드세요?

해설 ①, ③, ④, ⑤는 부정대명사 one이 들어가야 하지만 ②는 특정한 사물(my wallet)을 지칭하는 상황이므로 it이 들어가야 한다.

어휘 wallet 지갑 style 스타일

09 ① 우리에게는 아직 한 시간이 있다.
② 너는 우산을 가져가야 한다.
③ 한 가지 아이디어가 생각났다.
④ 너는 제주에서 말을 탔니?
⑤ 그들은 집을 찾고 있다.

해설 hour는 철자 상으로는 자음으로 시작하지만 모음으로 발음이 되므로 앞에 부정관사 an이 와야 한다.

어휘 still 아직, 여전히 come to mind 생각이 떠오르다 ride 타다 horse 말

10 ① 나는 상점에서 장갑 한 켤레를 샀다.
② 너는 종이 두 장이 필요하다.

③ 그녀는 사과 주스 한 잔을 주문했다.
④ 옷장 속에는 바지 다섯 벌이 있다.
⑤ 나는 샌드위치를 만들기 위한 빵 두 덩어리를 원한다.

해설 '바지 다섯 벌'이므로 five pairs가 되어야 한다. pair는 '한 쌍'이라는 뜻으로 항상 복수형으로 쓰이는 명사의 수량을 표현할 때 쓴다.

어휘 gloves 장갑 sheet 한 장 closet 옷장

11 메뉴판에 주요리가 하나(두 개) 있다.

해설 dish는 -sh로 끝나므로 복수형을 만들 때 -es를 붙인다.

어휘 main dish 주요리

12 그 치과의사는 치아를 하나(세 개) 뺐다.

해설 tooth의 복수형은 teeth이다.

어휘 dentist 치과의사 pull out 빼다

13 그 개구리는 파리를 한 마리(네 마리) 잡았다.

해설 fly는 「자음+y」로 끝나므로 복수형을 만들 때 y를 i로 고치고 -es를 붙인다.

어휘 frog 개구리 catch 잡다 fly 파리

14 A: 오늘은 무슨 요일이지?
B: 수요일이야.

해설 요일을 말할 때는 비인칭 주어 it을 쓴다.

어휘 Wednesday 수요일

15 돈은 행복을 가져다주지 않는다.

해설 happiness는 셀 수 없는 추상명사이므로 복수형으로 쓸 수 없다.

어휘 bring 가져오다

16 그녀는 커피에 설탕 두 스푼을 넣었다.

해설 셀 수 없는 명사 sugar의 수량을 단위명사 spoonful을 이용해 표현하고 있는데 복수이므로 spoonfuls가 되어야 한다.

어휘 spoonful (한) 숟가락[스푼]

17 A: 너는 보통 큰 가방을 가지고 다니니?
B: 아니. 나는 작은 것을 가지고 다녀.

해설 앞서 말한 것과 같은 종류의 것을 지칭하므로 one을 이용한다.

어휘 carry 휴대하다

18 A: 너는 꽃가게에서 빨간 장미들을 샀니?
B: 아니. 나는 노란 것들을 샀어.

해설 앞서 말한 것과 같은 종류의 것을 지칭하는데 복수 명사를 받으므로 ones를 이용한다.

어휘 flower shop 꽃가게

19 A: 너희 집에서 학교까지는 얼마나 머니?
B: 걸어서 약 십 분 걸려.

해설 소요시간을 말할 때는 비인칭 주어 it을 주어로 한다.

어휘 take (시간이) 걸리다 far (거리가) 먼 on foot 걸어서

20 해설 man과 woman의 복수형은 각각 men과 women이다.

어휘 movie theater 극장

21 해설 bread와 milk는 셀 수 없는 물질명사이므로 단위명사를 이용해서 수량을 표현한다. 빵 한 조각은 a piece of나 a slice of를 사용하고, 우유 한 잔은 a glass of를 사용한다.

22 (1) 오늘은 며칠인가요? – 4월 14일입니다.
(2) 오늘은 무슨 요일인가요? – 월요일입니다.
(3) 날씨가 어떤가요? – 흐립니다.

해설 날짜와 요일, 날씨 등은 비인칭 주어 it을 이용해서 표현한다.

어휘 April 4월 Monday 월요일 weather 날씨

23 나는 지금 여행 짐을 싸고 있다. 나는 셔츠 두 장과 청바지 한 벌을 가져갈 것이다. 나는 또한 양말 두 켤레와 선글라스 한 개를 가져갈 것이다. 오, 거의 잊을 뻔했다. 나는 슬리퍼 한 켤레도 싸야 한다.

해설 sunglasses는 항상 복수로 쓰고, a pair of로 수량을 표현한다.

어휘 pack (짐을) 싸다 trip 여행 almost 거의 forget 잊다

24 A: 너는 액세서리 가게에서 무엇을 샀니?
B: 머리핀을 좀 샀어.
A: 머리핀을 몇 개 샀니?
B: 핑크색 세 개와 노란색 두 개를 샀어.

해설 앞서 말한 것과 같은 종류의 것을 지칭하는데 복수 명사 hairpins를 받으므로 ones를 이용한다.

어휘 accessory 액세서리 hairpin 머리핀

25 (1) 그녀는 빵 네 조각이 필요하다.
(2) 그녀는 치즈 한 조각이 필요하다.
(3) 그녀는 토마토 두 개가 필요하다.

해설 bread와 cheese는 셀 수 없는 물질명사이므로 piece나 slice를 이용해서 수량을 표현한다. tomato는 -o로 끝나므로 복수형을 만들 때 -es를 붙인다.

to부정사와 동명사

Point 29 to부정사의 명사적 용법 (1)

Point 30 to부정사의 명사적 용법 (2)

문법 확인

pp. 120~121

Ⓐ
1 하는 것은 2 감량하는 것
3 거짓말을 하는 것은 4 자전거를 타는 것은
5 동전을 모으는 것 6 듣는 것은
7 끝내는 것은 8 놀라게 하는 것

Ⓑ
1 하기를 2 이야기하는 것을
3 운전하는 것을 4 기르지 않기로
5 보는 것을 6 향상시키기를
7 되는 것을 8 얻기를

문법 기본

p. 122

Ⓐ
1 To study 2 to take
3 is 4 to read
5 It 6 to buy
7 to see 8 not

Ⓑ
1 To shop 2 to get
3 to give 4 It
5 is to 6 to help
7 not to 8 takes

문법 쓰기

pp. 123~124

Ⓐ
1 To save energy 2 is to pass
3 is easy to cook 4 promised not to be

Ⓑ
1 taking → to take 2 win → to win
3 water → to water[watering]
4 exercise → to exercise
5 to listening → to listen[listening]
6 to not → not to

Ⓒ
1 To keep a promise
2 I expected to see you
3 to eat fast food
4 to write a book report
5 My dream is to become a chef.
6 Do you want to eat ice cream?
7 Their mission was to explore the moon.
8 It was fun to ride a horse.

실전 연습

p. 125

1 His job is to drive a bus.
해설 drive a bus를 보어 역할을 하는 명사로 바꿔야 하므로 동사 앞에 to를 붙여 to부정사로 만들어야 한다.

2 They decide to travel to Canada.
해설 travel to Canada가 decide의 목적어가 되어야 하므로 to부정사로 만들어야 한다. decide는 to부정사를 목적어로 취하는 동사이다.
어휘 travel to ~로 여행하다

Point 31 to부정사의 형용사적 용법

Point 32 to부정사의 부사적 용법

문법 확인

pp. 126~127

Ⓐ
1 너에게 말해줄 2 잠자리에 들
3 돌봐야 할 4 재미있는
5 신을 6 그 질문에 답한
7 앉을 8 말할

Ⓑ
1 일출을 보기 위해 2 야채를 사기 위해
3 그 소식을 듣고 4 병원에
5 스마트폰을 사기 위해 6 성가시게 해서
7 90살이 8 입기에

문법 기본

p. 128

Ⓐ
1 to write 2 to live in
3 to see 4 to borrow
5 to be 6 to lend
7 to learn 8 to finish

Ⓑ
1 to make 2 to tell
3 to live in 4 to read
5 in order to 6 to show
7 to win 8 not to

문법 쓰기

pp. 129~130

Ⓐ
1 to buy a bag 2 to buy some bread
3 sofas to sit on 4 fresh to eat

Ⓑ
1 buying → to buy 2 help → to help
3 visit → to visit 4 solve → to solve
5 eating → to eat 6 watch → to watch

Ⓒ
1 to thank your parents
2 hot to drink
3 to be eighty (years old)
4 to see the test result
5 Could you lend me a pen to write with?
6 My mom got angry to see my room in a mess.
7 She is young to understand this book.
8 I found out something interesting to do.

실전 연습 p. 131

1 I bought a bed to sleep in.
해설 sleep이 앞의 명사인 bed를 수식해야 하므로 to부정사로 써야 한다. 또 침대에서 자는 것이므로 sleep 뒤에는 전치사 in를 써야 한다.

2 I called you to ask about the homework.
해설 과거이므로 call을 과거형으로 쓴다. 전화한 목적을 나타내는 부분은 부사적 용법의 to부정사구로 써야 한다.

Point 33 동명사의 쓰임과 형태

Point 34 동명사와 to부정사를 목적어로 쓰는 동사

문법 확인 pp. 132~133

Ⓐ 1 믿는 것 2 타는 것은
3 마구 쏟아지기 4 디자인에
5 절약하는 것은 6 열어도
7 준비하는 것 8 만나기를

Ⓑ 1 울리기 2 만나는 것을
3 마시는 것을 4 입어봤다
5 잠그는 것을 6 사기 위해 (가던 길을)
7 이야기 8 노력한다

문법 기본 p. 134

Ⓐ 1 Walking, To walk 2 keeping
3 snowing, to snow 4 biting, to bite
5 cooking 6 to buy
7 to win 8 going, to go

Ⓑ 1 cleaning 2 raining
3 making 4 is
5 growing 6 to ask
7 helping 8 to close

문법 쓰기 pp. 135~136

Ⓐ 1 is playing basketball 2 helping me with
3 to bring an umbrella 4 fighting with my brother

Ⓑ 1 to practice → practicing 2 Read → Reading[To read]
3 eat → eating 4 speaking → to speak
5 to bark → barking 6 use → using

Ⓒ 1 Staying[To stay] home all day
2 Did you finish writing
3 going on a picnic
4 to turn off the lights
5 eating salad for dinner
6 I stopped eating chocolate and candy.
7 Writing[To write] an essay is difficult. / It is difficult to write an essay.
8 Did you practice playing the recorder?

실전 연습 p. 137

1 Did you give up exercising?
해설 give up은 목적어로 동명사를 취한다. exercise는 -e로 끝나므로 -ing를 붙일 때 -e를 빼고 붙여야 한다.

2 I forgot to send you an email.
해설 '(앞으로) ~할 것을 잊다'는 「forget+to부정사」이다.

CHAPTER 07 내신 대비 실전 TEST pp. 138~140

01 ⑤ 02 ③ 03 ④ 04 ③ 05 ⑤
06 ② 07 ① 08 ③ 09 ② 10 ④
11 Getting up 12 drawing 13 to
14 resting → to rest 15 to solve → solving
16 tried wearing 17 not to miss
18 Everyone needs somebody to love.
19 to eat → eating
20 (1) It is important to do your best.
(2) Doing your best is important.
21 (1) I plan to go hiking this weekend.
(2) Do you practice swimming every day?
22 (1) to do[doing] the laundry
(2) to do the dishes
23 I decided to go to Jeju Island with my family
24 (1) Mina went to the mall to buy a T-shirt.
(2) Mina went to the movie theater to watch a movie.
(3) Mina went to the gym to do some exercise.

01 나에게 쓸 종이 한 장을 줘.
해설 '쓸 종이'로 write가 종이를 수식하므로 to부정사 형태가 알맞다. 또, 종이 위에 쓰는 것이므로 형용사적 용법의 to부정사 to write 뒤에 전치사 on이 필요하다.
어휘 a piece of 한 장의 ~

02 나는 설거지하는 것을 끝냈다.
해설 finish는 목적어로 동명사를 취한다.
어휘 do the dishes 설거지를 하다

03 나는 내일 여권을 가져오는 것을 기억하겠다.
해설 내일, 즉 미래에 가져오는 것을 기억하겠다는 뜻이므로 remember 뒤에 to부정사가 와야 한다.
어휘 passport 여권

04 ① 내 계획은 영어를 공부하는 것이다.
② 나는 고전음악 듣는 것을 좋아한다.

③ 그녀는 그 선물을 보고 놀랐다.
④ 물을 많이 마시는 것은 너의 건강에 좋다.
⑤ 그 밴드는 악기를 연주하기 시작했다.

해설 나머지는 문장에서 주어(④), 보어(①), 목적어(②, ⑤) 역할을 하는 명사적 용법인 반면에 ③은 감정의 원인을 나타내는 부사적 용법이다.

어휘 classical music 고전음악 present 선물
band 밴드, 악단 instrument 악기

05 • 롤러코스터를 타는 것은 재미있다.
• 우리는 이번 주말에 낚시를 하러 가기로 결정했다.
• 잠시 기다려주시겠습니까?

해설 주어로 쓰인 to부정사구가 문장의 뒤로 갈 때 주어 자리에 it을 쓴다. decide와 mind는 각각 to부정사와 동명사를 목적어로 취한다.

어휘 for a while 잠시 동안

06 Mike는 스페인으로 여행가기를 ① 원했다 ③ 계획했다 ④ 희망했다 ⑤ 준비했다

해설 enjoy는 목적어로 to부정사를 취할 수 없다.

어휘 Spain 스페인

07 소라는 프랑스어 배우는 것을 ② 계속했다 ③ 즐겼다 ④ 계속했다 ⑤ 포기했다

해설 choose는 목적어로 동명사를 취할 수 없다.

어휘 French 프랑스어

08 ⓐ 비행기가 이륙하기 시작했다.
ⓑ 너는 배드민턴을 잘 치니?
ⓒ 아침에 비가 멈췄다.
ⓓ 내일 나에게 전화하는 것을 잊지 마.
ⓔ 나는 미래에 대해 희망적이고자 노력한다.

해설 ⓑ는 전치사 뒤에 to부정사가 아닌 동명사가 와야 하고, ⓓ는 내일 전화하는 것을 잊지 말라는 것이므로 forget 뒤에 to부정사가 와야 한다.

어휘 take off 이륙하다 hopeful 희망적인

09 나는 읽을 잡지를 샀다.
① 그녀는 청바지를 사러 쇼핑몰에 갔다.
② 수호는 함께 놀 친구가 많다.
③ 그들은 그 멋진 호텔에 머물기를 원했다.
④ 나는 내가 가장 좋아하는 가수를 만나서 너무 기뻤다.
⑤ 내 희망은 부모님을 위해 집을 사드리는 것이다.

해설 보기와 같이 형용사적 용법으로 쓰인 것은 ②이다. ①은 목적을 나타내는 부사적 용법, ③은 목적어로 쓰인 명사적 용법, ④는 감정의 원인을 나타내는 부사적 용법, ⑤는 보어로 쓰인 명사적 용법이다.

어휘 magazine 잡지 fancy 멋진, 고급의

10 해설 -thing으로 끝나는 말은 명사를 수식하는 형용사가 뒤에 오고, 그 뒤에 형용사적 용법의 to부정사가 온다.

어휘 sweet 달콤한, 단

11 일찍 일어나는 것은 나에게 어렵다.

해설 주어로 쓰인 명사적 용법의 to부정사는 동명사로 전환할 수 있다.

12 내 취미는 만화 캐릭터를 그리는 것이다.

해설 보어로 쓰인 명사적 용법의 to부정사는 동명사로 전환할 수 있다.

어휘 draw 그리다 cartoon character 만화 캐릭터

13 A: 너는 미래에 무엇이 되고 싶니?
B: 내 꿈은 선생님이 되는 거야.

해설 want의 목적어 자리와 보어 자리에 모두 적합한 것은 to부정사이다.

어휘 in the future 미래에

14 그들은 쉴 장소가 필요했다.

해설 '쉴 장소'라는 뜻으로 rest가 place를 수식하므로 형용사적 용법의 to부정사가 되어야 한다.

어휘 rest 쉬다

15 나는 수학 문제 푸는 것을 끝내지 못했다.

해설 finish는 목적어로 동명사를 취한다.

어휘 solve 풀다

16 해설 '(시험 삼아) 입어보다'는 뜻이므로 try 뒤에 동명사가 온다.

어휘 wear 입다 jacket 재킷

17 해설 '~하지 않기 위해서'는 부사적 용법의 to부정사 앞에 not을 붙여서 not to ~로 쓴다.

어휘 train 기차 miss 놓치다

18 모든 사람은 사랑할 누군가가 필요하다.

해설 형용사적 용법의 to부정사는 명사를 뒤에서 수식한다.

19 해설 '~하는 것을 멈추다'는 stop -ing이다.

어휘 make a phone call 전화를 걸다

20 네가 최선을 다하는 것이 중요하다.

해설 (1) to부정사구가 문장의 뒤로 가면 주어 자리에 가주어 it이 온다.
(2) 주어 역할을 하는 to부정사는 동명사로 전환할 수 있다.

어휘 do one's best 최선을 다하다

21 해설 (1) plan은 목적어로 to부정사가 온다.
(2) practice는 목적어로 동명사가 온다.

어휘 go hiking 등산을 가다

22 오늘은 대청소 날이다. 우리 가족 모두가 할 일이 있다. 아빠는 거실을 청소할 것이다. 엄마의 일은 (1) 빨래를 하는 것이다. (2) 설거지를 하는 것은 나의 일이다. 나의 남동생은 식물에 물을 줘야 한다.

해설 (1) 보어 자리에는 동명사나 to부정사가 올 수 있다.
(2) 가주어 it이 올 때 진주어 자리에는 보통 to부정사구가 온다.

어휘 cleaning day 대청소 날 living room 거실
do the laundry 빨래하다

23 A: 너는 이번 휴가 때 특별한 계획이 있니?
B: 응, 나는 가족과 함께 제주도에 가기로 결정했어.

A: 좋다. 거기에서 무엇을 할 거니?
B: 나는 말을 탈거야. 나는 말 타는 것을 즐겨.
해설 decide는 목적어로 to부정사가 온다.
어휘 vacation 방학, 휴가

24 〈보기〉 미나는 책을 빌리러 도서관에 갔다.
(1) 미나는 티셔츠를 사기 위해 쇼핑몰에 갔다.
(2) 미나는 영화를 보기 위해 영화관에 갔다.
(3) 미나는 운동을 하기 위해 체육관에 갔다.
해설 '~하기 위해서'라는 뜻으로 목적을 나타낼 때 부사적 용법의 to부정사를 쓴다.
어휘 movie theater 영화관 gym 체육관

형용사와 부사

Point 35 형용사의 쓰임과 형태

Point 36 수량 형용사

문법 확인

pp. 142~143

Ⓐ **1** 귀여운 **2** 흥미로운[재미있는]
3 갈색으로 **4** 엉망이다
5 변덕스럽다 **6** 쉽다고
7 키가 큰

Ⓑ **1** 많은 **2** 많이
3 약간의 **4** 어떤
5 거의 없다 **6** 약간의
7 많은 **8** 거의 없었다

문법 기본

p. 144

Ⓐ **1** famous **2** useless
3 some **4** little
5 hungry **6** a lot of
7 something **8** a few

Ⓑ **1** energetic **2** somebody strange
3 a few **4** Some
5 nervous **6** little
7 lots of **8** any

문법 쓰기

pp. 145~146

Ⓐ **1** something sweet to eat
2 There were few fish
3 have some fruits
4 A lot of people

Ⓑ **1** danger → dangerous
2 some → any
3 a little → little
4 special someone → someone special
5 little → few
6 tidily → tidy

Ⓒ **1** The[An] early bird
2 something soft
3 some[a few] shirts
4 a little water
5 I find him humorous.
6 Someone[Somebody] kind will help us.
7 We don't have any choice.
8 There is little money in my wallet.

실전 연습 p. 147

1 It is a useful app.

해설 '유용한'이 뒤의 명사를 꾸며주는 형용사이므로 조건에 제시된 동사 use에 형용사형 접미사 -ful을 붙여서 형용사로 만들어야 한다.

어휘 app(application program) 앱

2 There are some oranges.

해설 '약간의'는 some이나 셀 수 있는 명사의 경우 a few로도 쓸 수 있어요. 4단어로 맞추려면 some을 써야 해요.

어휘 basket 바구니 orange 오렌지

Point 37 부사의 쓰임과 형태

Point 38 빈도부사

문법 확인 pp. 148~149

Ⓐ 1 일찍 2 완벽하게
3 거의 4 최근에
5 매우 6 높이
7 사랑스러운 8 다행히(도)

Ⓑ 1 항상 2 거의 3 가끔 4 절대 5 거의
6 가끔 7 종종 8 보통

문법 기본 p. 150

Ⓐ 1 beautifully 2 late
3 usually 4 friendly
5 sometimes 6 quietly
7 Suddenly 8 hard

Ⓑ 1 carefully 2 hardly
3 often 4 Sadly
5 high 6 rarely
7 usually 8 necessarily

문법 쓰기 pp. 151~152

Ⓐ 1 was really loud
2 sometimes drives me
3 always miss him
4 Fortunately, everything went

Ⓑ 1 hardly → hard
2 simple quite → quite simple
3 surprisingly → surprising
4 cooks often → often cooks
5 soft → softly
6 late → lately

Ⓒ 1 swim very[so] fast
2 loudly and clearly
3 came home late last night.
4 Accidents always happen
5 I often go to the movies alone.
6 He will never follow my advice.
7 Did you gain some weight recently?
8 Surely, you won't believe it.

실전 연습 p. 153

1 People got on the bus quickly.

해설 '빠르게'는 부사이므로 형용사인 quick에 –ly를 붙여서 부사로 만들어야 한다.

2 I usually eat rice.

해설 '보통'을 나타내는 부사는 usually이며 빈도부사는 일반동사 앞에 온다.

어휘 rice 밥, 쌀

CHAPTER 08 내신 대비 실전 TEST pp. 154~156

01 ④ 02 ② 03 ② 04 ⑤ 05 ④
06 ④ 07 ③ 08 ③ 09 ① 10 ③
11 sad
12 something delicious
13 highly
14 late
15 A few → A little
16 near → nearly
17 always
18 never
19 I often play soccer
20 The actors sang beautifully.
21 Andy runs fast.
22 (1) I have a few hobbies.
(2) There is a little juice in the bottle.
23 ③, always listens
⑤, something special
24 (1) I need many eggs.
(2) I need a little sugar.
25 (1) is a smart boy
(2) is a brave girl
26 (1) Jiho often jogs in the morning.
(2) Jiho usually walks to school.
(3) Jiho sometimes washes the dishes.

01 해설 useful의 뜻은 '유용한'이다.

02 ① 쉬운 – 쉽게 ② 사랑 – 사랑스러운
③ 확실한 – 확실히 ④ 무거운 – 심하게
⑤ 아름다운 – 아름답게

해설 ①, ③, ④, ⑤는 형용사에 -ly가 붙어서 부사가 된 반면에 ②는 명사에 -ly가 붙어서 형용사가 되었다.

03 너는 항상 불을 조심해야 한다.

해설 빈도부사의 위치는 조동사나 be동사 뒤, 일반동사 앞이다. 조동사와 be동사가 함께 쓰일 때는 그 사이에 온다.

어휘 careful 조심하는 fire 불

04 ① 몇몇 아이들이 길을 건너고 있다.
② 나는 이 분야에 경험이 거의 없다.
③ 즐길 것들이 많이 있다.
④ 제 차에 꿀을 좀 넣어주실래요?
⑤ 그 사업가는 가족들과 시간을 거의 보내지 않는다.

해설 time은 셀 수 없는 명사이므로 수량 형용사 little이 와야 한다.

어휘 cross the street 길을 건너다 experience 경험
area 분야 honey 꿀 businessman 사업가
spend (시간을) 보내다

05 ① 사막에는 거의 비가 오지 않는다.
② 민호는 하늘 높이 연을 날렸다.
③ 불행히도, 아버지의 차 타이어에 펑크가 났다.
④ 너는 밤늦게 음악을 크게 틀어서는 안 된다.
⑤ 보물찾기 게임에서 모두가 보물을 쉽게 찾았다.

해설 '늦게'는 late이다. lately는 '최근에'라는 뜻이다.

어휘 desert 사막 kite 연 unluckily 불행히도
have a flat tire 타이어가 펑크 나다
turn up (음악 소리를) 높이다 treasure hunt 보물찾기

06 해설 -thing, -one, -body로 끝나는 대명사는 형용사가 뒤에 온다. 형용사적 용법의 to부정사가 올 경우 어순은 「-thing/-one/-body+형용사+to부정사」가 된다.

어휘 wear 입다

07 ① 도움이 필요하세요?
② 나에게는 아무 문제가 없다.
③ 케이크 좀 더 먹을래?
④ 그것에 관한 정보가 있나요?
⑤ 냉장고에 얼음이 없다.

해설 부정문이나 의문문에는 any를 쓰고, 긍정문이나 권유문에는 some을 쓴다. ③은 권유문이므로 some을 써야 한다.

어휘 information 정보 ice 얼음 refrigerator 냉장고

08 ① 나는 내 생일에 ________ 선물을 받았다.
② 엄마는 ________ 옛날 노래들을 알고 계신다.
③ 우리는 영화 전에 시간이 ________ 있다.
④ 사람들은 너무 ________ 종이컵을 쓰고 있다.
⑤ 나의 학교 도서관에는 책이 ________.

해설 나머지는 셀 수 있는 명사이므로 빈칸에 many나 a few가 들어가야 하는 반면, ③은 time이 셀 수 없는 명사이므로 빈칸에 much나 a little이 들어가야 한다.

어휘 gift 선물 paper cup 종이컵 library 도서관

09 • 그는 힘든 일로 인해 피곤했다.
• 그들은 결승전을 앞두고 열심히 축구 연습을 했다.

해설 hard는 '힘든, 열심히'의 뜻으로 형용사와 부사로 모두 쓰인다.

어휘 tired 피곤한 practice 연습하다 final match 결승전

10 ① Mike는 재미있는 소년이다.
② 그 키 큰 남자는 나의 삼촌이다.
③ 너는 그 옷을 입으니 멋져 보인다.
④ 나는 내 더러운 운동화를 빨았다.
⑤ 아름다운 하늘을 봐.

해설 ①, ②, ④, ⑤는 명사를 수식하는 반면에 ③은 주격 보어로 쓰였다.

어휘 funny 재미있는 dirty 더러운 sneakers 운동화

11 그 영화는 나를 슬프게 만들었다.

해설 목적격 보어 자리에는 부사가 아닌 형용사가 온다.

12 우리 뭔가 맛있는 것을 먹자.

해설 -thing으로 끝나는 대명사는 형용사가 뒤에서 수식한다.

어휘 delicious 맛있는

13 나는 이 책을 매우 추천한다.

해설 '매우, 상당히'는 high가 아니라 highly이다.

어휘 recommend 추천하다

14 A: 너는 오늘 학교에 왜 늦었니?
B: 나는 너무 늦게 일어났어.

해설 late는 '늦은', '늦게'의 뜻으로 형용사와 부사로 모두 쓰인다.

15 섣부른 지식은 위험하다.

해설 knowledge는 셀 수 없는 명사이므로 a few가 아닌 a little의 수식을 받는다.

어휘 knowledge 지식 dangerous 위험한

16 나는 거의 매일 일기를 쓴다.

해설 near은 '가까운, 가까이'의 뜻이다. '거의'는 nearly이다.

17 그 가게는 항상 문을 연다.

해설 '항상'의 뜻을 가진 빈도부사는 always이다.

18 Cathy는 탄산음료를 전혀 마시지 않는다.

해설 '전혀 ~않다'의 뜻을 가진 빈도부사는 never이다.

어휘 soft drink 탄산음료

19 A: 너는 주말에 무엇을 하니?
B: 나는 종종 축구를 해.

해설 빈도부사 often은 일반동사 앞에 온다.

20 A: 뮤지컬 어땠니?
B: 너무 좋았어. 배우들이 아름답게 노래했어.

해설 부사는 동사의 뒤에서 수식한다.

21 Andy는 빠른 수영 선수이다. → Andy는 빠르게 수영한다.

해설 fast는 형용사와 부사의 형태가 같다.

22 해설 '몇 개, 약간의' 뜻을 가진 수량 형용사로 셀 수 있는 명사 앞에는 a few, 셀 수 없는 명사 앞에는 a little이 온다.

23 내 가장 친한 친구인 민지의 생일이 다음주 금요일이다. 그녀는 친절하고 예쁘다. 그녀는 항상 내 말을 주의 깊게 들어준다. 나는 그녀에게 뭔가 특별한 것을 주고 싶다. 그래서, 나는 그녀를 위해 케이크를 만들 것이다. 나는 그것을 그녀가 가장 좋아하는 과일인 딸기로 장식할 것이다.

해설 ③에서 빈도부사의 위치는 일반동사 앞이다. 또, ⑤에서 something은 형용사가 뒤에 와야 한다.

어휘 decorate 장식하다 strawberry 딸기

24 〈보기〉 나는 약간의 빵이 필요하다.

(1) 나는 많은 달걀이 필요하다.

(2) 나는 설탕 조금이 필요하다.

해설 many는 '많은'이라는 뜻으로 셀 수 있는 명사 앞에 온다. egg는 여러 개이므로 복수형으로 쓴다. a little은 '조금의'라는 뜻으로 셀 수 없는 명사 앞에 온다.

어휘 ingredient 재료 bread 빵 sugar 설탕

25 〈보기〉 Alice는 귀여운 소녀이다.

(1) Paul은 똑똑한 소년이다.

(2) Yuna는 용감한 소녀이다.

해설 형용사는 명사 앞에 위치하여 명사를 수식한다.

어휘 brave 용감한

26 〈보기〉 지호는 매일 샤워를 한다.

(1) 지호는 자주 아침에 조깅을 한다.

(2) 지호는 보통 학교에 걸어간다.

(3) 지호는 가끔 설거지를 한다.

해설 일반적으로 일주일을 기준으로 5-6회면 usually(보통, 대개), 3-4회면 often(자주), 1-2회면 sometimes(가끔)로 표현한다.

어휘 take a shower 샤워하다 jog 조깅하다

CHAPTER 09 비교 구문

Point 39 원급 비교

Point 40 비교급 · 최상급 만들기

문법 확인

pp. 158~159

Ⓐ
1 웃기다 2 새 것이 아니다
3 달콤하다 4 크지 않다
5 가능한 한 빨리 6 바이올린을 잘 켠다
7 중요하다 8 말라 있었다

Ⓑ
1 더 느리다 2 더 크다
3 가장 추운 4 최선의
5 가장 유명한 6 더 진하다
7 더 어렵다 8 가장 나쁜[최악의]

문법 기본

p. 160

Ⓐ
1 smaller, smallest
2 hotter, hottest
3 more expensive, most expensive
4 better, best
5 younger, youngest
6 more useful, most useful
7 lower, lowest
8 sadder, saddest
9 louder, loudest
10 more beautiful, most beautiful
11 busier, busiest
12 less, least
13 more careful, most careful
14 fatter, fattest
15 more dangerous, most dangerous
16 wiser, wisest
17 more creative, most creative
18 healthier, healthiest
19 stronger, strongest
20 larger, largest

Ⓑ
1 well 2 faster
3 earlier 4 good
5 worst 6 most
7 newest

문법 쓰기

pp. 161~162

Ⓐ
1 winter more than summer
2 the tallest in his class
3 so expensive as strawberries

4 as precious as gold

Ⓑ 1 cuter → cutest 2 mucher → more
3 bright → brightest 4 than you → as you
5 easyest → easiest 6 longer → long

Ⓒ 1 swim as fast as a fish
2 higher than that mountain
3 the busiest day
4 Chinese as well as
5 Minsu jumped as high as Chanho
6 Could you speak more slowly?
7 I will reply to you as soon as possible.
8 I arrived earlier than the others.

실전 연습 p. 163

1 Her skin is as white as snow.
해설 '…만큼 ~한'은 원급 비교 표현인 as ~ as를 쓴다.
어휘 skin 피부

2 French was more difficult to learn than English.
해설 비교급 표현을 써야 한다. difficult와 같이 3음절의 단어인 경우 뒤에 -er을 붙이지 않고 앞에 more를 붙인다. 비교대상은 than을 써서 나타낸다.

Point 41 비교급 비교

Point 42 최상급 비교

문법 확인 pp. 164~165

Ⓐ 1 더 일찍 2 더 짧다
3 훨씬 더 추울 4 나보다 더
5 더 위험하다 6 훨씬 더 작다
7 더 많은 8 더 많은 사람들을

Ⓑ 1 최고의 영화 감독이 2 가장 어리다
3 가장 더운 날이었다 4 가장 중요한 것이다
5 가장 높은 6 가장 일찍
7 가장 똑똑하다 8 가장 귀한

문법 기본 p. 166

Ⓐ 1 more 2 much 3 biggest
4 tallest 5 funniest 6 more
7 better 8 more

Ⓑ 1 heaviest 2 niciest 3 a lot
4 islands 5 as 6 in

문법 쓰기 pp. 167~168

Ⓐ 1 much thicker than
2 the most popular
3 one of the oldest temples
4 most among fruits

Ⓑ 1 stronger → strongest
2 very → much[still, even, far, a lot]
3 in → of[among] 4 bad → worse 5 of → in

Ⓒ 1 the shortest month
2 one of the best soccer players
3 far more expensive than
4 one of the oldest castles
5 I ate less than yesterday.
6 This novel is much more interesting than the movie.
7 Bulgogi is one of the most famous Korean foods.
8 This sofa is even more comfortable than that chair.

실전 연습 p. 169

1 I like dogs much better than cats.
해설 비교급을 강조할 때 '훨씬 더'의 의미로 much를 쓸 수 있다.

2 Switzerland is one of the most beautiful countries in the world.
해설 '가장 ~한 것 중 하나'는 「one of the+최상급+복수명사」이다.
어휘 Switzerland 스위스

CHAPTER 09 내신 대비 실전 TEST pp. 170~172

01 ③ 02 ④ 03 ① 04 ① 05 ④
06 ② 07 ⑤ 08 ② 09 ③ 10 ①
11 kind 12 hotter
13 most humorous 14 as
15 easyer → easier 16 building → buildings
17 better than 18 most beautiful
19 even
20 (1) Yujin is as tall as Mina.
(2) Yujin is lighter than Mina.
21 (1) The bathroom is not as[so] large as the living room.
(2) Einstein was one of the smartest people in the world.
22 ③, much[still, even, far, a lot] taller than
23 (1) The apple is as big[large] as the baseball.
(2) The basketball is the biggest[largest] of the three.
24 (1) Eric's score is higher than Mia's.
(2) Lisa got the highest score among the three.
25 (1) The sandwich is more popular than the salad.
(2) The sandwich is more expensive than the pasta.

01 해설 heavy와 같이 「자음+-y」로 끝나는 말은 비교급을 만들 때 y를 i로 고치고 -er을 붙인다.
어휘 cheap (값이) 싼

02 Susan은 Cathy보다 더 ＿＿＿＿＿ 하다.
① 키가 큰 ② 나이가 많은 ③ 똑똑한 ④ 창의적인 ⑤ 어린
해설 creative와 같이 -ive로 끝나는 2음절 단어는 앞에 more를 써서 비교급을 나타낸다.
어휘 creative 창의적인

03 중국은 한국보다 훨씬 더 크다.
해설 '훨씬'이라는 뜻으로 비교급을 강조하는 말에는 much, still, even, far, a lot 등이 있다. very는 쓸 수 없다.

04 이 팬케이크는 피자만큼 크다.
해설 「as ~ as …」는 원급 비교 표현이므로 형용사나 부사의 원형이 와야 한다.
어휘 pancake 팬케이크

05 치타는 가장 빠른 육지 동물이다.
해설 유일한 대상을 나타내는 정관사 the가 있으므로 최상급 표현이다.
어휘 cheetah 치타 land animal 육지동물

06 뱀은 달팽이만큼 느리지 않다.
해설 「A not as[so] ~ as B」는 'A는 B만큼 ~하지 않다'는 뜻으로 'B는 A보다 더 ~하다'는 비교급 표현으로 바꿔 쓸 수 있다.
어휘 snake 뱀 snail 달팽이

07 해설 '가장 ~한 것 중 하나'는 「one of the+최상급+복수명사」로 쓴다.
어휘 volleyball 배구 exciting 신나는, 흥미로운

08 ① 그것은 올해 최고의 영화였다.
② 내 방은 네 방만큼 깨끗하지 않다.
③ 건강이 부보다 더 중요하다.
④ 이것은 이 나라에서 가장 긴 강이다.
⑤ 이 차는 너의 것보다 훨씬 빠르다.
해설 원급 비교에서 '…만큼 ~하지 않은'은 「not as[so] ~ as…」로 쓴다. ②의 so는 as가 되어야 한다.
어휘 clean 깨끗한 wealth 부 country 나라

09 • 나는 전보다 더 좋은 성적을 받았다.
• John은 그의 형제들 중에서 가장 게으르다.
해설 비교급 표현에서 '~보다'는 than으로 쓴다. 최상급 표현에서 비교대상이 복수명사이면 of나 among을 쓴다.
어휘 grade 성적 lazy 게으른

10 ① Mike가 가장 빠르게 대답했다.
② 가장 빠른 부산행 기차는 언제입니까?
③ 이 노래는 요새 가장 인기가 있다.
④ 그것은 시험에서 가장 어려운 문제였다.
⑤ 그 교회는 전 세계에서 가장 오래된 교회 중 하나이다.
해설 부사의 최상급에서 the는 생략할 수 있다.
어휘 quickly 빨리 these days 요새 church 교회

11 Baker씨는 그녀의 남편만큼 친절하다.
해설 「as ~ as …」는 원급 비교 표현으로 형용사나 부사의 원형을 쓴다.
어휘 husband 남편

12 오늘은 어제 보다 더 덥다.
해설 hot과 같이 「단모음+단자음」으로 끝나는 말은 비교급을 만들 때 끝 자음을 한 번 더 쓰고 -er을 붙인다.

13 Tony는 그의 학급에서 가장 유머러스한 소년이다.
해설 humorous는 3음절이므로 뒤에 -est를 붙이지 않고 앞에 most를 붙여서 최상급을 만들어야 한다.
어휘 humorous 유머러스한

14 내 컴퓨터는 너의 것만큼 빨리 작동하지 않는다.
해설 '…만큼 ~한[하게]'의 뜻을 가진 원급 비교 표현은 「as ~ as …」이다.

15 기말고사는 중간고사보다 더 쉬웠다.
해설 easy와 같이 「자음+-y」로 끝나는 말은 비교급을 만들 때 y를 i로 고치고 -er을 붙인다.
어휘 final exam 기말고사 midterm exam 중간고사

16 타지마할은 세계에서 가장 아름다운 건물 중 하나이다.
해설 '가장 ~한 것 중 하나'는 「one of the+최상급+복수명사」로 쓴다. 따라서 building의 복수형이 와야 한다.

17 나는 소라만큼 춤을 잘 추지 못한다. = 소라는 나보다 춤을 더 잘 춘다.
해설 「A not as[so] ~ as B」는 'A는 B만큼 ~하지 않다'는 뜻으로 'B는 A보다 더 ~하다'는 비교급 표현으로 바꿔 쓸 수 있다.

18 한국에는 아름다운 해변들이 많다. 해운대 해변은 그 중 하나이다. = 해운대 해변은 한국에서 가장 아름다운 해변 중 하나이다.
해설 '가장 ~한 것 중 하나'는 「one of the+최상급+복수명사」이다.
어휘 beach 해변

19 해설 우리말에 맞게 주어진 단어들을 바르게 배열하면 His bike is even older than mine이 된다. even으로 비교급을 강조할 수 있다.

20 (1) 유진이는 160센티미터이다. 미나는 160센티미터이다.
→ 유진이는 미나만큼 키가 크다.
(2) 유진이는 50킬로그램이다. 미나는 55킬로그램이다.
→ 유진이는 미나보다 더 가볍다.
해설 둘의 정도가 같을 때는 원급 비교를, 둘 중 하나의 정도가 더 클 때는 비교급을 쓴다. 원급 비교는 「as ~ as …」이고, 비교급은 「형용사[부사]의 비교급+than」이다.
어휘 light 가벼운

21 해설 (1) 원급 비교에서 '…만큼 ~하지 않은'은 「not as[so] ~ as…」로 쓴다.
(2) '가장 ~한 것 중 하나'는 「one of the+최상급+복수

명사」로 쓴다. smart의 최상급은 smartest이다.

22 Brown씨 부부는 우리 마을에서 가장 멋진 부부이다. Mrs. Brown은 Mr. Brown보다 나이가 더 많다. Mr. Brown은 Mrs. Brown보다 훨씬 더 키가 크다. 그들은 매우 잘생기거나 아름답지 않지만, 그들의 미소는 최고이다.

해설 '훨씬'이라는 뜻으로 비교급을 강조할 때는 very가 아니라 much나 still, even, far, a lot 등을 쓴다.

어휘 village 마을 handsome 잘생긴 smile 미소

23 (1) 사과는 야구공만큼 크다.
(2) 농구공은 셋 중에 가장 크다.

해설 (1) 원급 비교는 「as+형용사[부사]의 원형+as+비교대상」이다.
(2) 최상급은 「the+형용사[부사]의 최상급+of[in]+비교대상」이다.

24 (1) Eric과 Mia 중 누구의 점수가 더 높니?
(2) 셋 중에 누가 가장 높은 점수를 받았니?

해설 (1) 원급 비교는 「as+형용사[부사]의 원형+as+비교대상」이다. 표에서 Eric의 점수가 Mia의 점수가 더 높다.
(2) 최상급은 「the+형용사[부사]의 최상급+of[in]+비교대상」이다. 셋 중에 Lisa가 가장 높은 점수를 받았다.

어휘 score 점수

25 〈보기〉 샐러드는 파스타보다 더 싸다.
(1) 샌드위치는 샐러드보다 더 인기가 있다.
(2) 샌드위치는 파스타보다 더 비싸다.

해설 비교급은 「형용사[부사]의 비교급+비교대상」이다. 형용사나 부사의 비교급을 만들 때 일반적으로는 -(e)r을 붙이지만 -ful, -ous, -ive, -ing, -ive 등으로 끝나는 2음절 단어나 3음절 이상의 단어는 앞에 more를 붙인다. 표에서 샌드위치가 샐러드보다 더 인기있다. 샌드위치는 파스타보다 더 비싸다.

어휘 price 가격 popularity 인기 salad 샐러드
pasta 파스타 cheap (값이) 싼

CHAPTER 10 접속사와 전치사

Point 43 등위접속사

Point 44 접속사 that

문법 확인

pp. 174~175

Ⓐ
1 나의 아버지와 나는
2 차갑지만
3 민지나 수진이가
4 행복했고
5 길지만
6 내리고 있었지만
7 머물면서
8 아니면

Ⓑ
1 포유동물인 것은
2 데이트를 하고 있다는 것
3 큰 실수를 했다는 것을
4 그가 아무 것도 훔치지 않았다는 것
5 우리가 최선을 다했다는 것
6 불가능하지 않다고
7 모두가 Cathy를 좋아하는 것
8 말할 수 있다는 것은

문법 기본

p. 176

Ⓐ
1 and
2 but
3 That
4 it
5 or
6 that
7 and
8 that

Ⓑ
1 but
2 or
3 that
4 and
5 that
6 It
7 or
8 It

문법 쓰기

pp. 177~178

Ⓐ
1 expensive but useful
2 that he is a liar
3 black or white bag
4 It is true that

Ⓑ
1 but → or
2 to → that
3 continue → continued
4 That → It
5 wind → windy
6 it → that

Ⓒ
1 gentle, pretty, and smart
2 by bus or (by) subway
3 that I got a perfect score
4 that I don't have enough time
5 but I remained
6 I think (that) he is selfish.
7 The movie was fun and touching.
8 His house is huge but old.

실전 연습

p. 179

1 He is humorous but strict.

해설 서로 상반되는 내용은 등위접속사 but으로 연결한다.
어휘 humorous 재미있는, 유머러스한
strict 엄격한, 엄한

2 I know that penguins can't fly.
해설 동사의 목적어로 문장이 올 때 접속사 that으로 동사와 목적어절을 연결한다. 이 때 접속사 that은 생략 가능하지만 조건의 단어 수를 보면 생략하지 말아야 한다.
어휘 penguin 펭귄 fly 날다

Point 45 시간의 접속사

Point 46 이유 · 조건의 접속사

문법 확인 pp. 180~181

Ⓐ 1 어렸을 때 2 잠자리에 들기 전에
3 지고 나면[진 후에] 4 하기 전에
5 그친 후에 6 뮤지컬을 보기 전에
7 일곱 살 때 8 오기 전에

Ⓑ 1 흐렸기 때문에 2 파리를 방문한다면
3 서두르지 않는다면 4 막혔기 때문에
5 늦지 않았다면 6 나아지지 않으면

문법 기본 p. 182

Ⓐ 1 After 2 because 3 When
4 before 5 If

Ⓑ 1 Because 2 When 3 before
4 Unless 5 after 6 grow

문법 쓰기 pp. 183~184

Ⓐ 1 After we watched the movie
2 when I got home
3 Unless you work hard
4 because it was cold

Ⓑ 1 before → after 2 after → when
3 will pass → pass 4 Because → Because of
5 Because of → Because

Ⓒ 1 when I arrived at home
2 Before I turned off the computer
3 If it rains
4 because he had a terrible toothache
5 After we had the main dish
6 Unless you are tired
7 Before you leave the room
8 after you take off your shoes

실전 연습 p. 185

1 After he won the gold medal, he became famous. 또는 He became famous after he won the gold medal.
해설 그가 금메달을 따고 유명해 진 것이니, 먼저 일어난 일을 접속사 after로 연결하고, 나중에 일어난 일을 주절에 쓴다.

2 If you catch the train, you will be on time.
해설 '만일 ~라면[한다면]'의 뜻으로 조건을 나타내는 접속사는 if이다. 조건을 나타내는 부사절에서는 미래의 의미여도 현재 시제를 쓴다.
어휘 on time 정시에, 제 시간에

Point 47 시간을 나타내는 전치사

Point 48 위치 · 장소를 나타내는 전치사

문법 확인 pp. 186~187

Ⓐ 1 7시에 2 크리스마스 이브에
3 방학 동안 4 아침과 저녁에는
5 한 시간 동안 6 이번 주 금요일까지
7 자정 전에 8 등산을 한 후에

Ⓑ 1 학교에 2 탁자 위에
3 강둑을 따라서 4 터널을 통과하여
5 그 산 (속)에는 6 바르셀로나를 향해
7 굴러갔다 8 당신 옆에

문법 기본 p. 188

Ⓐ 1 in 2 in 3 for
4 on 5 at 6 by
7 to 8 on

Ⓑ 1 across 2 during
3 over 4 until
5 for 6 between
7 behind 8 before

문법 쓰기 pp. 189~190

Ⓐ 1 across from the bank 2 for a few weeks
3 before having lunch 4 out of the city

Ⓑ 1 above → below 2 by → until
3 for → to 4 on → at
5 among → around 5 down → up

Ⓒ 1 on Sundays
2 during the summer vacation
3 out of the supermarket
4 near here
5 among her classmates
6 The store opens at 10 o'clock in the morning.

7 Tom went into his room.

8 The airplane will arrive by noon.

실전 연습 p. 191

1 I usually eat dinner at 7[seven].

해설 구체적인 시간 앞에는 전치사 at을 쓴다.

2 There are many ducks on the lake.

해설 표면에 접촉한 상태로 '~위에'일 때는 전치사 on을 쓴다.

어휘 duck 오리

CHAPTER 10 내신 대비 실전 TEST pp. 192~194

01 ③	02 ①	03 ②	04 ⑤	05 ⑤
06 ①	07 ④	08 ③	09 ②	10 ④
11 because		12 When		13 before
14 that		15 come		
16 at		17 in		

18 When I become older

19 is rainy

20 My mom is a good cook and a great teacher.

21 (1) It is important that you have a dream.

(2) If you are hungry, you can eat the sandwich.

22 He reviews the lessons.

23 She has an English class on

24 (1) is sitting between Chris and Paul

(2) is sitting behind Ann

01 그 스테이크는 질겼지만 맛이 있었다.

해설 tough와 tasty는 다소 상반되는 내용이므로 '그러나'의 의미를 가진 접속사 but이 들어가는 것이 가장 알맞다.

어휘 steak 스테이크 tough 질긴 tasty 맛있는

02 나는 겨울에 눈사람 만드는 것을 좋아한다.

해설 계절과 같이 비교적 긴 시간 앞에는 전치사 in을 쓴다.

어휘 snowman 눈사람

03 여기에서 지하철역까지는 2킬로미터이다.

해설 '~부터 …까지'는 「from ~ to …」로 표현한다.

어휘 subway station 지하철역

04 ① 나는 아기였을 때, 자주 아팠었다.

② 잘 보고 뛰어라. (돌다리도 두드려 보고 건너라.)

③ 비가 그친 후에, 태양이 비쳤다.

④ 만일 네가 한가하면, 내가 집안일 하는 것을 도와줘라.

⑤ 나는 배가 너무 불렀기 때문에, 햄버거 두 개를 먹었다.

해설 배가 너무 불렀기 때문에 햄버거 두 개를 먹었다는 것은 내용상 어색하다.

어휘 leap 뛰다, 뛰어오르다 shine 빛나다, 반짝이다

housework 집안일 full 배가 부른

05 • 너는 데스크톱이나 노트북 컴퓨터를 이용할 수 있다.

• 만일 왼쪽으로 도시면, 은행을 찾으실 수 있습니다.

• 나쁜 날씨 때문에, 그들은 행사를 취소했다.

해설 '또는'이라는 뜻으로 선택의 의미를 나타낼 때는 접속사 or를 쓴다. '만일'의 의미로 조건을 나타낼 때는 접속사 if를 쓴다. '~ 때문에'라는 뜻으로 뒤에 명사(구)가 이어질 때는 because가 아닌 because of를 쓴다.

어휘 desktop 데스크톱[탁상용] 컴퓨터

laptop 노트북 컴퓨터 cancel 취소하다

06 A: 너는 언제 피아노 수업을 받니?

B: 나는 매주 화요일마다 바이올린을 배워.

해설 요일, 날짜, 특정한 날 앞에는 전치사 on을 쓴다.

07 A: 토끼는 어디로 갔니?

B: 나무 뒤에 숨었어.

해설 토끼가 숨은 상황이므로 나무 '뒤'가 가장 알맞다. '~뒤에'는 behind이다.

어휘 rabbit 토끼 hide 숨다

08 • 그가 어리석은 것은 확실하다.

• 나는 머리를 감은 후에 말렸다.

• 강 옆에 식당이 있다.

• 그 축제는 내일까지 계속될 것이다.

• 만일 내가 성인이 되면, 나는 혼자 여행할 것이다.

해설 ⓑ는 after 뒤에 동명사 washing이 오거나 절 형태의 I washed가 와야 한다. ⓔ는 조건의 if절에는 의미상 미래여도 현재 시제를 써야 하므로 I'll을 I로 바꿔야 한다.

어휘 certain 확실한 foolish 어리석은 dry 말리다

adult 성인 alone 혼자

09 내가 그곳에 도착하면 너에게 전화하겠다.

① 그 도둑이 나의 집에 침입했을 때, 나는 집에 없었다.

② 너는 내 생일이 언제인지 아니?

③ 내가 민수를 봤을 때, 그는 나무 밑에서 자고 있었다.

④ 내가 강당에 들어갔을 때, 아무도 없었다.

⑤ 네가 지루할 때 너는 무엇을 하니?

해설 나머지는 '~할 때'의 뜻을 가진 접속사인 반면 ②는 '언제'라는 뜻의 부사이다.

어휘 thief 도둑 break into 침입하다 hall 강당 bored 지루한, 심심한

10 ① 문제는 내가 그녀의 전화번호를 모른다는 것이다.

② 그 사고의 생존자가 없다는 것은 슬펐다.

③ 진수가 1등을 한 것은 놀랍다.

④ 너는 소라가 다른 학교로 전학간 것을 알고 있었니?

⑤ 죽은 다음에도 머리카락이 자란다는 것은 근거 없는 믿음이다.

해설 ④의 that은 목적어절을 이끌고 있으므로 생략이 가능하다.

어휘 trouble 문제, 곤란 survivor 생존자 accident 사고

myth 신화, 근거 없는 믿음 grow 자라다 death 죽음

11 지호는 오후 내내 운동을 했다. 그래서 그는 매우 피곤했다.

→ 지호는 오후 내내 운동을 했기 때문에 매우 피곤했다.
해설 이유를 나타내는 접속사는 because이다.

12 초인종이 울렸다. 그때, 나는 샤워를 하고 있었다.
→ 초인종이 울렸을 때, 나는 샤워를 하고 있었다.
해설 특정한 시점이나 때를 나타내는 접속사는 when이다.
어휘 doorbell 초인종

13 나는 준비운동을 했다. 그러고 나서, 나는 수영을 했다.
→ 나는 수영을 하기 전에 준비운동을 했다.
해설 '~전에'의 뜻을 가진 시간의 접속사는 before이다.
어휘 warm-up exercise 준비운동

14 • 나는 아픈 아이들이 없기를 희망한다.
• 기름이 물 위에 뜨는 것은 사실이다.
해설 목적어 역할과 주어 역할을 하는 명사절을 이끄는 접속사는 that이다.
어휘 fact 사실 oil 기름 float 뜨다

15 만일 네가 파티에 온다면, 나는 매우 기쁠 것이다.
해설 if가 이끄는 조건절은 의미가 미래여도 현재 시제로 쓴다. 따라서 will come은 come이 되어야 한다.

16 A: 너는 몇 시에 일어나니?
B: 나는 매일 7시에 일어나.
해설 시간 앞에는 전치사 at을 쓴다.

17 A: 코알라는 어디에 사니?
B: 그들은 오스트레일리아에 살아.
해설 국가와 같이 비교적 넓은 장소 앞에는 전치사 in을 쓴다.
어휘 koala 코알라 Australia 오스트레일리아

18 해설 when이 이끄는 시간의 부사절에는 미래시제를 쓰지 않고, 현재 시제를 쓴다.
어휘 wise 현명한

19 해설 등위접속사의 앞, 뒤에는 같은 문장 성분이 와야 한다. 따라서 rains 대신 be동사를 쓰고, 그 뒤에 warm과 같은 품사인 형용사를 써야 한다.

20 (1) 나의 엄마는 좋은 요리사이시다. 그녀는 또한 훌륭한 선생님이시다. → 나의 엄마는 좋은 요리사이자 훌륭한 선생님이시다.
해설 (1) 등위접속사 and로 문장을 연결할 때 주어와 동사가 같으면 굳이 또 써주지 않아도 된다.
어휘 cook 요리사

21 해설 (1) 가주어 it을 주어 자리에 썼으므로 진주어인 that절은 문장의 뒤에 온다.
(2) 조건의 절을 이끄는 접속사는 if이다.
어휘 important 중요한

22 A: Kevin은 저녁 식사를 하기 전에 무엇을 하는가?
B: 그는 수업을 복습한다.
해설 일과표에 따르면 Kevin은 저녁 식사를 하기 전에 수업을 복습한다.
어휘 take a break 휴식하다 review 복습하다 lesson 수업

23 A: 유나는 언제 영어 수업이 있는가?
B: 그녀는 월요일과 수요일마다 영어 수업이 있다.
해설 시간표에 따르면 영어 수업은 월요일과 수요일에 있다. 요일 앞에는 전치사 on을 쓴다.

24 〈보기〉 Mike는 Kate 앞에 앉아 있다.
(1) Kate는 Chris와 Paul 사이에 앉아 있다.
(2) Chris는 Ann 뒤에 앉아 있다.
해설 (1) 'A와 B 사이에'는 between A and B이다.
(2) '~뒤에'는 behind이다.

CHAPTER 11

의문사

Point 49 who, what, which

Point 50 when, where

문법 확인 pp. 196~197

Ⓐ
1 누구니 2 누가
3 어느 것이 4 무엇을
5 누구를 6 무슨 색깔을
7 누가 8 어느 것을

Ⓑ
1 언제 2 어디에
3 몇 시에 4 어디에
5 언제 6 어디에서
7 언제지 8 몇 시에

문법 기본 p. 198

Ⓐ
1 Who 2 What 3 Which
4 When 5 Where 6 What
7 Whom 8 Where

Ⓑ
1 Which 2 When 3 Who
4 What 5 Where 6 What
7 Where 8 Which

문법 쓰기 pp. 199~200

Ⓐ
1 What day is it
2 Who invented Hangeul
3 What is your favorite subject
4 Where did you learn

Ⓑ
1 Whom → Who
2 When → Where
3 Which → What
4 who she went → where did she go
5 his nickname is → is his nickname
6 When → What

Ⓒ
1 What do you want to eat
2 Which team won the game
3 Who[Whom] were you talking to
4 Where did they find
5 When did you go to sleep last night?
6 Who won the best actor award?
7 What kind of movie do you like?
8 Where is his hometown?

실전 연습 p. 201

1 Who gave the speech?
해설 의문사가 주어로 쓰인 경우에는 의문사 바로 뒤에 동사를 쓴다.
어휘 speech 연설

2 When is Arbor Day?
해설 '언제'에 해당하는 의문사는 when이다. 의문사와 be동사가 쓰인 의문문의 어순은 「의문사+be동사+주어 ~?」이다.

Point 51 why, how

Point 52 How+형용사[부사] ~ ?

문법 확인 pp. 202~203

Ⓐ
1 왜 일찍 왔니 2 어떻게 가나요
3 왜 울었니 4 어떻게 보내니
5 왜, 되고 싶니 6 어떻게
7 왜, 방문했니 8 어떠니

Ⓑ
1 몇 자루 있니 2 얼마나 머니
3 얼마나 받니 4 얼마동안
5 얼마나 자주 6 얼마나 길지[길까요]
7 얼마가 들까요 8 얼마나 컸니

문법 기본 p. 204

Ⓐ
1 Why 2 How 3 Why 4 How 5 many
6 long 7 fast 8 much

Ⓑ
1 How 2 Why 3 many 4 high 5 long
6 Why 7 How 8 much

문법 쓰기 pp. 205~206

Ⓐ
1 How are you feeling 2 Why don't you
3 How tall is 4 Why did you fight

Ⓑ
1 many → much 2 far → long
3 do → don't 4 Why → How
5 long → old 6 high → far

Ⓒ
1 Why didn't he come to the meeting
2 Why don't you have
3 How much money do you have
4 How many offices are there
5 How far is it from here
6 How old is your turtle?
7 How do I look today?
8 How fast is the sports car?

실전 연습 p. 207

1 Why did you go to the hospital?

해설 '왜'인지 이유를 물어볼 때는 의문사 why를 쓴다. 어순은 「의문사+조동사+주어+동사 ~?」이다.

어휘 hospital 병원

2 How often do you take a bath?

해설 '얼마나 자주'는 how often이다. 어순은 「how often+do[does, did]+주어+동사 ~?」이다.

어휘 take a bath 목욕하다

CHAPTER 11 내신 대비 실전 TEST pp. 208~210

01 ③	**02** ④	**03** ②	**04** ②	**05** ⑤
06 ②	**07** ①	**08** ①	**09** ④	**10** ⑤

11 Who **12** When **13** much
14 What **15** much → many
16 long → far **17** How old **18** Which
19 (1) What
(2) Why
20 find
21 What are your hobbies
22 Why don't you leave now?
23 (1) Where is it?
(2) How tall[high] is it?
24 (1) How many classes does Minho have on Mondays?
(2) What time does lunchtime start?
25 (1) What is her name
(2) How old is she
(3) Where does she live

01 너는 누구와 함께 파티에 갈 거니?

해설 who가 목적어로 쓰인 경우 whom으로 바꿔 쓸 수 있다.

02 영화는 몇 시에 시작하니?

해설 what time(몇 시에)은 when(언제)과 바꿔 쓸 수 있다.

03 너는 피자와 스파게티 중 어느 쪽을 더 좋아하니?

해설 정해진 범위 내에서 '어느 (것/쪽)'의 의미를 나타낼 때는 의문사 which를 쓴다.

04 너는 보통 어떤 종류의 음악을 듣니?

해설 정해지지 않은 범위에서 막연하게 '어떤'의 의미로 쓰였으므로 what이 알맞다.

어휘 kind 종류

05 오늘 날씨는 어떠니?

해설 '어떤'의 의미로 상태를 나타내는 의문사는 how이다.

06 ① 왜 ③ 어떻게 ④ 언제 어디에서 너는 Mike를 만났니?

해설 사물에 대해 물어보는 의문사 what은 의미상 적절하지 않다.

07 해설 의문사 'who(누가)'가 주어로 쓰였다. 의문사가 주어로 쓰인 경우 별도의 조동사 없이 바로 뒤에 동사가 나온다.

08 ① 너는 모자가 몇 개 있니?
② 너는 잘 지내고 있니?
③ 너의 영어 선생님은 어디 출신이니?
④ 여기에서 쇼핑몰까지는 얼마나 머니?
⑤ 우리 박물관 앞에서 만나는 게 어때?

해설 cap은 셀 수 있는 명사이므로 How many~로 물어봐야 한다.

어휘 museum 박물관

09 A: 너는 왜 서두르니?
B: 수업에 늦었어.

해설 내용상 이유를 묻는 말이 들어가야 하므로 의문사 why(왜)가 알맞다.

어휘 in a hurry 서두르는 class 수업

10 ① A: 그들은 누구니?
B: 내 사촌들이야.
② A: 너의 엄마는 무엇을 하시니?
B: 간호사이셔.
③ A: 너 왜 이렇게 일찍 일어났니?
B: 오늘은 소풍 날이잖아.
④ A: 너는 얼마나 자주 운동을 하니?
B: 일주일에 약 서너 번 해.
⑤ A: 한강 다리는 얼마나 길지?
B: 한 시간 정도 걸려.

해설 한강 다리의 길이를 물어봤는데 소요시간에 대해 답하고 있으므로 어색하다.

어휘 cousin 사촌 work out 운동하다 bridge 다리

11 너의 역할 모델은 누구니?

해설 누구인지 사람에 대해 묻고 있으므로 who가 알맞다.

어휘 role model 역할 모델, 모범이 되는 사람

12 현충일은 언제지?

해설 날짜를 묻고 있으므로 when이 알맞다.

어휘 Memorial Day 현충일

13 빨간 배낭은 얼마죠?

해설 가격을 묻고 있으므로 How much~?가 맞다.

어휘 backpack 배낭

14 • 오늘 서울의 날씨는 어떠니?
• 네가 가장 좋아하는 디저트는 무엇이니?

해설 날씨에 대해 물을 때 how 또는 what ~like를 쓴다. 디저트는 사물이므로 what으로 시작해야 한다.

어휘 dessert 디저트

15 너는 한 달에 책을 몇 권 읽니?

해설 book은 셀 수 있는 명사이므로 How many~로 물어봐

야 한다.

어휘 a month 한 달에

16 서울에서 부산까지는 얼마나 머니?

해설 거리에 대해 묻고 있으므로 How far ~?가 맞다.

17 A: 네 언니[여동생, 누나]는 몇 살이니?

B: 스무 살이야.

해설 나이에 대해 물을 때는 How old ~?로 묻는다.

18 A: 너는 코미디와 액션 영화 중 어느 쪽을 선호하니?

B: 나는 코미디 영화를 선호해.

해설 둘 중 '어느 쪽'이므로 which가 알맞다.

어휘 prefer 선호하다 comedy 코미디

19 A: 무슨 일이야? 네 얼굴이 온통 빨개.

B: 나 지금 너무 당황스러워.

A: 왜 당황스러운데?

B: 교실에서 미끄러졌기 때문이야. 모두가 나를 봤어.

해설 (1) '무엇'이 잘못되었는지 묻는 것이므로 what이 알맞다.

(2) '왜'인지 이유를 묻고 있으므로 why가 알맞다.

어휘 wrong 잘못된 embarrassed 당황한 slip 미끄러지다

20 해설 단어들을 바르게 배열하면 「Where can I find the bus stop?」이 된다. 의문사로 시작하는 조동사가 있는 의문문의 어순은 「의문사+조동사+주어+동사 ~?」이다.

어휘 find 발견하다 bus stop 버스 정류장

21 A: 네 취미는 무엇이니?

B: 내 취미는 영화보기와 소설책 읽기야.

해설 취미가 '무엇'인지 묻고 있으므로 what으로 시작한다.

22 해설 '~하는 게 어때?'라는 뜻으로 상대방에게 권유하는 표현은 'Why don't you ~?'이다.

23 (1) Q: 그것은 어디에 있나요?

A:그것은 경주 불국사에 있어요.

(2) Q: 그것은 높이가 얼마나 되나요?

A: 10.29 미터에요.

해설 (1) '어디'인지 위치를 물을 때는 where로 시작한다.

(2) 높이를 물어볼 때는 How tall[high]~?로 물어본다.

24 해설 (1) class와 같이 셀 수 있는 명사의 개수를 물을 때는 How many ~?로 묻는다.

(2) '몇 시에'는 what time이다.

25 (1) 그녀의 이름은 무엇이니?

(2) 그녀는 몇 살이니?

(3) 그녀는 어디에 사니?

해설 (1) 이름이 '무엇'인지 묻는 것이므로 what으로 시작한다.

(2) 몇 살인지 나이를 물을 때는 How old ~?로 물어본다.

(3) '어디'에 사는 지 장소를 묻는 것이므로 where로 시작한다.

CHAPTER 12 여러 가지 문장

문법 확인

pp. 212~213

Ⓐ 1 꺼주세요 2 펴라
3 마라 4 가자
5 말자 6 미루지 마라
7 부르자 8 보지 마라

Ⓑ 1 정말 시구나
2 어리석던지
3 놀라운 이야기구나
4 조심스럽게 운전을 하는 구나
5 정말 멋진 신발이다
6 얼마나 긴 코를 가지고 있는지
7 정말 열심히 공부하는 구나
8 정말 비싸구나

문법 기본

p. 214

Ⓐ 1 Be 2 Don't 3 Let's 4 not 5 How
6 What 7 What 8 How

Ⓑ 1 Let's 2 be 3 What 4 Don't 5 Let's not
6 How 7 What 8 How

문법 쓰기

pp. 215~216

Ⓐ 1 Tell me the truth 2 Never say bad words
3 How big the castle was 4 What a nice hat

Ⓑ 1 Not → Don't 2 no → not
3 How → What 4 helps → help
5 What → How 6 do → be

Ⓒ 1 How sweet
2 Don't use your cell phone
3 What a high mountain
4 Let's not practice basketball
5 What a fancy car he has!
6 Let's go to the library after school
7 How strange!
8 Don't be sad.

실전 연습

p. 217

1 Don't be silly.

해설 '~하지 마라'는 뜻의 부정 명령문은 「Don't+동사원형 ~.」으로 쓴다.

어휘 silly 어리석은

2 What a great saint she was!
해설 강조하는 것이 명사(saint)이다. 명사를 강조한 감탄문의 어순은 「What+(a/an)+형용사+명사(+주어+동사)!」이다.
어휘 saint 성인

Point 55 긍정문 뒤의 부가의문문

Point 56 부정문 뒤의 부가의문문

문법 확인 pp. 218~219

Ⓐ
1 그렇지 않니　2 그렇지 않니
3 그래 줄래　4 그렇지 않니
5 그렇지 않니　6 그래 줄래
7 그렇지 않니　8 그렇지 않니

Ⓑ
1 그렇지　2 그럴래
3 그렇지　4 그렇지
5 그럴래　6 그렇지
7 그렇지 / 응

문법 기본 p. 220

Ⓐ
1 isn't　2 didn't　3 shall
4 are　5 will　6 did
7 won't　8 will

Ⓑ
1 isn't　2 doesn't　3 did
4 will　5 are　6 shall
7 can　8 won't

문법 쓰기 pp. 221~222

Ⓐ
1 You are crying, aren't
2 Let's go camping, shall
3 not your cellphone, is it
4 the trash, will you

Ⓑ
1 were → weren't　2 Mom → she
3 won't → will　4 will → shall
5 does → did　6 are → aren't

Ⓒ
1 didn't eat anything, did they
2 lost your bag, didn't you
3 Turn off the TV, will
4 Let's make a shopping list, shall
5 You are not happy, are you?
6 The test was difficult, wasn't it?
7 Don't drive too fast, will you?
8 Let's not waste energy, shall we?

실전 연습 p. 223

1 Chris is a baseball player, isn't he?
해설 앞의 문장이 긍정문이므로 부가의문문은 부정문으로 써야 한다.

2 No, I didn't eat anything.
해설 부가의문문에서 대답은 사실 여부에 따른다. 질문에 대한 행동을 했으면 yes로, 하지 않았으면 no로 한다. 따라서 우리말로는 "응"이지만 먹지 않은 것이므로 No로 답해야 한다.

CHAPTER 12 내신 대비 실전 TEST pp. 224~225

01 ③　02 ①　03 ②　04 ②　05 ⑤
06 ⑤　07 ⑤　08 ②　09 ①　10 ⑤
11 What　12 How　13 How
14 be　15 don't → not
16 don't → will　17 Don't　18 What
19 (1) wasn't it
(2) How
(3) shall we
20 report
21 (1) Take a shower.
(2) Don't copy others' homework.
22 (1) Let's play soccer.
(2) We didn't make a mistake, did we?
23 (1) You were at the shop yesterday, weren't you?
(2) You are not telling the truth, are you?
24 (1) What beautiful stars he painted!
(2) How bright the moon is!
25 (1) Don't park.
(2) Don't use a cell phone.
(3) Don't smoke.

01 움직이지 마. 네 바로 옆에 벌이 있어.
해설 '~하지 마'라는 뜻의 부정 명령문의 형태는 「Don't + 동사원형 ~.」이다.
어휘 bee 벌

02 너 만점을 받았구나. 넌 정말 똑똑하구나!
해설 형용사나 부사를 강조할 때 감탄문은 「How+형용사[부사](+주어+동사)!」로 쓴다.
어휘 perfect score 만점

03 민지는 수영을 잘해, 그렇지 않니?
해설 긍정문 뒤에 부가의문문은 부정문으로 쓴다. 앞 문장이 be동사이므로 be동사의 부정형으로 쓴다.

04 우리 외식하는 게 어때?
① 외식해라.
② 외식하자.
③ 외식하지 마라.
④ 외식할래?
⑤ 외식하지 말자.
해설 Why don't we~? (우리 ~하는 게 어때?)와 같이 제안하는 표현은 Let's~(~하자)이다.
어휘 eat out 외식하다

05 ① 네 방은 매우 깨끗하다. → 네 방은 정말 깨끗하구나!
② 그것은 매우 비싼 차이다. → 그것은 정말 비싼 차구나!
③ 연은 매우 높이 날고 있다. → 연이 정말 높이 날고 있구나!
④ 우리는 정말 환상적인 쇼를 봤다. → 우리는 정말 환상적인 쇼를 봤어!
⑤ 매우 더운 날이었어. → 정말 더운 날이었어!
해설 강조하는 말이 a hot day로 「형용사+명사」이므로 what으로 시작해야 한다. (→ What a hot day it was!)
어휘 kite 연 fly 날다 fantastic 환상적인

06 • 한 시간 뒤에 나를 깨워줘, 그래 줄래?
• 6시에 만나자, 그럴래?
해설 명령문의 부가의문문은 will you?로, 청유문의 부가의문문은 shall we?로 쓴다.
어휘 wake up 깨우다

07 해설 형용사와 명사를 강조할 때 감탄문은 「What+(a/an)+형용사+명사(+주어+동사)!」로 쓴다.
어휘 romantic 낭만적인

08 ① 재미있을 거야, 그렇지 않니?
② 쓰레기를 내다 줘, 그래 줄래?
③ 음악 소리를 높이지 마, 그래 줄래?
④ 유나는 바이올린을 못 켜, 그렇지?
⑤ 치킨과 피자를 먹자, 그럴래?
해설 명령문의 부가의문문은 긍정문, 부정문에 관계없이 뒤에 will you?를 붙인다.
어휘 take out 내놓다 trash 쓰레기 turn up (소리를) 높이다

09 A: 조심해. 길이 얼었어.
B: 고마워. 몰랐어.
해설 긍정 명령문은 동사원형으로 시작한다. 따라서 be동사를 쓸 때는 be로 시작한다.
어휘 careful 주의하는 road 길 icy 얼음에 뒤덮인

10 ① A: 지금 네 숙제를 해라.
B: 네, 그럴게요.
② A: 이번 주말에 영화 보러 가자.
B: 그거 좋다.
③ A: 새끼 고양이들 좀 봐.
B: 정말 귀엽구나!
④ A: 정말 좋은 냄새구나!
B: 나는 지금 빵을 굽고 있어.
⑤ A: 너 어제 파티에 오지 않았지, 그렇지?
B: 응, 나는 그곳에 가지 않았어.
해설 부가의문문에서 대답은 사실 여부에 따라 한다. 행동을 했으면 yes로, 하지 않았으면 no로 한다. 따라서 우리말로는 "응"이지만 파티에 가지 않은 것이므로 No로 답해야 한다.
어휘 weekend 주말 kitten 새끼 고양이 smell 냄새 bake 굽다 bread 빵

11 그는 매우 잘생긴 남자이다. → 그는 정말 잘생긴 남자구나!
해설 강조하는 말이 a handsome guy이므로 what으로 시작하는 감탄문이다.
어휘 handsome 잘생긴 guy 남자

12 그 아이들은 매우 아름답게 노래한다. → 그 아이들은 정말 아름답게 노래하는구나!
해설 강조하는 말이 부사인 beautifully이므로 how로 시작하는 감탄문이다.

13 그 판다들은 매우 귀엽다. → 그 판다들은 정말 귀엽구나!
해설 강조하는 말이 형용사 cute이므로 how로 시작하는 감탄문이다.
어휘 panda 판다 cute 귀여운

14 • 제발 좀 현실적이어라.
• 우리 솔직 하자.
해설 긍정 명령문은 「동사원형 ~.」이고 청유문은 「Let's+동사원형 ~.」이다. 둘 다 be동사가 필요하므로 원형인 be가 들어가야 한다.
어휘 realistic 현실적인 honest 정직한

15 해설 '~하지 말자'는 뜻의 부정 청유문의 형태는 「Let's not+동사원형 ~」이다.
어휘 wait 기다리다

16 해설 명령문의 부가의문문은 긍정문이나 부정문에 관계없이 뒤에 will you?를 붙인다.
어휘 focus on ~에 집중하다

17 A: 나 곧 무대에 서게 돼. 너무 긴장돼.
B: 걱정 마. 너는 잘할 거야.
해설 '~하지 마'라는 뜻의 부정 명령문의 형태는 「Don't+동사원형 ~.」이다.
어휘 stage 무대 nervous 긴장된 worry 걱정하다

18 A: 내 새 재킷 어떠니?
B: 정말 멋진 재킷이구나!
해설 명사를 강조할 때 감탄문은 「What+(a/an)+형용사+명사(+주어+동사)!」로 쓴다.
어휘 jacket 재킷

19 A: 음식 맛있었지, (1) 그렇지 않니?
B: 응, 나는 특히 디저트가 마음에 들었어. (2) 아이스크림은 정말 달콤했어!
A: 오, 우리 늦겠다. 영화가 30분 뒤에 시작해.
B: 택시를 타자, (3) 그럴래?

A: 그래, 좋아.

해설 (1) 긍정문 뒤에 부가의문문은 부정문으로 쓴다.
(2) 형용사 sweet을 강조하는 감탄문이므로 how로 시작한다.
(3) 청유문의 부가의문문은 shall we?로 쓴다.

어휘 especially 특히 dessert 디저트, 후식 sweet 달콤한

20 해설 단어들을 바르게 배열하면 Sumi didn't get her report card, did she?가 된다. 부정문 뒤에 부가의문문은 긍정문으로 쓴다.

어휘 report card 성적표

21 (1) 너는 샤워를 해야 한다. → 샤워를 해라.
(2) 너는 남의 숙제를 베끼면 안된다. → 남의 숙제를 베끼지 마라.

해설 (1) 긍정 명령문의 형태는 「동사원형 ~.」이다.
(2) 부정 명령문의 형태는 「Don't+동사원형 ~.」이다.

어휘 take a shower 샤워하다 copy 베끼다, 복사하다

22 해설 (1) '~하자'는 뜻의 긍정 청유문의 형태는 「Let's+동사원형 ~.」이다.
(2) 부정문 뒤의 부가의문문은 긍정문으로 쓴다.

23 해설 (1) 긍정문 뒤에 부가의문문은 부정문으로 쓴다.
(2) 부정문 뒤에 부가의문문은 긍정문으로 쓴다.

어휘 shop 가게, 상점 truth 진실

24 (1) 그는 정말 아름다운 별들을 그렸어. → 그는 얼마나 아름다운 별들을 그렸는지!
(2) 달이 정말 밝아. → 달이 어찌나 밝은지!

해설 (1) 강조하는 말이 beautiful stars이므로 감탄문은 「What+형용사+명사+주어+동사!」로 쓴다.
(2) 강조하는 말이 형용사인 bright이므로 감탄문은 「How+형용사+주어+동사!」로 쓴다.

어휘 paint 그리다 moon 달 bright 밝은

25 (1) 주차 금지 → 주차하지 마시오.
(2) 휴대 전화 사용 금지 → 휴대 전화를 사용하지 마시오.
(3) 흡연 금지 → 흡연하지 마시오.

해설 '~하지 마라'는 뜻의 부정 명령문의 형태는 「Don't+동사원형 ~.」이다.

Memo